Mom

De Normand Lester chez le même éditeur

Le Livre noir du Canada anglais 1,
nouvelle édition revue et augmentée, essai, 2004.
Le Livre noir du Canada anglais 3, essai, 2003.
Le Livre noir du Canada anglais 2, essai, 2002.
Le Livre noir du Canada anglais, essai, 2001.
Alerte dans l'espace (en collaboration avec Michèle Bisaillon),
roman jeunesse, 2000.

De Normand Lester chez d'autres éditeurs

Chimère (en collaboration avec Corinne De Vailly), roman,
Montréal, Libre Expression, 2002.
Prisonnier à Bangkok (en collaboration avec Alain Olivier),
récit, Montréal, Les Éditions de l'Homme, 2001.
Enquêtes sur les services secrets, Les Éditions de l'Homme,
essai, Montréal, 1998.
L'affaire Gérald Bull. Les canons de l'apocalypse, essai,
Montréal, Les Éditions du Méridien, 1991.

GUY OUELLETTE
NORMAND LESTER

MOM

LES INTOUCHABLES

Les Éditions des Intouchables bénéficient du soutien financier de la SODEC, du Programme de crédits d'impôt du gouvernement du Québec et sont inscrites au Programme de subvention globale du Conseil des Arts du Canada.

Nous reconnaissons l'aide financière du gouvernement du Canada par l'entremise du Programme d'aide au développement de l'industrie de l'édition (PADIÉ) pour nos activités d'édition.

LES ÉDITIONS DES INTOUCHABLES
2316, avenue du Mont-Royal Est
Montréal, Québec
H2H 1K8
Téléphone : (514) 526-0770
Télécopieur : (514) 529-7780
www.lesintouchables.com

DISTRIBUTION : PROLOGUE
1650, boulevard Lionel-Bertrand
Boisbriand, Québec
J7H 1N7
Téléphone : (450) 434-0306
Télécopieur : (450) 434-2627

Impression : Transcontinental
Photographie de la couverture : Presse Canadienne
Photographies intérieures : Guy Ouellette
Infographie et conception de la couverture : Benoît Desroches

Dépôt légal : 2005
Bibliothèque nationale du Québec
Bibliothèque nationale du Canada

ISBN 2-89549-184-4

À force de jouer les pin up médiatiques,
les motards se retrouvent d'ailleurs
avec des politiciens surexcités
à l'idée d'obtenir une loi antigang mordante.
Et, qu'on le veuille ou non,
chaque nouveau coup d'éclat de Maurice Boucher
soutient la cause de ces politiciens. Conclusion?
C'est peut-être la course à la célébrité
qui mènera le motard le plus connu à sa perte.

YVES SCHAËFFNER, *Ici*, vol. 4, nº 14, 21 décembre 2000.

AVANT-PROPOS

Lorsque Normand Lester m'a approché pour écrire un livre sur Maurice Boucher, l'idée m'a tout de suite plu; j'avais moi-même déjà pensé à le faire. J'en avais même déjà parlé avec l'intéressé lui-même. En mai 2005, j'ai demandé à un avocat représentant Maurice Boucher si ce dernier était toujours intéressé à m'aider pour l'écriture de ce livre tel qu'il me l'avait offert avant ma retraite. La réponse a été négative.

L'ancien chef de guerre des Hells Angels Nomads fascine. De nombreuses légendes entourent la carrière criminelle de celui qui en est venu à incarner l'image même du motard criminalisé. Comme c'est souvent le cas, le fossé est large entre la légende et la réalité. J'ai donc pensé qu'un livre permettrait de remettre les pendules à l'heure, de tracer un portrait réel du personnage à qui les médias ont souvent donné une dimension mythique.

Cette biographie non autorisée de Boucher traite de sa vie de criminel professionnel. Dans le cadre de mes fonctions, j'ai eu à rencontrer Boucher à maintes occasions; nous avons eu des carrières parallèles de part et d'autre de la loi. Plus que tous les rapports de surveillance physique ou électronique, plus que tous les dossiers judiciaires, c'est vraiment l'échange personnel d'homme à homme qui permet de vraiment évaluer un individu. D'en prendre la mesure.

En plus de mes propres rencontres avec lui, pour mieux saisir le personnage, je me suis fondé sur des évaluations psychologiques de sa personnalité réalisées à 25 ans d'écart. Il s'agit des deux rapports présentenciels rédigés par le criminologue Guy Pellerin en 1975 et 1976 et du rapport psychiatrique du docteur Louis Morissette produit en 2000. Dans ce livre, la vie privée de Maurice Boucher n'est évoquée que dans la mesure où elle a eu une influence sur sa vie «professionnelle».

Maurice Boucher est un opportuniste habile qui a su utiliser la notoriété de l'emblème de la tête de mort ailée et la crainte qu'elle engendre. Je ne crois pas qu'il partage vraiment l'idéologie contestataire et non-conformiste des Hells. Boucher n'aimait pas porter les *patches* du club. Pour lui, les Hells Angels représentaient la voie royale vers la richesse et pas grand-chose d'autre. C'était la seule voie possible, pour un petit gars d'Hochelaga-Maisonneuve qui n'a pas fini ses études secondaires, afin de devenir millionnaire. L'image Hells Angels et la mythologie qui entoure le groupe lui ont servi à atteindre ses objectifs personnels.

Ce livre décrit le cheminement criminel de Boucher, de petit *dealer* d'Hochelaga-Maisonneuve à la présidence des Nomads, le chapitre le plus craint des Hells Angels au Québec. Cet ouvrage relate aussi, en partie, l'histoire de ma propre carrière de 31 ans à la Sûreté du Québec, dont une bonne partie a été consacrée à la lutte contre le crime organisé, contre Boucher, contre les Hells et les autres motards criminalisés.

À l'instar de Boucher, je ne suis pas né dans l'opulence. Aîné d'une famille de sept enfants, j'ai dû apprendre très jeune le sens des mots débrouillardise, organisation et service. Cela m'a ensuite beaucoup servi dans la police. Le service aux autres, je l'ai d'abord pratiqué dans ma propre famille. J'ai voulu devenir policier afin de continuer à servir autrui. J'ai été admis cadet policier à 17 ans, en 1969, et policier à 19 ans, alors que l'âge de la majorité était encore 21 ans. Servir mes concitoyens a toujours été ma grande priorité professionnelle.

Cette spécialité, dans le domaine des motards criminalisés, je l'ai apprise sur le tas. Au début des années 70, en tant que simple patrouilleur, alors que je débutais à la SQ, je me suis mis, durant mes loisirs, à développer mes connaissances du crime organisé et des bandes de motards. Ces acquis allaient me servir par la suite, notamment en 1981 lorsque j'ai été nommé responsable d'une escouade de lutte contre le crime organisé. Boucher faisait alors ses premières armes dans les clubs de motards au sein des SS Montréal. Pendant les 20 années suivantes, nos routes allaient souvent se croiser.

L'éradication du chapitre Nomads des Hells au Québec fut un immense travail impliquant des dizaines d'organismes publics et des milliers de personnes qui, malgré les menaces et les intimidations émanant de cette puissante organisation criminelle aux ramifications internationales, ont fait courageusement leur travail.

Je me dois de les remercier.

Je pense d'abord aux policiers patrouilleurs de la SQ et des sûretés municipales, toujours en première ligne dans la lutte contre la criminalité et la collecte de renseignements. Sans la détermination des enquêteurs et des gestionnaires de Carcajou et des Escouades Régionales Mixtes qui lui ont succédé, Boucher et ses motards continueraient probablement à faire la pluie et le beau temps. La police n'est efficace dans la répression du crime que si elle peut compter sur des procureurs de la couronne déterminés et compétents. Ce livre montre le rôle décisif que certains ont joué dans la destruction de l'entreprise criminelle de Boucher et dans sa condamnation pour meurtre.

La loi et l'ordre ne sont pas seulement l'affaire des policiers et des procureurs du ministère public, d'autres fonctionnaires y contribuent aussi largement, même si on leur en attribue rarement le mérite. Je pense, par exemple, aux agents de sécurité préventive dans les pénitenciers et dans les prisons ainsi qu'aux agents des douanes des aéroports.

Ce livre se veut un témoignage de ma reconnaissance à ces personnes à qui je dois une grande partie de ce que je sais sur le monde du crime en général et sur le milieu des motards en particulier. Comme policier spécialisé, j'ai bénéficié des connaissances, des intuitions, de l'expérience et du dévouement au service public et à la justice de toutes ces personnes.

Merci enfin à Normand Lester pour sa grande patience dans la difficile tâche qu'il s'est donnée de faire du policier que je suis, un auteur.

Je suis avant tout un homme de renseignements. Être rigoureux, s'en tenir aux faits, au « factuel » comme on dit dans le métier, est primordial. Cette règle d'or de ma vie professionnelle, je l'ai suivie pour la rédaction de ce livre.

***

J'ai toujours porté fièrement sur moi un petit ange gardien offert par ma mère. Il m'a guidé et m'a protégé au fil du temps. Un jour, peu de temps après la mort du jeune Daniel Desrochers en 1995, un Hells Montréal, Scott Steinert, m'a dit en regardant cet ange : « Ah ! tu crois aux Anges ! » À son regard, j'ai compris qu'il faisait une allusion ironique aux Hells Angels. Je lui ai répondu : « Je crois aux Anges du Ciel, pas aux Anges de l'enfer. »

Guy Ouellette, Saint-Jérôme, août 2005

NOTE DE NORMAND LESTER

Michel Brûlé, l'éditeur des Intouchables, m'a confié l'automne dernier son intention de publier un livre sur *Mom* Boucher pour la rentrée 2005 et m'a demandé ce que j'en pensais. Je lui ai dit que faire un livre sérieux et bien documenté sur le personnage dans des délais aussi brefs me paraissait une entreprise téméraire, à moins qu'une personne de mes connaissances n'accepte de collaborer au projet. J'ai expliqué à Michel que la personne en question était probablement l'une des mieux placées au Québec pour connaître la vie du président des Nomads et ancien chef de guerre des Hells. C'était d'ailleurs cette même personne qui l'avait ainsi nommé publiquement pour la première fois.

Je pensais bien sûr à Guy Ouellette, spécialiste du crime organisé à la télévision et témoin expert auprès des tribunaux sur les bandes de motards. Pendant près de deux décennies, il a été impliqué de près dans ces dossiers à la Sûreté du Québec. Il a suivi, au jour le jour, l'ascension et la chute du chef des Hells Nomads au Québec. Comme il se trouvait que Guy envisageait lui aussi d'écrire sur Boucher, le projet de la biographie non autorisée de Maurice Boucher était lancé.

Mon rôle dans la genèse de ce livre a été celui d'un reporter-interviewer. J'ai soumis Guy Ouellette à des « interrogatoires structurés », pour reprendre le langage de la police, sur *Mom* Boucher, les Hells Angels, ainsi que sur les activités de la police et sur les siennes dans la lutte contre les motards. J'ai ensuite rédigé, à partir des transcriptions, un compte rendu détaillé de ces entrevues-fleuves que j'ai complétées avec des extraits de documents d'archives. Guy Ouellette a enfin repris le texte y ajoutant précisions et commentaires, apportant des détails ici et des explications là. Mon travail en a donc été un de facilitateur plus que d'auteur. Ce livre est vraiment le sien.

Normand Lester, Outremont, août 2005

CHAPITRE 1

LES MAUVAIS DÉPARTS D'UN PETIT GARS DE L'EST

Même si son nom est associé à Hochelaga-Maisonneuve où il passe son enfance, Maurice Boucher n'est pas vraiment un petit gars du quartier. Il est né le 21 juin 1953 à Causapscal, dans la vallée de la Matapédia en Gaspésie, à plus de 100 km de Rimouski; il est l'aîné d'une famille de huit enfants, dont autant de filles que de garçons. Ses parents fuient la pauvreté rurale de la Gaspésie pour la pauvreté urbaine de l'Est de Montréal alors que Maurice n'a que deux ans. La famille s'installe au 2350, rue Leclaire, à quelques rues du Marché Maisonneuve. Son père, Albert, âgé de 47 ans, ferrailleur de métier, est au chômage et a des problèmes de santé causés par l'abus d'alcool. Sa mère, Élaine Boily-Boucher, au début de la quarantaine, s'occupe de la famille; elle est, comme on dit à l'époque, une « reine du foyer », une ménagère.

Maurice a des relations satisfaisantes avec sa mère, mais extrêmement difficiles avec son père, un homme sévère et rigide qui ne tolère aucune incartade de la part de ses enfants, selon le criminologue Guy Pellerin du service de probation qui a écrit une évaluation psychosociale de Boucher[1].

Selon Pellerin, cette attitude du père a mené ses enfants, soit à l'ignorer, soit à s'opposer à lui. Le jeune Maurice, pour sa part, opte pour l'indifférence. Il méprise sans doute son père qui représente l'image même du *looser* canadien-français, alcoolique, sans instruction et sans emploi. Quand son père lui fait une scène en élevant la voix, il ne dit rien, le regarde avec mépris et s'en va. Quand «le vieux» est saoul, il devient facilement colérique et violent. Il frappe alors ses enfants qui refusent de lui obéir. Il serait surprenant qu'un alcoolique violent comme l'est Boucher père ne traite pas sa femme de la même manière. La discipline de fer exercée par Albert Boucher amène sa femme Élaine à adopter une attitude plus conciliante avec ses enfants et même à se faire leur complice. Elle essaie de contrebalancer les excès de son mari.

Le rapport présentenciel du criminologue Pellerin note aussi les conséquences d'une telle dissociation disciplinaire entre les parents. Les enfants apprennent très tôt à l'utiliser à leur avantage, n'intériorisant que de façon superficielle les normes et les valeurs sociétales véhiculées par la famille et entraînant des troubles de comportement plus ou moins sérieux. Cela s'aggrave, note le criminologue, quand les parents, ou l'un des deux, adoptent des comportements qui ne correspondent pas à ce qu'ils exigent de leurs enfants.

Les problèmes de comportement se manifestent tôt dans la vie de Maurice. Déjà à 14 ans, il refuse les normes de la société. Cela va plus loin que la crise normale de l'adolescence. Pour lui, fonctionner selon les règles et obéir aux lois, c'est pour les *loosers* comme son père. Il convoite une bicyclette, il la vole. Il séjournera d'ailleurs un mois au centre Saint-Vallier, considéré à l'époque comme la gare de triage du réseau de la délinquance juvénile.

Comme beaucoup d'adolescents pauvres et désœuvrés, il s'adonne au vol et au cambriolage autant par besoin d'argent que de sensations fortes. Il n'est cependant pas très habile. À six reprises, Maurice passe devant la cour du Bien-être social (aujourd'hui le Tribunal de la Jeunesse). Comme pour beaucoup des jeunes qui se retrouvent devant la justice, aucune mesure particulière n'est appliquée à son égard. C'est un autre adolescent en difficulté que le système oublie.

À 18 ans, il en a assez du bonhomme alcoolique. Plutôt que d'être continuellement à couteaux tirés avec lui, il décide de partir. Il n'a pas un gros bagage scolaire. Une neuvième année incomplète avec des résultats scolaires médiocres. Il n'a aucun intérêt pour les études. Par la suite, il suivra des cours durant ses multiples incarcérations. Le système correctionnel québécois assurera l'éducation de Maurice Boucher. Plus tard, son fils aîné Francis, suivant en cela ses traces, fera ses études collégiales en prison.

Même s'il ne peut souffrir la présence de son père, Maurice Boucher va continuer de visiter sa mère, lorsque le paternel est absent. Il s'est trouvé un petit logement non loin de la maison de ses parents. Pour oublier son père, ses malheurs, son avenir fermé, son présent glauque, il consomme déjà des stupéfiants.

En 1973, à 20 ans, il est arrêté pour un vol à l'étalage pour lequel il ne fait pas de prison.

À cette époque, Boucher consomme tout ce qui se trouve dans les rues « dures » du quartier Hochelaga-Maisonneuve : marijuana, cocaïne, haschisch, L.S.D. (acide lysergique), amphétamines et même de l'héroïne. Pour avoir les moyens d'en acheter, il faut en vendre. Il devient un *dealer* de quartier. Ses recettes sont englouties dans l'achat de stupéfiants. Ses abus lui causent deux hépatites. Sa consommation importante d'amphétamines (*speeds*) le rend méfiant et provoque chez lui des crises de paranoïa. C'est l'un des symptômes caractéristiques des gros consommateurs de cette substance. Les amphétamines accroissent aussi l'agressivité de Boucher. Il est en train de devenir comme son père. De quoi augmenter son dépit et son écœurement.

Sa vie va cependant changer, pendant un court moment, grâce à sa rencontre avec une fille du quartier, Diane Leblanc. L'amour semble lui donner de l'espoir. Pour elle, il abandonne les drogues dures. Il continue toutefois à prendre de l'alcool, de la marijuana et des valiums : il en est dépendant. Mais bientôt, une autre raison de ralentir sa consommation se présente : Diane est enceinte.

Boucher obtient ses cartes de compétence pour travailler dans la construction. Il reprend espoir de se sortir de la pauvreté où il croupit depuis son enfance. Les salaires sont bons dans la construction. Il envisage de se marier. Il prend même la résolution d'abandonner complètement la drogue et l'alcool. Il est décidé à travailler sérieusement et à prendre le taureau par les cornes. La destinée en décide autrement.

Au moment où, pour la première fois de sa vie, l'avenir s'annonce prometteur pour Boucher, rien ne va plus dans la construction, frappée par des grèves et des ralentissements de travail. Il ne travaille qu'une semaine avant d'être mis à pied. Voilà qui le décourage profondément.

Boucher se met en ménage avec son amie Diane Leblanc. Il se trouve du boulot de livreur, au dépanneur Leclair, pour 75 $ par semaine. Mais après quelques mois, le propriétaire du dépanneur renonce à ses services. Est-ce que le travail de Boucher laissait à désirer ? Interrogé plus tard par le criminologue Pellerin pour un autre rapport, le propriétaire du dépanneur demeure circonspect. Il dit qu'il est satisfait du travail de Maurice, mais rien de plus. Il ne veut évidemment pas se mettre à dos l'un des matamores du quartier, d'autant plus qu'il a de nouveau maille à partir avec la justice.

Après la fin de son emploi au dépanneur, Maurice, Diane et leur bébé vivent des allocations de Bien-être social qu'elle reçoit. Boucher ne réussit pas à se trouver un emploi stable. Il se remet à prendre des drogues. Sa consommation l'empêche de soutenir un effort constant. Il trouve des « jobines » ici et là, avec des paies minables, pour de courtes périodes. Pour faire vivre sa femme et son fils et pour assurer sa propre consommation, il recommence à *dealer*. Son avenir se referme devant lui. Il est maintenant un consommateur de drogues dures, avec un dossier judiciaire de plus en plus étoffé et sans instruction. Il se fait ensuite prendre pour une série de vols par effraction. Boucher déclare aux enquêteurs qu'il ne se souvient pas très bien de ce qui s'est passé. Il a consommé une quantité significative de valiums avant les cambriolages. Il confie aux policiers que ce n'est même pas l'argent qui l'a motivé. Selon Pellerin, les vols ont été commis « [...] d'une façon qui donnait guère de chances à leur auteur d'être impuni ».

Dans un rapport de février 1975, le criminologue Guy Pellerin trace ainsi le portrait de Boucher après trois mois d'incarcération préventive, au moment où il va recevoir sa sentence pour des accusations de vols par effraction commis en novembre 1974 :

> *Le sujet est âgé de 21 ans et cela fait la deuxième fois qu'il entre en contact avec la justice. Les délits qu'on lui reproche*

se sont produits sur une période de temps relativement courte et le modus operandi était assez primitif. De plus, le sujet avait ingurgité une quantité importante de calmants qui rendait l'exécution encore plus hasardeuse.

Et plus loin, il rajoute:

Quand nous avons rencontré le sujet au centre de prévention, il nous est apparu assez déprimé. Il supporte assez mal sa détention. Il souffre d'insomnie et ne cesse de se poser des questions sur ce qu'il adviendra de lui. Il y a également tout le phénomène du sevrage. En détention le sujet n'a accès à aucune drogue ni à un aucun alcool, sauf les quelques médicaments que le médecin lui a prescrit pour vaincre son insomnie.

Le sujet a manifesté la volonté de s'abstenir des drogues si jamais il sort. Cependant, on comprendra facilement qu'il est difficile d'évaluer la motivation profonde d'un individu en détention. Il est normal que placé dans une telle situation, un individu soit prêt à faire n'importe quoi pour s'en sortir. Il est fort probablement sincère quand il parle, mais il n'a pas encore à affronter la dure réalité. Il n'a pas à lutter non plus contre les influences de toutes sortes. Or seul le temps et l'expérience nous permettraient de constater si sa motivation est profonde ou s'il a encore assez d'énergie pour réorienter sa vie.

Depuis quelques mois, la situation a quelque peu évoluée. [sic] *Il a tenté, certes timidement, de se lancer sur le marché du travail avant son arrestation, mais les circonstances ont joué contre lui. Cette tentative, même timide, indique quand même quelque chose de nouveau chez lui. Son amie est enceinte de huit mois et doit accoucher au mois de mars. Il s'inquiète de ce qu'il pourrait arriver à son amie et à son enfant advenant une incarcération prolongée. Cela le bouleverse. Est-ce que tous les éléments seront suffisants pour l'amener à s'arracher de la vie qui était la sienne depuis des années? Bien malin serait celui qui pourrait répondre à cette question d'une manière très catégorique.*

Nous pensons cependant que les quelques mois qu'il vient de vivre en prison pèseront assez lourdement dans la balance. C'est une expérience qui a été assez traumatisante et pénible. Quoiqu'il en soit [sic], *un séjour prolongé en prison aurait sûrement des effets négatifs assez prononcés. Cela contribuerait à augmenter son agressivité et le sentiment d'inutilité qu'il a. L'avenir lui paraîtrait encore plus sombre et peut-être qu'il n'hésiterait pas à recourir à des moyens plus virulents pour s'arracher à cette grisaille. Quant à la probation, c'est une mesure susceptible de connaître un certain succès à condition que le sujet y mette du sien et que sa motivation à ne plus prendre de drogues ou d'alcool soit réelle. Il ne faut pas se faire d'illusions, si le sujet devait se lancer de nouveau dans de tels abus, il n'y a pas de doute qu'il y aurait récidive. Ses chances de succès sont étroitement liées à son désir d'éviter ses abus. Il est rendu, nous croyons à l'heure du choix*[2].

Le 13 août 1975, le juge Bilodeau condamne Maurice Boucher à deux mois d'incarcération pour le premier chef de vol par effraction, et à deux mois consécutifs pour chacun des deux autres chefs d'accusation de vols par effraction, pour un total de quatre mois. À cause de sa période d'incarcération préventive, il est libéré au début de novembre 1975, mais il se remet immédiatement les pieds dans les plats en commettant cette fois un hold-up incroyablement inepte.

Quand le petit *dealer* devient un braqueur

Le 5 novembre 1975, Boucher et un complice, Laurent David, armés chacun d'une carabine à canon tronçonné (une de calibre 22 et une autre de calibre 30-30), menacent Samuel Litvak, le propriétaire de la Salaison Montréal du 1550, rue Ontario Est, et lui volent la somme de 138,39 $.

Boucher et David ont passé l'après-midi à boire au Sextuple, un bar de danseuses. Passablement éméchés, ils prennent un taxi en sortant du cabaret pour rentrer à la maison. En route, ils décident de s'arrêter à la Salaison Montréal, en réalité une épicerie-boucherie de quartier, pour acheter des cigarettes. En ressortant, ils se disent qu'il leur serait facile d'y faire un *hold-up*. Comme ils ne sont pas armés, ils hèlent un autre taxi pour aller chercher leurs carabines chez eux et revenir sur place. Tandis que son comparse se tient près de la porte, Boucher entre et lance : « C'est un *hold-up* ! »

Maurice est saoul et très nerveux. Il tire un coup de feu en l'air qui l'effraie lui-même. Pris de panique, il s'empare d'une hachette qui se trouve sur une table près de lui et la fait tournoyer au-dessus de la tête des clients et employés terrorisés pour les forcer à entrer dans la chambre froide. Pendant ce temps, son complice s'empare du contenu de la caisse enregistreuse. Tout cela se termine lamentablement. Ils sont à peine sortis de la boucherie qu'ils tombent sur une autopatrouille appelée sur les lieux. L'épisode relève de la pantalonnade ou du film comique de série B. Comme si, à l'époque, Boucher voulait rater ses crimes comme il est en train de rater sa vie.

Lorsque Maurice Boucher rencontre de nouveau le criminologue Guy Pellerin qui prépare son rapport présentenciel en janvier 1976, il est peu loquace. Pellerin écrit :

> *C'est un individu qui ne verbalise pas très facilement, et il est très difficile de savoir s'il s'agit d'une inaptitude de sa part ou d'un désir de ne pas se compromettre.*

Compte tenu de la suite de sa vie, la deuxième hypothèse s'impose. Pellerin l'analyse ainsi :

> *La capacité d'introspection du sujet nous paraît assez faible. Il n'est pas le genre d'individu à se poser tellement de questions sur son agir. Actuellement, il est un peu plus anxieux parce qu'il craint la sentence qui pèse sur lui. Habituellement, c'est un individu qui vit au jour le jour sans trop se poser de questions. Il introspecte uniquement après avoir posé un acte. D'ailleurs l'attitude qu'il a envers l'acte grave qu'il a posé est assez révélatrice. Il ne regrette pas comme tel de l'avoir fait et n'est pas très conscient des risques qu'il faisait courir aux victimes, mais déplore le fait qu'il se soit fait prendre comme un « rat ». Comme beaucoup de mésadaptés socio-affectifs, le mal qu'il peut causer à d'autres n'effleure pas sa conscience, complètement préoccupé par son moi.*

Pellerin note également l'incapacité de Boucher à mesurer les conséquences de ses actions sur ses proches:

> *L'engagement social du sujet nous paraît faible également. Il nous dit tenir énormément à son amie et à son enfant, mais il n'a pas pensé à eux quand il a posé ce geste. Il voulait se procurer un peu d'argent parce que sa situation financière se corsait (il était sans travail) et celui-ci lui est apparu comme un moyen de se sortir du pétrin. Lors de notre premier rapport, nous disions que le sujet était à l'heure du choix. Il semble l'avoir choisi. Nous considérons donc que le sujet présente un risque assez élevé même si nous savons fort bien que la prison n'arrangera rien dans son cas. Elle risque de renforcer ses mécanismes négatifs mais qu'avons-nous comme solution de rechange? Malheureusement, nous n'avons rien de concret qui puisse nous laisser croire à un changement radical de comportement de sa part.*

Le criminologue Pellerin rencontre aussi Boucher en compagnie de Diane, la compagne de ce dernier. Il l'assure qu'il ne consomme plus de drogue et ne boit que modérément. Le criminologue en doute dans son rapport: «Évidemment nous n'avons pas de moyens pour vérifier ces allégations, ce qui fait que nous demeurons assez sceptiques.»

Pellerin note que le couple élève un bébé et semble très lié. Diane Leblanc affirme qu'elle est prête à attendre que Maurice sorte de prison et, comme il se doit, elle dit qu'elle est convaincue qu'il ne s'embarquera plus dans des affaires criminelles de ce genre…

Le récidiviste qu'est devenu Boucher ne peut plus bénéficier de la clémence du tribunal. Le 16 janvier 1976, le juge Beauchemin le condamne à 40 mois de pénitencier pour le complot et le vol à main armée à la Salaison Montréal.

Après sa libération, Maurice Boucher semble rester du bon côté de la loi pendant quelques années et son dossier judiciaire ne s'enrichit d'aucune nouvelle condamnation criminelle. Il se trouve du travail à l'usine de la General Electric dans l'est de Montréal, sur une chaîne de montage de réfrigérateurs.

Le gang des SS: l'apprentissage du motard Boucher

Je croise pour la première fois de ma vie le nom de Maurice Boucher au mois de novembre 1982, alors que je suis responsable d'une escouade de lutte contre le crime organisé à la Sûreté du Québec. Il figure dans un rapport de renseignements de la police de la CUM qui nous signale une perquisition au local des SS Montréal au 247, 100e Avenue à Pointe-aux-Trembles, au cours de la soirée du 28 octobre 1982. Boucher y est simplement mentionné parmi les personnes présentes sur les lieux. Il porte déjà son fameux surnom qui deviendra plus tard sa marque de commerce, *Mom*[3]. Les SS sont liés au chapitre Montréal[4] des Hells Angels. C'est chez les SS que Boucher fait son apprentissage du fonctionnement des bandes criminalisées, ce qui lui sert pour le reste de sa carrière chez les Hells.

Cette opération coïncide avec l'opération ENDURA qui vise à déterminer l'implication des membres du chapitre Montréal dans l'industrie du sexe et dans le trafic des stupéfiants. Dirigée par les enquêteurs de l'ERAMDJ[*5] de la SQ de Saint-Hyacinthe, elle implique plusieurs services de police dont celui de Montréal. Entre juin et décembre 1982, date du cinquième anniversaire du chapitre Montréal, plusieurs dizaines d'opérations policières se déroulent dans la grande région métropolitaine.

La perquisition dynamique[6] du local des SS Montréal permet pour la première fois aux analystes des renseignements criminels de comprendre la structure et le fonctionnement des clubs-écoles des HA (Hells Angels).

Le club des SS Montréal intéresse la SQ depuis mars 1978 alors que deux de ses membres Patrick *Pat* Halpin et Michel *Mike* Desbiens sont arrêtés par la GRC dans une affaire de stupéfiants. Ce petit club de motards, qui occupe un local rue Gouin est à Montréal existe depuis le début des années 70 sous le nom Outlaw Montréal. Quand l'organisation internationale des Outlaws a ouvert quatre chapitres au Canada en juillet 1977 dans les villes de Windsor, Ottawa et St. Catharines,

---

* Équipe Régionale Alcool Moralité Drogues Jeux. L'ERAMDJ a raccourci son nom en 1985 pour l'ERAM (Équipe Régionale Alcool Moralité), devenant ensuite en 1987 l'ERM (Escouade Régionale des Mœurs) et finalement, en 1991, l'ECO (Escouade du Crime Organisé).

Razzia chez les motards de Sorel:

L'entrepôt contenait des automobiles et des motocyclettes, dont certaines marquées POLICE.

À l'arrière de la maison, le local des motards.

Un responsable de l'opération parle aux reporters.

32 ARRESTATIONS

par Claude POIRIER

Une opération policière de grande envergure, impliquant de nombreux corps constabulaires et réunissant 130 policiers, s'est déroulée, samedi, à Sorel.

Le tout a débuté à 07 h 45 de la nuit quand les forces de l'ordre se sont présentées au local des Hell Angels, 151, rue du Prince, un édifice de trois étages comprenant, à l'avant, un logement et, à l'arrière, un entrepôt.

Les policiers ont dû abattre deux chiens de garde avant d'avoir accès au local, véritable forteresse avec vitres blindées et portes en acier de trois pouces d'épaisseur.

Derrière chaque porte se trouvaient des armes.

L'entrepôt regroupe, au premier étage, des automobiles et des motocyclettes, dont certaines sont marquées POLICE; au deuxième, un bar, et au troisième, une salle de conditionnement physique.

La maison, sur le devant, sert de logement aux motards.

Les Hell Angels se préparaient à célébrer, en fin de semaine, le 5e anniversaire de leur installation à Sorel. Des motards, en provenance de divers endroits du Canada, devaient participer à la fête.

Pas moins de 14 perquisitions ont été effectuées, dont 13 à Sorel même et une à St-Aimé.

32 motards, hommes et femmes, la majorité membres des Hell Angels, ont été appréhendés et seront traduits en Cour, demain, au Palais de justice de Sorel.

Au cours de leurs fouilles, les policiers ont découvert plusieurs milliers de dollars, des armes à feu, des chaînes, des stupéfiants et une forte quantité d'objets volés.

Les policiers ont également trouvé un obus et ont fait appel à l'Armée canadienne.

On sait que la ville de Sorel est considérée depuis longtemps comme le château-fort des Hell Angels. Il s'agit de la troisième fois, en moins de six mois, que des corps policiers unissent leurs efforts pour combattre des motards.

Le directeur adjoint de la police municipale de Sorel, André Péloquin, qui a dirigé l'opération policière de samedi, a dit espérer qu'elle ait enfin pour effet d'anéantir ledit Club.

En plus da la police municipale de Sorel et la Sûreté du Québec de l'endroit, la police municipale et la Sûreté de Tracy, l'IRAM de Saint-Hyacinthe, la Gendarmerie Royale et les polices municipales de St-Basile, Laval, Saint-Eustache et Mascouche ont participé aux recherches ainsi que des représentants de Revenu Canada.

Un policier transporte une des vitres blindées du local des Hell Angels.

Deux des 130 policiers qui ont participé à la razzia.

On a même mis la main sur un skidoo.

(Photos Michel Tremblay)

DIMANCHE-MATIN — 5 DÉCEMBRE 1982 — PAGE 3

RÉSULTAT ENDURA-OUELLETTE HAUT DROITE.

en Ontario, ainsi qu'à Montréal, les membres fondateurs des SS, décidèrent de changer leur nom tout en conservant le même logo. Le nom des SS rappelle les unités d'élite nazies de l'armée allemande de la Deuxième Guerre mondiale. Même s'ils sont des anciens Outlaw, les SS s'affilient aux Hells Angels en guerre contre les Outlaws. Au cours des années 1978-1979, plusieurs membres des SS assistent aux funérailles de membres Hells Angels assassinés dans la guerre entre les deux groupes de motards. On les observe également dans des réunions avec d'autres affiliés des HA comme les Death Riders, le plus ancien des clubs-écoles des Hells, affilié depuis 1977.

La section des stupéfiants de la police de Montréal a déjà porté un coup dur aux SS en janvier 1979, en perquisitionnant leur local et en procédant à des arrestations massives. Ils prendront au moins un an à se réorganiser.

En mai 1982, trois de leurs membres sont assassinés à deux semaines d'intervalle. Il s'agit de Réal Diotte, de John Abrames et de leur président, Alain *Ti-Noir* Vallée. Lors des funérailles de ce dernier, le 19 mai, les SS sont sur la 100e Avenue à Pointe-aux-Trembles. Le local, au numéro civique 247, appartient à Normand *Biff* Hamel, un ami personnel de

FUNERAILLES SS VALLEE-HAMEL AU CENTRE

Maurice Boucher. Les numéros 243 et 245, qui servent d'entrepôts pour les motos Harley-Davidson, lui appartiennent aussi. Hamel agit à titre de porteur aux funérailles de Vallée et la police remarque qu'il affiche déjà sur sa veste de cuir un emblème réservé aux tueurs des organisations de motards, soit les ZZ ou Lightning bolts.

Les enquêteurs de la section des stupéfiants du SPVM*[7], qui multiplient les interventions contre les SS au cours de l'année 1982, perquisitionnent, au moment d'une réunion officielle du club, un *church meeting* dans leur argot. Quatorze des dix-huit membres sur place sont en train de payer leur cotisation au nouveau président du club *Biff* Hamel lors de l'intervention surprise de la section tactique du SPVM. Quatre membres en règle sont arrêtés, dont trois en possession de petites quantités de stupéfiants. Une carabine de calibre 30-30 est saisie. Mais la prise la plus précieuse des policiers est le règlement interne du club de motards.

Ces lois d'un club proche des Hells sont importantes pour comprendre la mentalité des motards criminalisés. Comme Maurice Boucher a fait ses premières armes dans le monde des motards chez les SS, c'est donc aussi une fenêtre sur son état d'esprit, sa façon de voir le monde et ses relations avec les autres. Il les appliquera par la suite dans les clubs qu'il créera. La présentation et l'orthographe sont scrupuleusement respectés.

LES LOIS DU CLUB DE MOTARDS « SS »

I : « Le CLUB doit passer avant toute chose. »

II : « De défendre les COULEURS et L'HONNEUR du club à n'importe quel PRIX. »

III : « Le SILENCE doit toujours être fait sur les ACTIVITÉS du club ou de ses membres. »

IV : « De ne jamais refuser D'AIDER un membre ou un prospect qui est dans le BESOIN. »

V : « De toujours PROTÉGER et RESPECTER les FAMILLES et les BIENS des membres ou des prospects. »

VI : « De toujours RESPECTER L'AUTORITÉ des officiers en tout temps. »

* Le sigle SPVM a été retenu pour l'ensemble du texte, même si le Service de Police de la ville de Montréal portait le nom de Service de Police de la Communauté Urbaine de Montréal (SPCUM) avant 2001.

VII : « De ne jamais se BATTRE ou de S'INJURIER entre membres ou prospects. »

VIII : « Touts DIFFERENTS entre deux partis devront être REGLER par les officiers. »

IX : « De ne jamais CONTESTER la DÉCISION rendue par les OFFICIERS. »

X : « Les officiers doivent toujours MONTRER le bon EXEMPLE ainsi que les membres. »

XI : « D'avoir un bike HARLEY DAVIDSON de 750 cc. ou plus. »

XII : « Un PARRAIN est toujours RESPONSABLE des ACTES de son PROSPECT. »

XIII : « Les COULEURS doivent être toujours porter dans les RÉUNIONS ou RIDE OFFICIEL. »

XIV : « Manquer un meeting peut être considéré comme GRAVE. Le motif doit être sérieux. S'il ne peut venir, il doit aviser un autre membre. »

XV : « Celui qui accumule plus de trois (3) MEETINGS en RETARD est suspendu automatiquement de ses COULEURS. »

XVI : « Un PROSPECT est dans son DROIT de REFUSER à un MEMBRE tout transport de DOPE ainsi que de prêter son BIKE. »

XVII : « Un PROSPECT a un MAXIMUM de deux (2) ANS à faire et un MINIMUM de 1 AN avant d'être voter. »

XVIII : « Si quelqu'un veut faire une RIDE seule ou avec un autre, il doit AVISER son CLUB. »

XIX : « Aucun MEMBRE ou PROSPECT ne doit LAISSER TRAINER ses COULEURS. »

XX : « Durant une RIDE ORGANISEE, touts les gars PARTENT ENSEMBLE et doivent RESTER ENSEMBLE du début jusqu'à la fin. »

XXI : « Il est obligatoire d'assister à une RIDE OFFICIELLE sous peine d'une amende. Celui qui ne vient pas doit fournir une bonne raison. »

XXII : « Aucune FEMME n'est ADMISE pendant une RIDE OFFICIELLE. »

XXIII : « Si un MEMBRE veut inviter quelqu'un à une RIDE, il en parlera au CLUB À L'AVANCE. »

XXIV : « Si quelqu'un ne pense plus faire le club, il n'a qu'à le dire franchement sans DETOUR et le gars sera RESPECTÉ quand même du club. »

XXV : « Pour avoir le tatoue du club, il faut que ça fasse un (1) an qu'il est membre pour l'avoir. »

NORMAND *BIFF* HAMEL

Les SS Montréal jouent un rôle central dans le développement des clubs de motards criminalisés au Québec. Plusieurs individus, reconnus par la suite dans le milieu des motards criminalisés, sont associés ou font partie des SS Montréal au début des années 80. Ainsi, parmi les documents trouvés dans le local par la police de Montréal, on découvre pour la première fois le nom Salvatore Cazzetta, qui deviendra, le 13 janvier 1989, le président fondateur des Rock Machine.

Outre Maurice Boucher, plusieurs autres membres présents à la perquisition du 28 octobre 1982, jouent, par la suite, un rôle significatif dans le milieu des motards criminalisés au Québec.

SERGE *GUIDOU* CLOUTIER
ANDRÉ *TOOTS* TOUSIGNANT

- Normand *Biff* Hamel (devient membre Hells Angels Montréal le 5 octobre 1986, membre fondateur Hells Angels Nomads Québec le 24 juin 1995. Il est assassiné le 17 avril 2000 dans le cadre de la guerre des motards 1994-2002).

- Serge *Guidou* Cloutier (devient membre fondateur des Rockers Montréal le 26 mars 1992. Il est assassiné le 4 août 1997 dans le cadre de la guerre des motards 1994-2002).

- André *Frisé* Sauvageau (membre fondateur des Rock Machine Montréal le 13 janvier 1989; est impliqué dans la guerre des motards 1994-2002, membre Hells Angels Nomads Ontario en avril 2002; est transféré au chapitre Hells Angels Montréal le 5 décembre 2003).

D'autres SS, absents lors de la perquisition, connaissent aussi par la suite leur moment de notoriété et/ou d'infamie.

- Yves *Flag* Gagné (membre Hells Angels Montréal le 1er mai 1986; est transféré au chapitre Hells Angels Trois-Rivières en août 1994).

- Sylvain *Le blond* Pelletier (membre de l'Alliance, impliqué dans la guerre des motards 1994-2002; il est assassiné le 28 octobre 1994)[8].

Durant son passage chez les SS, Maurice Boucher n'est jamais arrêté pour des activités criminelles se rapportant au trafic de stupéfiants. Mais son dossier criminel continue à s'enrichir. En octobre 1983, il plaide coupable à une accusation de vol de cartes de crédit; il est condamné à 250 $ d'amende. En février 1984, une condamnation pour vol simple l'oblige à verser une amende de 300 $. Le 21 juin 1984, il est pris en chasse par des policiers du SPVM alors qu'il est au volant d'un véhicule, en compagnie de deux comparses. La poursuite qui débute aux Galeries d'Anjou se termine à Caughnawaga

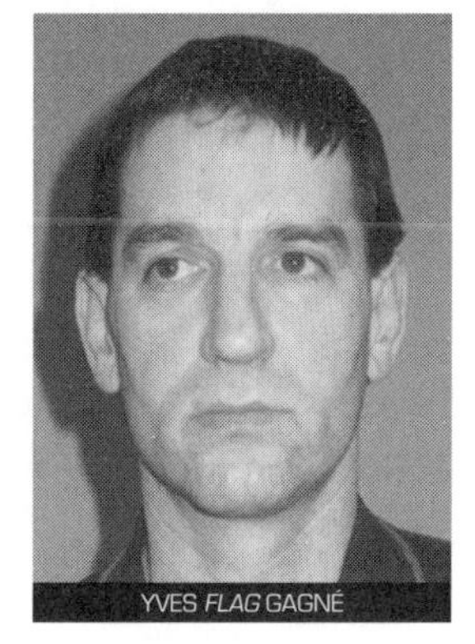
YVES *FLAG* GAGNÉ

(aujourd'hui Kanawake). Aux policiers, il dit demeurer avec Normand *Biff* Hamel, au local des SS de Pointe-aux-Trembles.

Le 5 décembre 1984, *Biff* Hamel et trois autres SS Montréal, *Ti-poil* Aubin, *Le chat* Coulombe et *Flag* Gagné, sont acceptés comme *prospects Montréal* chez les Hells Angels. Boucher aurait dû faire partie de cette promotion, mais une affaire de sexe met un frein à sa progression au sein de la hiérarchie des motards criminalisés. Il est en prison pour agression sexuelle.

Blé d'Inde, pot, alcool et agression sexuelle armée

C'est encore une fois l'alcool et les stupéfiants qui sont à l'origine de ses problèmes. Le 27 août 1984, une adolescente de 16 ans d'Hochelaga-Maisonneuve, Claudette[9], demande à Boucher et à l'un de ses amis de l'accompagner dans une épluchette de blé d'Inde à Sainte-Julienne, dans la région de Joliette.

Ce soir-là, Boucher et son comparse ne consomment pas seulement du blé d'Inde, ils s'intoxiquent avec de l'alcool et des drogues. Durant la soirée, les deux hommes proposent à Claudette de les accompagner en voiture pour aller chercher de la bière. Boucher conduit sa voiture dans un champ, les deux hommes sortent du véhicule et enjoignent à la jeune fille de faire de même. Le compagnon de Boucher, en état d'ébriété avancée, s'étend sur le capot de la voiture. Boucher ordonne à l'adolescente de faire une fellation à son copain. Elle refuse. Il lui crie alors des injures, la gifle et la force à se déshabiller. Il exige maintenant d'elle le même service sexuel. Elle refuse obstinément. Boucher sort alors un revolver de calibre .32 et lui ordonne de lui faire une fellation. Sous la menace, la jeune fille s'exécute. Bien qu'elle s'y applique avec vigueur, Boucher est incapable d'avoir une érection, ce qui le rend furieux. Il la frappe de nouveau encore plus violemment. La victime doit peut-être la vie au complice de Boucher qui intervient: « Lâche-la, c'est assez ! »

Pour faire passer sa fureur, Boucher tire plusieurs coups de feu dans les airs et menace Claudette de mort si jamais elle raconte à quiconque ce qui vient de se passer. Boucher lui intime: « Si on te questionne, tu diras qu'on est allés manger au restaurant. » Tous trois retournent ensuite à l'épluchette de blé d'Inde. L'adolescente revient en ville avec Boucher et son

MAURICE BOUCHER EN 1984

copain. Elle porte plainte un ou deux jours plus tard à la Sûreté du Québec à Montréal.

Lors de son arrestation, le 1er septembre 1984, Boucher explique à la police qu'il est armé parce qu'il fait l'objet de sérieuses menaces de mort. Il refuse cependant de dire quoi que ce soit aux enquêteurs à ce sujet. On peut donc penser que Boucher continue à être impliqué dans le trafic des stupéfiants et autres activités criminelles avec les SS, sinon comment expliquer les menaces de mort. Ce n'est pas en fréquentant les salons de quilles ou les cercles de pétanque d'Hochelaga-Maisonneuve qu'on se fait des ennemis mortels.

Il plaide coupable et est condamné à 23 mois de prison pour agression sexuelle armée, le 5 septembre 1984, à Joliette, par le juge André Bilodeau. Par la suite, Boucher ne reconnaîtra jamais avoir commis un délit sexuel. Il dira toujours qu'il a été condamné pour possession d'arme à feu. Par une étrange coïncidence, le policier enquêteur responsable du dossier à l'escouade des crimes contre la personne de la SQ, l'agent Gaétan Rivest, se retrouvera, quelques années après sa démission forcée de la SQ, dans l'entourage de Maurice Boucher en compagnie de son associé, le caïd, Robert Savard.

Lorsque Boucher rencontre le préposé du service social le 14 septembre 1984, au début de son incarcération, il affirme qu'il aimerait travailler aux ateliers afin d'être rémunéré, tout en rappelant qu'il a suivi des cours de maçonnerie lors de sa dernière visite au pénitencier. Il manifeste aussi son intérêt pour des cours d'anglais. Il affirme qu'il trouve son séjour en prison pénible et qu'il a peur de perdre sa femme et ses enfants (il est maintenant père d'un second garçon) à cause de son crime.

Boucher se dit guéri de ses vieux démons. Il déclare qu'il abuse rarement d'alcool et qu'il consomme de la cocaïne à l'occasion, et se dit en parfaite forme physique et mentale. Il dit que son emploi de manœuvre à la General Electric l'attend à sa sortie de prison. Cela suffit à convaincre le préposé du service social de noter dans son dossier:

Individu d'intelligence moyenne. Ses années passées au pénitencier le rendent prudent en entrevue. Il demeure cependant poli. Il cache mal sa nervosité, sa peur devant la réaction des autres détenus s'ils apprennent son genre de délit. Son dossier administratif semble confirmer ses dires : ses antécédents seraient peu nombreux. Depuis cinq ans, il n'a eu aucun démêlé avec la justice.

Mom, le maître incontesté de l'aile C de Bordeaux

L'appréciation du fonctionnaire comme les affirmations de Boucher sont vite démenties par les faits. L'emprisonnement de Boucher à Bordeaux est marqué par une série de problèmes disciplinaires. Les drogues circulent facilement dans les prisons du Québec et Boucher a régulièrement accès à des substances illicites durant son incarcération. Durant ce séjour derrière les barreaux, Boucher développe ses qualités de chef et se bâtit un réseau de contacts qui va, par la suite, lui être grandement utile pour gravir les échelons dans l'organisation des Hells Angels.

Le 25 octobre 1984, vers midi quarante-cinq, à la porte du secteur E de Bordeaux, Boucher pique une violente colère. Il abreuve d'injures deux gardiens et frappe à coups de poing sur une table. Un gardien, qui observe la scène de la passerelle de surveillance, descend prêter main-forte à ses collègues. Boucher interprète l'arrivée du troisième gardien comme une provocation. « Ah ! tu veux rire de moi ! Attends, tu vas voir ! » Boucher tente de sauter sur lui. C'est le président du comité des détenus de l'aile E, un certain Gingras et un autre détenu qui retiennent Boucher. Frustré, il lance : « Ça ne me dérange pas d'avoir une autre année de condamnation », sous-entendant certainement : « Pour la satisfaction de battre un gardien ».

Boucher doit s'expliquer devant le comité de discipline, le lendemain. Il dit simplement qu'il était fâché d'être transféré dans l'aile C. Il perd trois jours de réduction de peine.

Le 5 février 1985, il menace de nouveau un gardien alors qu'il est en état d'intoxication. Ça se passe à la cafétéria des détenus, sous le dôme central de la prison. Boucher se présente pour manger juste avant la fermeture de la cuisine, à 19 h. Un gardien lui dit qu'il arrive trop tard. Furieux, il frappe dans un carreau et lance aux deux gardiens : « Vous allez me faire souper ma gang d'hosties ! » L'un des gardiens lui répète qu'il est trop tard. Boucher lui crie: « T'es un gros cochon. Il va t'arriver ce qui est arrivé à mon *chum* dehors. Tu vas te faire tuer! » Pensant qu'il est en état d'ébriété, les deux gardiens le conduisent à l'infirmerie. Là, Boucher est incohérent. Il refuse de répondre aux questions sur l'origine de son intoxication. Il se dit enragé, refuse même de dire son nom. Il confie enfin aux infirmiers qu'un de ses amis vient de se faire tuer à l'extérieur. On le place en isolement pour sa protection. Appelé de nouveau à s'expliquer devant le comité de discipline, Boucher déclare: « C'est vrai que j'étais intoxiqué. Mais je n'ai fait de menaces de mort à personne. Je ne me rappelle pas avoir crié après personne. » Il est confiné à sa cellule pendant 5 jours et perd 15 autres jours de réduction de peine[10].

Le 21 février 1985, à son retour du souper, Boucher n'est pas dans son assiette. Il est conduit à l'infirmerie. Lorsqu'on lui demande s'il a pris de la drogue, il répond: « C'est vrai, j'ai pris une couple de *peanuts*. » Il perd, encore une fois, des journées de réduction de peine. Le 16 avril 1985, Boucher se retrouve à l'infirmerie de Bordeaux, cette fois en état d'intoxication avancée. Il tient à peine debout. Il ne sait pas la date du jour. Son élocution est difficile. Il déclare au personnel qu'il a pris des capsules de couleur orange et blanche dont il ne connaît pas le nom. Il est agressif et refuse de collaborer avec le personnel de l'infirmerie qui tente pourtant de l'aider. « En dedans, dit-il, je suis un petit, mais dehors, je suis quelqu'un. »

Boucher est « quelqu'un » aussi en dedans, puisqu'il se comporte de plus en plus comme le roi et maître de l'aile C. Le 28 mars 1985 vers 23 h 15, alors qu'il est en train de regarder une partie de hockey à la télévision, il refuse de regagner sa cellule à deux reprises. Il ne veut pas manquer la fin du match. Après la fin de la partie à minuit vingt, lorsqu'il est fin prêt, il retourne à sa cellule. Le lendemain, les gardiens y découvrent un couteau de cuisine caché dans le rail coulissant de la porte. Lorsque le comité de discipline lui demande des explications, il s'empresse de proclamer son innocence: « Le couteau n'est pas à moi. » Mais il reconnaît avoir refusé d'obtempérer aux ordres des gardiens pour suivre la partie: « Le hockey, c'est correct, je suis coupable. » Il est sanctionné par la perte de deux autres jours de réduction de peine. Le comité lui accorde le bénéfice du doute pour le couteau, démontrant ainsi la justesse du vieux dicton qui a sauvé plus d'un criminel : « Ne jamais rien admettre qui ne peut pas être prouvé hors de tout doute raisonnable. »

Boucher est devenu une menace grave pour la paix et la sécurité de l'aile C. Les autorités carcérales considèrent qu'il est la source de tous les problèmes majeurs du secteur. Il y contrôle la vente des stupéfiants par la menace et l'intimidation. Il est aidé par des hommes de main qui sont récompensés en « pilules[11] ».

Un rapport du 14 juin 1985, adressé à la direction de l'établissement de Bordeaux, dresse le bilan des activités de Boucher et recommande son transfert à la prison de Québec pour une période de trois mois, afin de limiter l'entrée de drogues dans l'établissement et de diminuer les cas de protection pour dettes de drogue impayées.

> *Tout au long de son séjour à l'établissement, Boucher s'est retrouvé au milieu de conflits avec les noirs du secteur. En mai 85, il a fait battre un détenu de couleur et a eu une altercation avec d'autres à ce sujet. Il s'agit-là* [sic] *d'une autre particularité motard, à savoir : un racisme profond. Enfin, Boucher fut mêlé, depuis le début, au trafic de drogues. En plus de consommer, de façon évidente, à quelques reprises, (il devient mauvais alors) Boucher a opéré son négoce avec de la compétition pendant un certain temps. Toutefois, à cause de la longue sentence, de l'attrition des compétiteurs et du savoir-faire du sujet, Boucher est devenu le fournisseur principal de drogues dans le secteur « C ». Il s'agit-là* [sic], *d'une autre caractéristique « motard » puisque la drogue transigée par Boucher est sous forme de pilules, spécialité des motards et que la disponibilité de celle-ci semble illimitée (typiquement motard).*
>
> *Par conséquent, Boucher vit dans le secteur de la même façon qu'à l'extérieur et, les conséquences sont les mêmes sinon pires car on se retrouve en milieu fermé. Les prix, les échéanciers et les ordres de Boucher sont alors inéluctables même s'ils varient de jour en jour. Bref, il impose sa loi, l'opposition et la compétition n'existant plus.*

Les incidents récents qui ont rendu la présence du sujet trop « pesante » dans le secteur sont;

- *avoir battu ou fait battre le détenu Séraphini (85.06.11);*
- *avoir battu ou fait battre le détenu Bailey, un noir (début mai 85);*
- *entrée massive de drogues à son intention (début de juin 85);*
- *les tactiques de Boucher;*
- *il paie ses sbires en drogues (effet semblable à l'alcool: stimulant, agressif puis un effet calmant, beat);*
- *il fournit la drogue gratuitement, dit-il à des détenus, puis les fait payer après les avoir accrochés ou, il les fait payer pour des drogues qu'il disait leur avoir données (le plus fort étant celui qui a raison);*
- *les prix augmentent sans cesse.*

Boucher continue donc de faire la pluie et le beau temps à Bordeaux. Le 17 août 1985, peu avant le souper, il met le feu à son matelas. On soupçonne qu'il est intoxiqué. Le rapport d'événement note: « Il n'était pas dans un état normal. » Pour expliquer son geste, il affirme que c'était une façon pour lui d'attirer l'attention du sergent de garde à qui il voulait parler. Et ça se poursuit. Au début de l'après-midi, le 9 octobre 1985, des gardiens le trouvent complètement désorienté. Boucher a la démarche trébuchante, l'élocution difficile, la bouche pâteuse et les gestes lents. Il assure les gardiens qu'il n'a rien absorbé. Leur rapport note qu'il n'oppose aucune résistance pour se faire conduire à l'infirmerie ou pour entrer dans sa cellule.

Devant le comité disciplinaire, il change sa version des faits: « J'ai pris de quoi à la pharmacie de la *wing.* » Ce manquement à la discipline lui vaut cinq jours additionnels de « perte de bon temps », ce qui doit, en principe, l'empêcher d'avoir son « code des Fêtes », c'est-à-dire, dans l'argot des prisons, une absence temporaire entre le 23 décembre 1985 et le 6 janvier 1986. Boucher proteste énergiquement et signe une demande de révision de la mesure disciplinaire :

Je tiens à vous informer que la sanction qui m'a été infligée au comité de discipline est sévère dans la mesure où je retourne sur un trois mois d'observation et cela m'enlève le droit d'avoir mon code des « Fêtes »

Jusqu'à présent mon comportement dans le secteur était très satisfaisant car j'étais le boss du ménage et je m'occupais à ce que l'aile C soit très propre comme elle ne l'a jamais été. Les gardes pourront vous confirmer ces paroles. D'autre part si j'ai pris des pilules c'est parce que j'ai eu une altercation avec un détenu qui ne voulait pas faire son ménage et il m'a frappé à la figure. Suite à cela on m'a offert des pilules dans l'aile C et je les ai prises. C'est vrai que j'ai eu tort. Par contre aujourd'hui je suis toujours près [sic] *à être BOSS du ménage et je tiens à vous répéter que c'est pour tenir la « wing » propre que j'ai reçu un coup à la figure et que j'ai fait ce manquement.*

Bien à vous,

Maurice Boucher

Malgré tous ces manquements disciplinaires, Maurice Boucher continue de profiter des largesses du système correctionnel québécois. Il demande quand même quelques semaines plus tard son fameux « code des fêtes » afin de passer Noël et le jour de l'An avec sa femme et ses enfants. Il déclare dans sa requête qu'il est en mesure de subvenir à ses besoins durant son séjour à l'extérieur. Étonnamment, à la fin du mois de novembre 1985, on accepte sa demande. Tout en notant sur le document de recommandation qu'il est célibataire, qu'il ne travaille pas lors de son arrestation, et qu'il fréquente le milieu de la drogue et les clubs de motards, on a quand même conclu, allez comprendre pourquoi, « qu'il semble apte à respecter sa sortie ».

On lui impose cependant les conditions suivantes :

- Ne consommer aucune boisson alcoolique.
- Ne pas faire usage de drogue non prescrite par un médecin.
- Ne conduire aucun véhicule automobile.
- Ne faire aucune déclaration publique.
- Informer l'établissement de détention avant tout changement d'adresse, de numéro de téléphone et d'emploi.
- Présenter ce certificat au policier sur interception.
- Au retour de son « congé » en janvier 1986, il doit se présenter sans aucun article personnel, prohibé ou considéré comme objet de contrebande.

Boucher est libéré aux deux tiers de sa sentence, le 12 janvier 1986. Maurice Boucher est à peine sorti de prison qu'il entre enfin chez les Hells Angels où il rejoint comme *prospect Montréal* ses vieux complices des SS, Normand *Biff* Hamel, Ronald *Ti-poil* Aubin et Yves *Flag* Gagné. Les Hells du Québec sont en mode de recrutement accéléré à cause des arrestations massives engendrées par la tuerie de Lennoxville de mars 1985.

La surveillance policière note sa présence le 19 février 1986, à l'aéroport de Dorval où il accueille six membres des

MAURICE BOUCHER EN 1988 •

Hells Angels de Colombie-Britannique, en ville pour le *Bike Show* du Palais des Congrès, à Montréal. En août, on le voit pour la première fois porter ses couleurs *prospect Montréal* alors qu'il fait le trajet en auto de Québec à Halifax. En septembre, la police vérifie Boucher lors d'une randonnée de motards criminalisés ; l'amie de cœur de Wolodumyr *Nurget* Stadnick est passagère du véhicule qu'il conduit. Membre du chapitre Montréal, *Nurget* Stadnick va fonder le chapitre Nomads avec Boucher quelques années plus tard.

Maurice Boucher est admis à l'unanimité membre en règle des Hells Angels du chapitre Montréal le 1er mai 1987. Les HA en sont encore à se remettre des séquelles de la tuerie de Lennoxville survenue le 24 mars 1985.

CHAPITRE 2

LA TUERIE DE LENNOXVILLE ET LA RENAISSANCE DES HELLS ANGELS

Avant de commencer à raconter l'histoire de l'ascension de Maurice *Mom* Boucher dans la hiérarchie des Hells Angels au Québec, il est nécessaire d'expliquer l'organisation et les activités de ce redoutable club de motards criminalisés aux ramifications internationales.

CHAPITRE MONTRÉAL EN 1990 : LABELLE, RICHARD, MATHIEU, BILODEAU, RAMSAY, BONOMO, STADNICK, DESCHAMP, GILES, BOUCHER ET HAMEL

EMBLÈME POPEYES MONTRÉAL

EMBLÈME GITANS SHERBROOKE

EMBLÈME 13TH TRIBE NOVA SCOTIA

En 1985, les Hells Anglels n'ont alors que quatre chapitres dans l'Est du Canada, au Québec et en Nouvelle-Écosse. D'abord le chapitre mère (*Mother chapter*) Montréal fondé le 5 décembre 1977, avec des motards recrutés dans différents clubs Popeyes québécois. Ensuite le chapitre North, fondé le 14 septembre 1979; issu de la séparation des membres du chapitre Montréal, il sera dissous en mars 1985. Le chapitre Montréal parraine la création des deux autres chapitres le 5 décembre 1984: Sherbrooke, avec 14 membres, naît de la fusion avec les Gitans, et Halifax, avec 11 membres, est fusionné à partir des 13th Tribe Nova Scotia. Ces quatre chapitres existent dans la région East Coast. Jusqu'en 2001, l'organisation des Hells Angels divise le Canada en deux régions administratives distinctes, soit la région East Coast, qui comprend les provinces de Terre-Neuve, de la Nouvelle-Écosse, de l'Île-du-Prince-Édouard, du Nouveau-Brunswick, du Québec et de l'Ontario, tandis que la région West Coast regroupe les provinces du Manitoba, de la Saskatchewan, de l'Alberta et de la Colombie-Britannique. L'arrivée massive de 10 chapitres Hells Angels en Ontario à la fin de l'année 2000 oblige la création d'une troisième région administrative exclusive à cette province, soit la région Central.

L'événement clé pour les Hells québécois, avant les arrestations du printemps 2001 et le mégaprocès qui en a découlé, est sans contredit l'exécution collective des membres du chapitre North dans le local du chapitre Sherbrooke, situé rue Queen à Lennoxville, le 24 mars 85. Les cinq corps criblés de balles, enveloppés dans des sacs de couchage et lestés de blocs de

CHAPITRE NORTH 1979 : ASSELIN, HACHE, GEOFFRION, LESSARD, BILODEAU, ADAM, LACHANCE, KENNEDY, MAYRAND, RICHARD ET VIAU

ciment sont envoyés par le fond, dans le Saint-Laurent, dans la région de Saint-Ignace-de-Loyola, près de Berthier[12].

La SQ récupère alors les cadavres de Guy *Chop* Adam, Guy *Brutus* Geoffrion, Jean-Pierre *Le crosseur* Mathieu, Michel *Willie* Mayrand et Laurent *L'Anglais* Viau, tous les cinq exclus du chapitre North. Une sixième victime, le *prospect North*, Claude *Coco* Roy[13], est tué au motel Idéal de Saint-Basile-le-Grand sur la Rive-Sud de Montréal, le 6 avril 1985, par Michel *Jinx* Genest, du chapitre Montréal, parce qu'il en a trop vu lors de la tuerie et surtout parce qu'il en a trop dit ensuite.

Au moment de la tuerie de Lennoxville, en 1985, je suis caporal responsable de l'ERAMDJ de Saint-Hyacinthe depuis mai 1981. À ce titre, je coordonne l'opération ENDURA, ciblée sur les activités criminelles du chapitre Montréal des Hells[14]. Je fais alors mon apprentissage des us et coutumes de cette étrange et dangereuse faune qu'est le monde des motards. Cette tuerie me familiarise avec le cérémonial entourant le départ, le retrait ou l'expulsion des membres de l'organisation.

Good Standing, Bad Standing

Les cinq Hells *full patch* du chapitre North tués au local de Lennoxville ont été froidement exécutés par leurs *frères* HA quelques instants après avoir été déclarés à l'unanimité membres en *Bad Standing* de l'organisation. Les Hells ne tuent jamais des *frères*. On les exclut d'abord de l'organisation. Il y a en effet deux façons de se retirer des Hells Angels, soit en *Good Standing*, considéré comme une « retraite active » ou en *Bad Standing*, pour ainsi dire une « retraite forcée ».

L'exclusion d'un membre Hells en *Bad Standing* l'isole et précarise si l'on peut dire sa vie future. Mais l'une des devises de l'organisation étant *Angels Forever Forever Angels* ou AFFA, il arrive au fil des ans que des membres, qui se sont retirés en *Good Standing*, reviennent comme membres actifs dans leur chapitre d'origine[15].

Au cours de mes années de lutte contre le crime organisé, il m'est arrivé à quelques reprises d'avoir été berné par des Hells incarcérés qui demandaient de se retirer de l'organisation en *Good Standing*. Plus souvent qu'autrement, ces membres le font pour bénéficier plus rapidement d'une libération conditionnelle.

Le cas d'André *Zoune* Imbeault, membre du chapitre Quebec City, illustre parfaitement le phénomène. Après avoir purgé environ deux ans d'une condamnation de 12 années de pénitencier pour complot de trafic de stupéfiants lors d'une importation de 750 kg de cocaïne au Canada, Imbeault avise les autorités pénitentiaires de son intention de se retirer de l'organisation des HA. Toutes les démarches requises sont faites par l'organisation des Hells ; proclamation de sa retraite en *Good Standing* dans un compte rendu de réunion officielle du chapitre et publication de la nouvelle dans la revue mensuelle *B.H.C* ou *Big House Crew*, destinée aux membres et *prospects* de l'organisation internationale qui sont incarcérés de par le monde. Ayant pris connaissance de ces informations, je confirme par écrit, en août 1997, au Service correctionnel fédéral, le retrait du chapitre Quebec City en *Good Standing* de *Zoune* Imbeault.

Quelques semaines plus tard, se basant sur ma lettre, le Service correctionnel recommande à la Commission nationale des libérations conditionnelles qu'Imbeault puisse jouir de la procédure d'examen expéditif au sixième de sa sentence[16] puisqu'il s'agit de sa première condamnation dans un pénitencier fédéral, que le crime est non violent[17]et qu'il ne fait plus partie des Hells Angels. Sa requête est donc acceptée par la Commission nationale des libérations conditionnelles (CNLC). Il va sans dire qu'après avoir été ainsi « brûlé », je suis maintenant d'une extrême prudence lorsque j'ai à me prononcer sur des « changements soudains de vocation » de Hells emprisonnés.

Passons maintenant à la deuxième catégorie des départs des Hells, ceux qui quittent l'organisation en *Bad Standing*, donc en conflit avec l'organisation. Leur espérance de vie en prend un coup. Mais avant de pouvoir tuer un membre en règle, un *full patch* des Hells, il y a une procédure à suivre, un décorum à respecter. Il faut d'abord que les membres du chapitre du motard votent à l'unanimité son expulsion lors d'un *church meeting*. La chasse à l'homme ne peut commencer et l'exécution ne peut avoir lieu qu'après que les résultats du vote soient connus.

Les procédures judiciaires à la suite de la tuerie de Lennoxville sont fertiles en rebondissements, avec des manœuvres des Hells pour corrompre un membre du jury. Mais la justice marque des points. Les suites judiciaires des meurtres des Hells du chapitre North entraînent une annihilation presque complète des Hells au Québec.

Dans le cadre de l'opération Zancle, les forces policières obtiennent la condamnation de 22 des 35 membres et *prospects* des chapitres Montréal, Sherbrooke et Halifax, mis en accusation pour la tuerie de Lennoxville. La région East Coast est complètement désorganisée, pratiquement tous ses dirigeants sont derrière les barreaux.

À la fin de cette saga judiciaire, dans la police comme à l'Assemblée nationale, on se félicite de cette grande victoire contre la toute-puissante organisation des Hells Angels. On essaie de se convaincre que c'en est fini au Québec des têtes de mort ailées. Et on passe à autre chose. On oublie les motards pendant plusieurs années. C'est une grave erreur qui aura des conséquences terribles dans les années qui suivront.

Quand je fais des conférences sur cet épisode de l'histoire de la criminalité au Québec, j'aime à utiliser une image évocatrice : « Nous avons éliminé de monstrueux lézards, mais nous n'avons pas pensé à écraser les œufs. »

La passivité policière s'explique par le fait que plusieurs Hells Angels sont derrière les barreaux et que plusieurs suspects de la tuerie ont fui à l'étranger. Ces derniers sont fichés à Interpol et font l'objet de mandats d'arrestation internationaux, pour les événements de 1985. C'est ainsi que Robert *Snake* Tremblay, du chapitre Sherbrooke, est arrêté à Londres en décembre 1986; Georges *Boboy* Beaulieu, aussi membre des HA Sherbrooke, est interpellé à Amsterdam en mars 1988. Les arrestations se poursuivent jusqu'en mai 1990 alors que Denis *Pas fiable* Houle, des Hells Montréal, se fait prendre dans un bar de danseuses de Montréal. En cet automne 2005, on est toujours sans nouvelles de Jean-Yves *Bull* Tremblay, membre de Sherbrooke, recherché depuis octobre 1985.

Le 4 août 1986, je suis promu sergent responsable de l'ERAM (Équipe Régionale Alcool Moralité) à Saint-Jérôme. Je dois maintenant desservir les territoires de la SQ Saint-Jérôme, Sainte-Agathe, Saint-Eustache et Lachute, en incluant l'aéroport de Mirabel[18]. Pendant ces quatre années à Saint-Jérôme, je couvre, à titre personnel, les arrivées et départs de voyages des motards de toute allégeance, tant à Mirabel qu'à Dorval. Après ma mutation au service des renseignements criminels à Montréal en janvier 1991, je continue ma petite opération de renseignements durant mes temps libres, développant ainsi, au cours des années, des liens étroits avec les agents des douanes et leurs superviseurs. J'ai donc été à même d'observer Maurice Boucher partir en voyage au Canada, en Europe ou dans les pays du sud et en revenir parfois seul, d'autres fois en compagnie de sa femme ou de son amie de cœur.

À la fin des années 80, un bon nombre de policiers spécialisés qui ont une certaine expérience dans la lutte contre les motards criminalisés prennent leur retraite à cause d'un règlement bureaucratique que je considère extrêmement discutable. En effet, les membres de la Sûreté du Québec sont contraints à une retraite obligatoire après 32 années de service. Durant l'automne 2001, à la suite de l'intégration à la SQ de plusieurs corps policiers municipaux, la règle fixera les départs après 35 ans de service.

La préparation de la relève ou la conservation des compétences ne sont pas, de toute évidence, les priorités des grandes organisations policières. Que ce soit à la Sûreté du Québec, à la Gendarmerie Royale du Canada, au Service de police de la ville de Montréal ou dans les autres services de police d'importance, très peu de ressources, tant sur le plan organisationnel qu'humain, sont consacrées à la formation de spécialistes. Les gestionnaires qui dirigent ces services ne jurent que par les vertus des policiers généralistes polyvalents.

EMBLÈME VIKING RIVE-SUD

Souvent, dans nos corps policiers, les jeunes *passionnés de justice* qui commencent leur carrière doivent se former eux-mêmes après s'être découverts des affinités particulières avec un domaine spécialisé. Ils y investissent alors d'innombrables heures personnelles pour parfaire leurs connaissances avec un soutien et un encouragement minimum des services de police qui sont pourtant les premiers à en bénéficier. Que ce soit dans le domaine du crime organisé, des crimes contre la propriété ou contre la personne, des incendies criminels, du service d'identité judiciaire ou de toute autre spécialité, les priorités organisationnelles et les mouvements de personnel policier engendrés par les promotions demandent un renouvellement constant des ressources compte tenu du temps d'apprentissage que cela nécessite.

EMBLÈME MISSILES SAGUENAY

Les Hells se renouvellent plus vite que la police

Le 26 mai 1988, le chapitre Quebec City est fondé; Montréal et Sherbrooke en sont les chapitres parrains. Quebec City est issu des Viking Rive-Sud, résultat d'une fusion antérieure entre les Vicking Matane et les Iron Coffin La Pocatière. Le nouveau chapitre, installé à Saint-Nicolas, organise des courses de motos « drag » à Pont-Rouge en 1987-1988. De telles activités devraient signaler aux patrons des services de police que les Hells remontent la pente, qu'ils sont en pleine

EMBLÈME MISSILES MAURICIE

ANNIVERSAIRE QUEBEC CITY EN 1991 : BOUCHER 6E ARRIÈRE À PARTIR DE LA GAUCHE

réorganisation, qu'ils ont maintenant étendu leurs tentacules jusqu'à Québec. Les forces policières continuent à dormir sur leurs lauriers.

En 1991, c'est au tour de la Mauricie d'avoir un chapitre des Hells. Cela fait trois ans que des membres des Missiles Saguenay et des Missiles Mauricie convoitent le territoire de la grande région de Trois-Rivières. Les neuf membres des deux clubs reçoivent leurs couleurs de Hells fondateurs du chapitre le 24 juin de la même année.

La police les soupçonne d'avoir participé à une douzaine de meurtres au cours de leur période probatoire. À cette époque, les informations que nous avons à la SQ indiquent qu'il faut avoir été impliqué dans un meurtre pour devenir membre des Hells Angels.

Maurice Boucher, qui n'est pas mêlé aux événements violents qui marquent les Hells entre l'automne 1984 et le mois de janvier 1986, fait partie de la relève avec trois autres motards SS.

Le 7 janvier 1991, du poste de sergent responsable de l'ERM de Saint-Jérôme, je suis muté au quartier général de la SQ, rue Parthenais à Montréal, à titre d'adjoint au lieutenant responsable de la division de la cueillette du service de renseignements criminels. Les renseignements criminels comptent à l'époque trois divisions: la cueillette de l'information, l'analyse de l'information et la documentation.

CHAPITRE TROIS-RIVIÈRES 1991 : VALLÉE, ROYER, DUHAIME, THIFFAULT, ROY, POITRAS, GIGUÈRE, BERGERON ET ÉMOND

Lors de mon arrivée au Q.G., je constate que la majorité des enquêteurs du projet Zancle qui ont travaillé sur les Hells sont retraités. Ils ne restent que quelques policiers des renseignements criminels qui ont vécu l'époque de la tuerie de 1985. Même le spécialiste des motards de la SQ des années 80, l'agent Pierre Fréchette, est affecté à d'autres fonctions en attendant son départ à la retraite.

Essentiellement, ce qui est disponible sur les HA en 1991, c'est un album photo en noir et blanc qui date de 1988, plusieurs boîtes d'archives papier, remisées au sous-sol de l'édifice du quartier général, des documents rédigés par la division analyse de l'information criminelle, notamment un de Robert Gravel touchant la période probatoire du chapitre des Hells Trois-Rivières. On est en train de passer de la documentation papier à la documentation informatique.

Comme les Hells, la SQ est dans un cycle de réorganisation. Mais la nôtre se fait beaucoup plus lentement que celle des motards criminalisés. En mars 1991, je participe à mon premier *Bike show* à l'hôtel Delta de Sherbrooke où je supervise le travail des quatre enquêteurs de l'équipe motards, incluant leur chef d'équipe.

Le salon est ouvert au public. C'est un genre de « parade de mode » pour les Hells et leurs affiliés. Plusieurs motards invités en provenance du Canada et de l'Europe assistent à ces trois jours de festivités. Pour nous des renseignements criminels, c'est une mine d'informations. On rencontre les nouvelles recrues, les nouveaux clubs sont représentés par des membres avec leurs nouvelles couleurs. Et c'est sans compter l'objet même du *show*, les nouvelles motos qui y sont exposées. C'est une extraordinaire vitrine d'exposition pour les Hells. Notre équipe y constate une importante remontée en puissance de l'organisation ; le recrutement est en plein essor.

Installé dans un autre hôtel près du Delta, j'envoie des duos enquêteurs couvrir les activités inscrites au programme, et ce, sur des périodes de 30 à 45 minutes, afin d'observer les individus qui nous intéressent particulièrement. Ensuite, les enquêteurs reviennent faire leurs rapports et repérer, dans des classeurs de photos et sur d'autres documents signalétiques, les personnes qu'ils viennent d'observer. Ces documents de référence, rassemblés lors d'opérations antérieures ou recopiés à la suite de perquisitions, permettent d'identifier les motards présents. Je confirme ainsi la présence de Maurice Boucher et de son épouse dans l'enceinte de l'hôtel Delta.

Jusqu'en 1994, on n'est ainsi qu'une petite équipe de quatre enquêteurs assistés de deux analystes policiers pour s'occuper du dossier motards. On ne peut guère compter sur les patrouilleurs de la Sûreté du Québec. Ils croulent sous de multiples mandats et n'ont que peu de temps à consacrer aux motards criminalisés, malgré tout leur bon vouloir.

Le SPVM continue de colliger des renseignements sur une organisation criminelle non traditionnelle appelée Rock Machine

LOCAL ROCK MACHINE MONTRÉAL

qui occupe un local de la rue Huron dans Hochelaga-Maisonneuve, depuis janvier 1989. Cependant, les Rock Machine ne sont pas un club de motards.

Mom, parrain des Joker's Wild Card

Une règle canadienne des Hells permet à un membre en règle de se faire tatouer la tête de mort ailée un an après sa date anniversaire d'arrivée dans le groupe. J'ai moi-même pu observer que Maurice Boucher possède un tel tatouage sur le bras gauche et qui indique qu'il est membre des Hells Angels depuis le 1er mai 1987.

BOUCHER TATOUAGE
1-5-87 ÉPAULE GAUCHE

Au début des années 90, Boucher est activement engagé dans la réorganisation des Hells Angels au Québec. Le 1er mai 1991, il parraine son premier club-école, les Joker's Wild Card, dans la région de Lavaltrie. Quand on prend la sortie 122 de l'autoroute 40 Est, on peut apercevoir un curieux château gris avec ses quatre tourelles qui sert de repaire au club il s'agit d'un ancien restaurant qui a changé de vocation. C'est à cet endroit que Boucher remet leurs «couleurs» aux premiers membres des Joker's.

MAURICE BOUCHER EN 1991

À partir de Lavaltrie, les Joker's Wild Card contrôlent la distribution de drogues dans les bars et clubs de Lanaudière pour le compte de leur *parrain*. Plusieurs membres fondateurs proviennent de la région, ce sont des petits criminels triés sur le volet. D'autres membres, des proches de Boucher, viennent de Montréal ou de Sorel. C'est notamment le cas de Luc *Bordel* Bordeleau, qui a été *prospect* au chapitre Montréal en 1986. Un ancien policier de Montréal, Guy Lepage, un intime de Boucher, participe aussi à la création des Joker's Wild Card. Il sert de prête-nom pour la location du local de Lavaltrie[19].

LOCAL JOKER'S WILD CARD
LAVALTRIE

Comment d'anciens policiers comme Gaétan Rivest et Guy Lepage se retrouvent-ils dans l'entourage de Maurice Boucher? Ils suivent le chemin de plusieurs policiers qui, pour différentes raisons, ont perdu la confiance du service qui les employait. Les Affaires internes enquêtent sur ces individus. Mais plutôt que de les accuser devant un tribunal ou parce que la preuve est difficile à obtenir, leurs patrons leur suggèrent fortement de démissionner ou de prendre leur retraite s'ils en ont l'âge et les années de service requises.

Il faut bien le dire, les corps policiers veulent aussi éviter le déshonneur et le scandale que la divulgation de la preuve contre leurs membres devant un tribunal causerait dans l'opinion publique. Une démission permet à l'organisation d'éviter d'énormes complications, des enquêtes à n'en plus finir, des dossiers en arbitrage, des griefs de syndicats, des contestations de décisions, etc.

Je suis à même de constater, depuis la tuerie de 1985, que les organisations de motards criminalisés réajustent leurs façons de fonctionner après chaque opération policière. Ils étudient tous les éléments recueillis en cours d'enquête et qu'ils obtiennent dans le cadre de la divulgation de la preuve par le ministère public.

À partir de ces renseignements, les motards et leurs avocats analysent les procédés d'infiltration, les rapports de filature, les divers affidavits d'écoute électronique, les dénonciations nécessaires à l'émission des mandats de perquisitions ou d'arrestations, de même que les techniques d'enquête utilisées. Ils mettent également à contribution les ex-policiers qu'ils recrutent et qui deviennent une source extraordinaire d'informations sur les méthodes d'enquêtes policières.

Ma première observation de Maurice Boucher

Un membre en règle des Hells Angels, comme Boucher en 1991, a le choix: il peut se contenter d'un revenu supérieur à la moyenne provenant d'activités criminelles illicites ou il peut décider de vouloir devenir millionnaire. Et la meilleure façon d'espérer devenir millionnaire, pour un membre des HA, c'est de parrainer un club-école. En plus de l'aider à contrôler son territoire, d'y assurer la distribution de sa marchandise illicite, d'y contrôler les bars et les clubs, le club-école empêche les organisations rivales de s'installer, tout en servant de bassin de formation pour les nouvelles recrues du chapitre de son *parrain*.

BOUCHER
REMISE COULEURS JOKER'S

Chaque chapitre des Hells Angels est autonome. Chaque membre à l'intérieur du chapitre a son autonomie. Il possède la liberté de choisir le secteur et le genre d'activités criminelles au sein desquels il veut agir. Mais tous sans exception doivent se soumettre aux règles internationales, nationales, provinciales et locales de l'organisation des Hells.

EMBLÈME JOKERS WILD CARD

Après avoir reçu leurs « couleurs » des mains de Boucher, les nouveaux Joker's Wild Card enfourchent leurs motos et font la tournée des bars de Lavaltrie et de Joliette en début d'après-midi en compagnie des membres du chapitre Montréal et du chapitre *prospect* Trois-Rivières.

Les enquêteurs de mon équipe motards les surveillent. Nous devons être pro-actifs. C'est l'occasion idéale pour recueillir des renseignements factuels sur ces motards criminalisés, pour valider le statut de chacun au sein de l'organisation, tout en mettant nos fichiers informatiques et nos albums de photographies à jour.

Lorsque les policiers municipaux de la ville de Joliette nous confirment que le convoi de motards se dirige vers Montréal pour aller démontrer « sa puissance », les Anglais disent « *A show of force* », on relaie immédiatement l'information à la police de Montréal. Vers 17 h, les patrouilleurs du SPVM interceptent le convoi alors qu'il roule en direction sud sur le boulevard Pie-IX, au sud du boulevard des Grandes-Prairies, et le détournent vers un terrain de stationnement situé derrière plusieurs édifices industriels du secteur. C'est là que j'observe Maurice Boucher en action pour la première fois…

Dans la police, les juridictions territoriales sont importantes et on doit les respecter. La responsabilité première des interventions policières dans chacun des territoires revient d'abord,

JOKER'S WILD CARD BORDELEAU 1ER GAUCHE TOUSIGNANT 6E

et avant tout, au service de police qui y a juridiction. Même si je suis policier de la SQ avec une juridiction sur l'ensemble du territoire du Québec et que je supervise une équipe d'enquêteurs qui colligent des renseignements sur les motards criminalisés du Québec, je ne peux que prêter mon assistance.

L'opération de vérification est menée par des officiers supérieurs du SPVM. Si la police de Montréal nous dit qu'elle n'a pas les effectifs requis pour intercepter le convoi ou si simplement elle ne veut pas intervenir, l'opération de vérification et de contrôle d'identité n'a jamais lieu. Les enquêteurs de la SQ assistent donc leurs confrères du SPVM dans le cadre de leur mandat provincial, car je ne le répéterai jamais assez: « Le renseignement, c'est le nerf de la guerre. »

Je me suis donc rendu sur les lieux à la fin de mon quart de travail afin de superviser les enquêteurs des renseignements criminels et d'observer la conduite des motards présents. Je suis moi aussi en « mode cueillette ». Je constate que le meneur du convoi d'une trentaine de motos, communément appelé le capitaine de route (*road captain*), est le président national des Hells, Wolodumyr (Walter) *Nurget* Stadnick, membre du chapitre mère de Montréal.

Boucher est facile à remarquer avec sa petite casquette blanche fleurie. Je ne me présente pas. Je reste dans l'ombre et l'anonymat pour cette première fois. Mon tour viendra bien assez vite. C'est Boucher qui parle et qui discute avec les officiers supérieurs du SPVM. Flairant la présence des caméras de télévision, Boucher, comme ce sera son habitude lors des contrôles policiers subséquents, fait le pitre. Il donne un *show* pour épater la centaine de curieux venus « voir les bécycles et les méchants motards ». On a droit à toutes sortes de grimaces. Boucher se rapproche le visage à cinq centimètres de la lentille de la caméra, il en profite pour saluer ses proches : « Salut papa, salut maman, salut mon oncle. » Boucher prend de la place, mais il ne me pas fait grande impression. Juste assez cependant pour que je focalise sur ses visées expansionnistes futures, car on sent que le petit criminel d'Hochelaga-Maisonneuve veut devenir un caïd.

Les Joker's Wild Card existent jusqu'au printemps 1993, date à laquelle Boucher saborde le club, car ils attirent beaucoup trop l'attention dans la région de Lavaltrie. Ses membres ne suivent pas les conventions établies en agissant plus souvent qu'autrement en crétins violents. En 1991-1992, ils font l'objet de plusieurs enquêtes policières. Boucher envoie même son fidèle lieutenant *Bordel* Bordeleau devant les caméras de télévision afin de redorer l'image de ces « matamores de campagne », mais peine perdue, leur local est perquisitionné à la suite d'allégations de viols et de meurtres commises sur place. La pression policière est intense et la réputation « de *dealers* sympathiques » des motards en prend un coup.

Mom arrive en ville : des Joker's aux Rockers Montréal

LUC *BORDEL* BORDELEAU

Dix mois plus tard, Boucher décide d'ouvrir un nouveau club-école à Montréal. Il envoie son homme de confiance Luc *Bordel* Bordeleau prendre en charge son nouveau club qu'il nomme Rockers Montréal. On est le 26 mars 1992. Les Rockers s'installent rue Sébastopol, tout près du local des Outlaws Canada de la rue Cazelais. Boucher veut ainsi garder un œil sur ce qui reste des membres Outlaws encore en vie ; leur sanglante guerre contre les HA, débutée en 1978 et qui s'est échelonnée jusqu'au début des années 90, leur a fait perdre presque tous leurs membres, morts assassinés.

LOCAL ROCKERS MONTRÉAL RUE SÉBASTOPOL

ROCKERS MONTRÉAL 1992 : 3E BORDEL CENTRE-TOOTS 5E ARRIÈRE

Pour Maurice Boucher, les Rockers constituent un premier pied-à-terre à Montréal et un pied de nez à l'organisation rivale, car il baptise son club-école du nom d'un des groupes de motards à l'origine de la fondation des Outlaws en juillet 1977.

Boucher ne cache pas son intention de prendre le contrôle des activités du commerce de stupéfiants dans les secteurs francophones de Montréal, en particulier les quartiers Hochelaga-Maisonneuve où il a grandi et de l'Est de l'île de Montréal. En 1992-1993, ce territoire de dope que convoite Boucher est sous le contrôle de trafiquants indépendants, d'anciens motards des années 70, du club des Devils Disciples et des Rock Machine.

Le territoire que convoite Boucher s'étend de la rue Saint-Laurent jusqu'au bout de l'île de Montréal vers l'est, du fleuve jusqu'à la rue Beaubien. Au nord de cette rue, le territoire appartient aux Italiens. Cela a été confirmé à l'occasion d'une perquisition, en mars 2001, chez le Hells Nomads Richard Mayrand. Les policiers ont découvert à cette occasion une carte géographique de l'île de Montréal divisée en secteurs, partagés entre les différentes organisations criminelles.

Les Hells ne prennent pas les Rock Machine trop au sérieux. Selon eux, ils n'ont pas assez d'argent pour se payer des vestes de cuir, des « couleurs » et des motos Harley-Davidson. Les Rock Machine ne portent que des bagues et des bijoux, en plus de

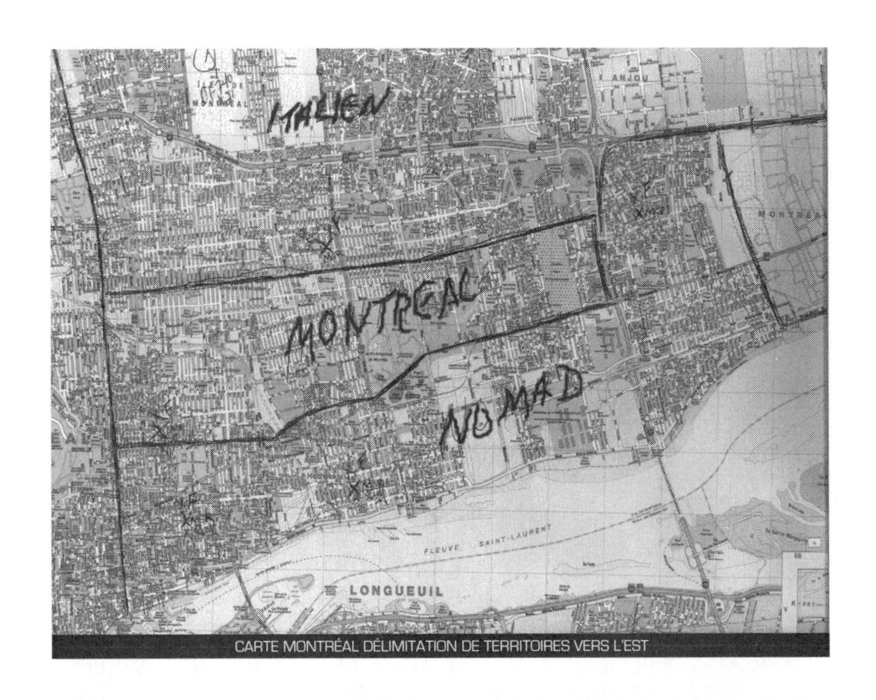

CARTE MONTRÉAL DÉLIMITATION DE TERRITOIRES VERS L'EST

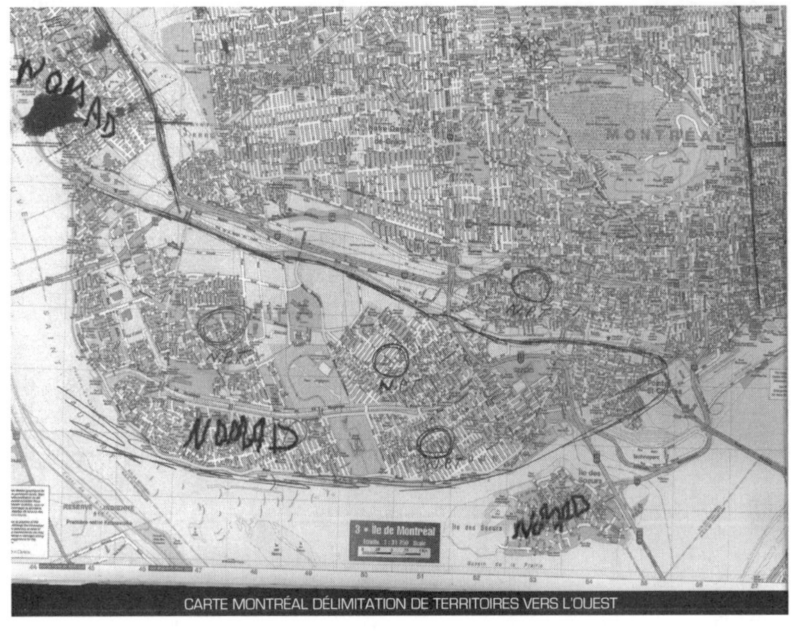

CARTE MONTRÉAL DÉLIMITATION DE TERRITOIRES VERS L'OUEST

BAGUE MEMBRE
ROCK MACHINE

BAGUE PROSPECT
ROCK MACHINE

SALVATORE CAZZETTA

leurs chandails noirs affichant une tête d'aigle blanche. Pour les Hells, cet emblème ne représente pas une tête d'aigle mais « une tête de canard ».

Leur président-fondateur des Rock Machine, Salvatore Cazzetta, qui avait flirté avec le groupe de motards SS de l'époque de Boucher, s'est inspiré de la structure hiérarchique Hells pour créer son groupe. Ils ont des membres, des *prospects* et des *hangarounds.* Seuls les membres portent la bague gravée Rock Machine avec la tête d'aigle. Les Rock Machine ne deviendront un vrai club de motards qu'en juin 1999 lorsqu'ils décident de porter des vraies couleurs *Rock Machine Canada Mc* et de rouler en Harley-Davidson. Selon divers renseignements policiers, au début des années 90, l'organisation de Cazzetta s'approvisionne en cocaïne auprès de Boucher et en haschisch auprès de l'organisation criminelle des frères Dubois.

Les dossiers d'enquête et de renseignements criminels de la SQ, fondés sur des interceptions de conversations téléphoniques, des interrogatoires de suspects et des informations provenant d'informateurs codés, indiquent que Boucher a décidé de s'emparer du territoire de Cazzetta quand celui-ci a été impliqué dans un complot d'importation de 11 tonnes de cocaïne avec des membres du Gang de l'ouest, début 1993. Cazzetta aurait remis plus de six cent mille dollars à un agent infiltré de la DEA (Drug Enforcement Administration) au cours d'une rencontre en Floride, peu avant le démantèlement du réseau d'importateurs.

L'invasion du territoire convoité par Boucher et ses Rockers commence à l'automne 1993. Beaucoup de truands ne veulent pas se laisser tasser, surtout pas par un type qui est encore perçu comme un *nobody* dans le milieu criminel. Certains Hells trouvent même que Boucher *traque* large. Les opposants à l'invasion des Hells convoquent donc un *meeting*, à la Cage aux Sports rue Pie-IX, près d'Henri-Bourassa, et décident de se regrouper pour faire face à la menace que constituent Boucher et ses Rockers. Ils forment une coalition qui s'appellera «l'Alliance». Ce n'est pas un club de motards, c'est un regroupement de criminels de tout acabit qui défendent leurs territoires.

COULEURS ROCK MACHINE CANADA

Tous les membres de l'Alliance porteront des bagues avec un gros A, au centre, serti de diamants. Les lettres ALV (À La Vie), ALM (À La Mort) ornent les côtés. Cette coalition regroupe l'organisation des Rock Machine, des trafiquants indépendants, dont font partie le clan des frères Sylvain, Harold et Richard Pelletier, et les ex-Devils Disciples qui prennent alors le nom de Dark Circle.

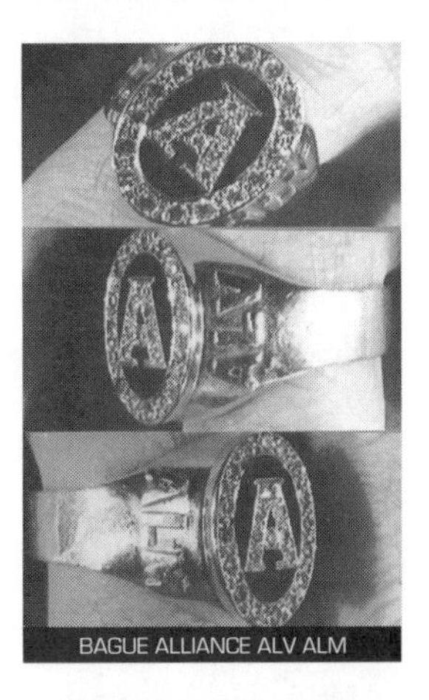
BAGUE ALLIANCE ALV ALM

On se prépare pour une guerre entre deux gangs. Dans les médias, à l'époque, on parle à tort d'une guerre de motards. Je suppose que c'est plus accrocheur, plus vendeur et surtout plus spectaculaire. Mais, en fait, c'est une «guerre des gangs»; ce n'est pas deux groupes de motards qui s'affrontent comme à l'époque des Hells Angels et des Outlaws. Il faut patienter jusqu'en juin 1999, lorsque les Rock Machine portent des couleurs officielles, pour assister à une «guerre des motards*[20]».

GILLES *TROOPER* MATHIEU

* Pour simplifier, l'expression «guerre des motards» sera utilisée partout dans le texte.

Dans cette guerre territoriale, le chef de guerre des Hells, *Mom* Boucher, est secondé, au début du conflit, par quelques autres membres importants des HA, dont Gilles *Trooper* Mathieu, Yves *Flag* Gagné, Michael *L'animal* Lajoie-Smith du chapitre Montréal ainsi que, Louis *Melou* Roy et Richard *Rick* Vallée, du chapitre Trois-Rivières.

Opération Jaggy: la GRC laisse filer Boucher

Au début des années 90, Maurice Boucher est l'une des cibles de la GRC dans le cadre de l'opération Jaggy qui vise principalement Raynald Desjardins, le bras droit de Vito Rizzuto, parrain de la mafia italienne au Canada. Les enquêteurs de la GRC savent qu'une livraison de 750 kilos de cocaïne va avoir lieu au large des côtes de la Nouvelle-Écosse. Dans le cours de l'enquête, la filature de la GRC permet d'observer une rencontre entre Boucher et Raynald Desjardins, au parc Colbert de Saint-Léonard. Les deux hommes s'assoient à une table à pique-nique et discutent une vingtaine de minutes, à l'abri des oreilles indiscrètes, mais sous la discrète surveillance de la police. Boucher, de toute évidence, collabore étroitement avec le crime organisé italien pour la réussite de cette importation.

Boucher et son bras droit Bordeleau ont déjà été vus sortant d'un magasin de sports de la Rive-Sud avec des combinaisons de plongée isothermes utilisées en eau froide. La police a vu Bordeleau, quatre semaines avant les perquisitions de l'opération Jaggy, au volant d'un véhicule de location de la compagnie d'importation de café Irazu, propriété de Normand Hamel et de Maurice Boucher. Lorsque la GRC frappe au large des côtes de la Nouvelle-Écosse, l'un des plongeurs arrêtés est nul autre que Luc *Bordel* Bordeleau, l'homme de confiance de Boucher. Bordeleau est condamné en novembre 1994 à cinq ans de pénitencier.

Quant à Raynald Desjardins, le principal sujet visé par la police fédérale dans l'opération Jaggy, il est condamné à 15 ans de pénitencier pour son implication dans cette importation.

Un sous-marin de la marine canadienne est utilisé pour récupérer la cargaison de drogue larguée au mauvais endroit par les trafiquants. Même si certaines informations laissent croire qu'un échange de valises remplies d'argent aurait eu lieu entre Boucher et des Italiens, aucune accusation n'est portée contre lui dans cette affaire.

Son prestige, son influence et son pouvoir dans le milieu criminel continuent de s'accroître. Vers la même époque, en octobre 1993, il est aussi impliqué dans une autre importation de 25 tonnes de haschisch au large des côtes de Terre-Neuve. Deux Rockers Montréal, Richard St-Amand et Ghislain Gauthier, sont arrêtés avec 16 autres individus en train de faire le transbordement de la drogue.

Mes informateurs de l'époque m'indiquent que Boucher a personnellement envoyé le frère d'un des Rockers rencontrer des avocats terreneuviens pour obtenir la libération sous caution de ses deux « p'tits gars », Gauthier et St-Amand, lors de leur comparution. Ils écopent respectivement de six et sept années de pénitencier pour cette importation. Encore une fois, Boucher n'est pas inquiété pour cette autre importation d'envergure, la preuve de sa participation au crime étant impossible à soutenir.

Diriger une opération d'importation de grande envergure demande beaucoup d'argent. Le crime paie pour Boucher. Le petit criminel du quartier Hochelaga-Maisonneuve, aux origines très modestes, à l'éducation limitée, a fait son chemin. Il a maintenant sa place parmi les têtes dirigeantes du crime organisé de Montréal. Boucher commence à espérer que sa position de commande au sein de l'organisation des Hells Angels lui permettra de se constituer une immense fortune. Si Boucher avait été accusé et condamné dans l'un de ces deux dossiers d'importation d'août et d'octobre 1993, il n'y aurait probablement jamais eu de guerre de motards en 1994, et de nombreux meurtres, dont ceux de plusieurs innocents, auraient été évités.

Les grosses importations de drogue exigent une étroite collaboration entre diverses organisations criminelles, des Hells à la Mafia en passant par des cartels colombiens. Plusieurs de ces rencontres de haut niveau se déroulent en Amérique latine, au Mexique ou en Colombie, à l'abri des caméras et des micros indiscrets des services de police du Québec. *Mom* Boucher prend rapidement l'habitude de voyager au Mexique, notamment dans la région d'Ixtapa et d'Acapulco.

Quant aux réunions qui se tiennent à Montréal, elles ont lieu généralement dans des restaurants hauts de gamme ou dans des hôtels grand luxe. Et il y a une raison à cela. Les gestionnaires et les administrateurs des services de police, aux prises avec des contraintes budgétaires, sont très pingres en ce qui a trait aux dépenses autorisées. Ils refusent de payer des repas ou des chambres d'hôtel dans des établissements luxueux. On n'autorise pas un repas à 150 $ à des policiers pour épier une rencontre importante entre des membres du crime organisé. On refuse aussi une location de chambre de 400 $ à 500 $ dans des hôtels chics de catégorie supérieure. Les motards le savent et les ex-policiers qui les côtoient les ont bien renseignés sur les politiques budgétaires des corps de police.

Money is not a problem pour les motards criminalisés. Les sommes d'argent provenant du trafic de stupéfiants sont colossales. Certains Hells découvrent qu'ils peuvent mener la grande vie. Je me rappelle d'un Hells des années 90, buveur de Kik Cola et mangeur de poutines dans son coin de pays, qui fréquentait maintenant les tables les plus raffinées au Québec et qui se commandait des bouteilles de Pétrus à 2 000 $ pièce. Le gars aurait pu boire du Québérac, qu'il n'aurait pas vu la différence ! Par la suite, on entendait ses savoureux commentaires lors de conversations téléphoniques sous écoute : « J'ai bu un crisse de bon vin ! J'ai bu du Pétrus. » Mais le restaurateur, lui, n'y voyait aucun inconvénient.

En 1993, cela fait maintenant deux ans que je centralise, pour les renseignements criminels et avec l'aide de tous les intervenants de la SQ et des autres corps policiers, des milliers d'informations sur les motards criminalisés. Je conçois le premier album motards de photographies individuelles en couleur que je continue d'agrandir et d'actualiser au fil des années. J'écris un « projet motard » traçant les paramètres de cueillette d'informations provinciales de cette sphère d'activité.

Je rédige aussi, grâce à l'expérience acquise lors de la 13e édition du World Run (Randonnée mondiale) des Hells Angels en juillet 1992, un document de référence répertoriant tous les motards du Québec, tous les HA du Canada et du monde, répertoire que je continue d'actualiser par la suite jusqu'à l'heure de la retraite.

CHAPITRES HELLS ANGELS et CLUBS AFFILIES DU QUÉBEC avant 2001

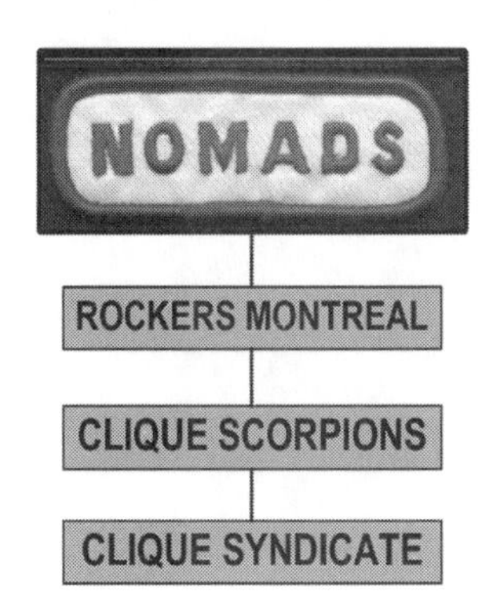

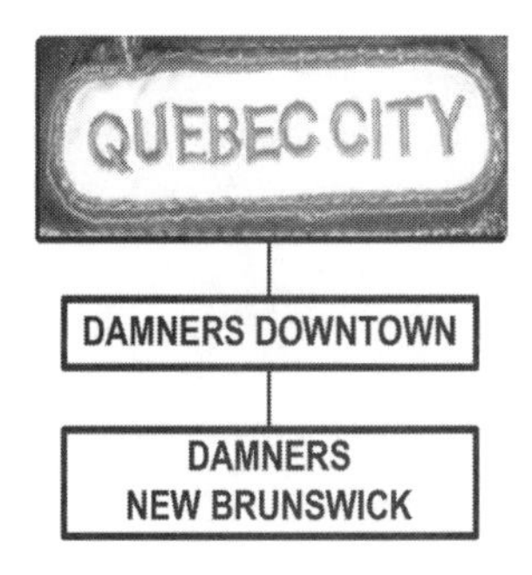

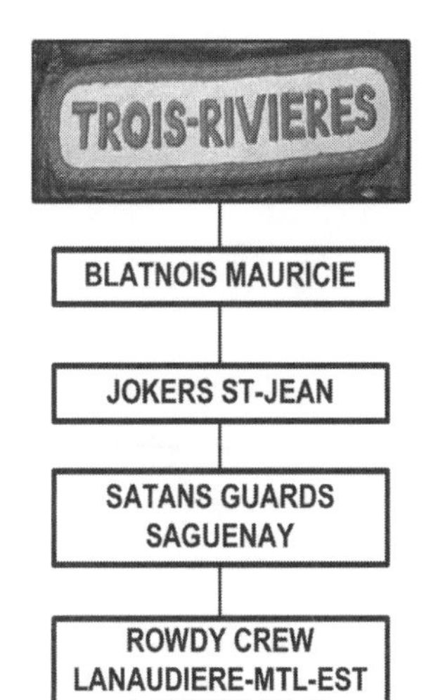

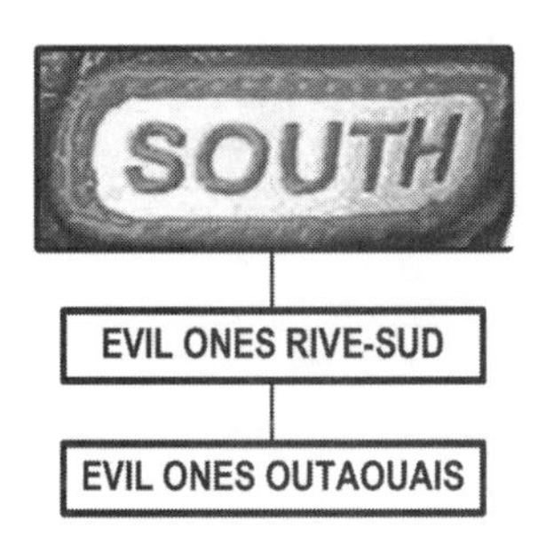

Chapitre 3

MOM BOUCHER ET L'ORIGINE DE LA « GUERRE DES MOTARDS »

On ne le sait qu'après coup, mais c'est le 14 juillet 1994 que commence véritablement la « guerre des motards ». Tôt le matin, le cadavre de Pierre Daoust, une relation des Death Riders Laval affiliés aux Hells Montréal, est découvert dans son commerce de pièces de motos du boulevard Henri-Bourassa, à Rivières-des-Prairies. En 1994, il n'y a pas encore d'unité d'enquête spécialisée sur les motards. Et le meurtre de Daoust est sous la juridiction des enquêteurs de la section des Homicides de la police de Montréal. Il a été abattu à bout portant la veille.

Les deux meurtriers n'ont jamais été accusés, mais les armes du crime, trois fusils de calibre 12, sont retrouvées, abandonnées dans la rue près des lieux du crime. Le véhicule de fuite est, pour sa part, découvert complètement incendié à quelques kilomètres de là. Cet événement marque le début d'une longue série de meurtres et de tentatives de meurtres où le véhicule de fuite, très souvent de marque Chrysler ou Dodge, est incendié après utilisation. De même, les armes à feu utilisées lors des attentats suivront une « recette » bien établie.

FRÉDÉRIC *FRED* FAUCHER

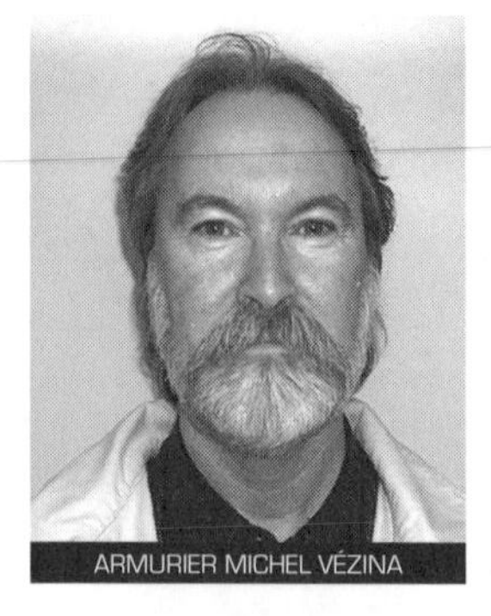
ARMURIER MICHEL VÉZINA

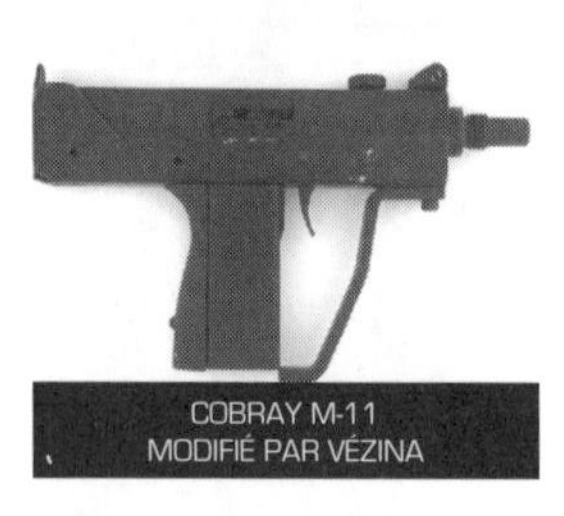
COBRAY M-11
MODIFIÉ PAR VÉZINA

COBRAY M-11
MODIFIÉ PAR GORDON LAZORE

Pour plusieurs crimes, on utilise des pistolets-mitrailleurs de marque Cobray munis de silencieux[21].

Toujours ce 14 juillet, cinq membres des Rock Machine, en possession d'armes et d'explosifs, se retrouvent au Quality Inn des Galeries d'Anjou et au Welcome Inn de Boucherville. Guy Langlois, Normand Baker et André Sauvageau de Montréal ainsi que Martin Blouin et Frédéric Faucher de Québec veulent faire sauter le local des Evil Ones affiliés aux Hells Montréal et situé à Saint-Basile-le-Grand sur la Rive-Sud de Montréal[22]. Le complot est éventé grâce à l'action de l'unité des crimes contre la personne de la SQ à Québec. Dans le cadre d'un de leurs projets, une écoute électronique intercepte une conversation où les interlocuteurs complotent le meurtre d'un membre des Evil Ones Rive-Sud et un attentat à l'explosif contre le local du groupe.

Mais l'événement vraiment significatif de cette journée est l'arrestation par la police de Montréal de deux autres tueurs lourdement armés, proches des Rock Machine, Jean *Le Français* Duquaire et Michel Boyer. On apprendra par la suite qu'ils ont cherché Maurice Boucher toute la nuit pour le tuer. C'est une vérification de routine, au petit matin, faite par des patrouilleurs en uniforme, qui permet leurs arrestations et qui sauve encore une fois la mise pour *Mom*. La décision de l'Alliance de faire assassiner Boucher marque le véritable début de la guerre des motards.

Sur le coup, bien sûr, aux renseignements criminels de la SQ, lorsqu'on collige les informations sur ces incidents, on ne peut savoir qu'ils marquent le début d'un sanglant conflit dans le milieu criminel du Québec. Ce n'est que quelques mois plus tard, en analysant les dossiers et en rencontrant de nouveaux délateurs, que je peux établir avec certitude la date du début du conflit et l'identité des belligérants en présence.

Une autre attaque est aussi prévue pour ce fatidique jour de juillet. En effet, un autre malfrat de l'Alliance, qui deviendra par la suite délateur, Harold Pelletier, doit dynamiter le local des Death Riders Laval à Sainte-Thérèse, situé en face d'une école primaire. Un accident de voiture au départ de Montréal ne lui permettra jamais de remplir le contrat.

JEAN *LE FRANCAIS* DUQUAIRE

Boucher n'a sans doute jamais su que quelqu'un voulait l'assassiner en plein mois de juillet 1994. Mais il est sur ses gardes depuis l'automne précédent, alors qu'il a lancé ses Rockers à l'assaut d'un territoire contrôlé par d'autres organisations criminelles. Boucher se déplace constamment entouré de ses *p'tits gars* des Rockers Montréal qui lui servent de gardes du corps. Pour narguer ses ennemis, Boucher va même jusqu'à se faire fabriquer une carte mortuaire à son nom.

MICHEL BOYER

La tentative d'attentat à l'explosif des Rock Machine contre les Hells et l'arrestation de cinq de leurs membres font beaucoup de bruit dans les médias en juillet 1994, d'autant plus que ça survient pendant la 15e édition du *World Run* des HA, en Californie. Presque tous les Hells du Québec sont sur la côte ouest des États-Unis en train de fêter avec leurs *frères* américains et ceux du reste du monde. Ils ont fait transporter leurs motos par avion.

LOCAL HA MONTRÉAL
LONGUEUIL-899 TASCHEREAU

Pour tous les HA du Québec à San Francisco ou ailleurs dans le monde, c'est le branle-bas de combat et l'alerte générale. Presque tous rentrent au Québec pour des réunions d'urgence. Je peux observer Boucher à l'occasion de plusieurs

CARTE MORTUAIRE BOUCHER (RECTO/VERSO)

de ces meetings au local de Sorel et à celui de Longueuil. Des membres de tous les chapitres du Québec y participent. Les Hells sont inquiets. Ils ne comprennent pas au juste ce qui se passe. La tension engendre des situations cocasses.

Les Rock Machine ont un local à Québec où ils fraternisent avec les Hells de la ville. Cette camaraderie remonte à l'époque où les Rock Machine s'appelaient les Pacific Rebels MC et que les Hells de la vieille capitale portaient les couleurs des Vicking Rive-Sud. Quand l'arrestation des cinq Rock Machine survient à Montréal, les deux filiales de Québec sont ensemble en randonnée de motos dans la région de Baie-Comeau. Les policiers qui surveillent leurs activités signalent que, après avoir appris la nouvelle de l'attaque surprise ratée des Rock Machine contre les Evil Ones par cellulaires, les deux groupes reviennent séparément à Québec. « Les amis d'hier sont les ennemis d'aujourd'hui. »

Tous les Hells du Québec sont désormais sur un pied de guerre. Plusieurs membres des HA ne se déplacent qu'avec revolvers ou pistolets. Des instructions relativement aux mesures de sécurité à prendre sont données. Les motos sont remisées de peur d'être prises pour cibles. Lorsque les Hells se sentent menacés, la première chose qu'ils pensent à protéger c'est leur bien le plus précieux, leurs motos !

La prudence est de mise. Plusieurs se rappellent les funérailles, en septembre 1983, de Yves *Le Boss* Buteau, président du chapitre Montréal. Un cortège funèbre d'une centaine de motos a accompagné sa dépouille de Sorel à Drummondville pour son inhumation. Par miracle, une bombe dissimulée le long de la route 122, près de la municipalité de Saint-Guillaume, n'a pas éclaté au passage des motos. L'engin télécommandé, constitué d'un détonateur, de 5 bâtons de dynamite, de 25 livres de pierre concassée et de 25 livres de clous, aurait pu provoquer des dizaines de morts.

L'année suivante, le 8 septembre 1984, les Hells organisent une randonnée commémorative au cimetière de Drummondville, pour souligner le premier anniversaire de la mort de *Boss* Buteau. Encore une fois, le convoi part de Sorel. Dans la région de Saint-Pie-de-Guire, un curé de 65 ans de Lac-Supérieur dans les Hautes-Laurentides ne voit pas le signal d'arrêt à l'intersection du rang 13 et de la route 143 et fonce à pleine vitesse dans la file de motos comme une boule dans un jeu de quilles. Résultat : un mort, trois blessés graves et cinq blessés légers chez les Hells, qui ont aussi plusieurs motos détruites ou endommagées par le feu. La police serait arrivée juste à temps pour empêcher que le vieux prêtre ne soit tabassé ! Parmi les blessés graves, Wolodumyr Stadnick. Il reste coincé sous sa moto et est brûlé très gravement sur tout le corps. On doit l'amputer de plusieurs doigts aux deux mains.

Cette guerre des motards entraîne aussi l'éviction du président national de l'époque, Wolodumyr *Nurget* Stadnick. Son principal acolyte, David *Gyrator* Giles, et lui, tous deux membres des Hells Montréal, n'ont pas daigné répondre aux appels d'urgence pour revenir à Montréal afin de participer aux réunions de stratégie. Stadnick et Giles étaient en randonnée de motos avec les Hells de Colombie-Britannique. Quand Stadnick revient de sa *ride*, il apprend que son leadership a été mis aux voix et que la totalité des membres du chapitre a décidé de le remplacer par Robert *Tiny* Richard, un motard costaud et imposant[23].

WOLODUMYR *NURGET* STADNICK

ROBERT *TINY* RICHARD

Dès son élection comme président national des Hells au Canada, Robert Richard demande un *meet* avec les Rock Machine. L'affaire n'implique pas seulement Boucher et ses soldats. C'est l'ensemble des membres des chapitres du Québec qui se sentent visés. Ils viennent en effet d'être victimes de trois événements violents en 24 heures. Richard va donc parlementer avec Paul *Sasquatch* Porter au local des Rock Machine Montréal, rue Huron. À la suite de cette rencontre, les émissaires des deux organisations s'entendent pour un cessez-le-feu. Il est de courte durée.

Les Hells Angels, *superstars*

Les funérailles du Hells Jean-Louis *JR* Duhaime à Trois-Rivières, décédé accidentellement le 22 juillet 1994, sont un événement déclencheur dans la prise de conscience du phénomène social que deviennent les groupes de motards criminalisés et des défis qu'ils posent maintenant aux forces de l'ordre. L'affaire n'est pas banale. Une partie importante de la ville de Trois-Rivières va rendre hommage à un motard à qui l'on accorde des funérailles quasi civiques. Pas moins de 8 000 personnes assistent aux obsèques célébrées à la cathédrale de Trois-Rivières. Les motards contrôlent les environs de l'église. Ce sont eux, et non la police municipale, qui font la circulation et permettent aux gens de traverser la rue. Maurice Boucher observe la scène et quitte le parvis de l'église avant la cérémonie funèbre. Duhaime n'est qu'un petit criminel, membre fondateur du chapitre Trois-Rivières, il porte l'emblème *Filthy Few*, ce qui veut dire, chez les Hells, qu'il a déjà tué. Il est soupçonné d'avoir commis plusieurs meurtres dans la région de la Mauricie. Il est aussi impliqué dans le trafic de drogues dans la région de La Tuque. Voilà l'homme que la population de Trois-Rivières honore !

CERCUEIL
JEAN-LOUIS JR DUHAIME

EMBLÈME DES TUEURS HELLS

Les médias sont sur place pour observer le cirque. La scène est immortalisée par les caméras de télévision. Les motards n'apprécient pas du tout d'être ainsi épiés et filmés. Ils ordonnent à un caméraman de leur remettre sa cassette de tournage. Ce dernier obéit en protestant. La scène se déroule près de deux policiers municipaux en uniforme qui regardent dans une autre direction. Des enquêteurs des renseignements criminels de la SQ, avec leurs caméras vidéo, enregistrent la scène sans pouvoir intervenir. La police de Trois-Rivières a pourtant assuré qu'elle était capable de gérer la situation. Pourtant, elle est complètement débordée, allant même jusqu'à céder sa place au service d'ordre des Hells et de leurs affiliés. Je me rappelle qu'*Allô Police* a titré: « Funérailles dignes d'un chef d'État ».

Après la cérémonie funèbre de Duhaime, un cortège d'une centaine de motos quitte la cathédrale pour se rendre à Saint-Paulin par l'autoroute 40. Les membres de l'unité d'urgence de la SQ suivent le cortège, mais ne sont pas prêts à intervenir en force, malgré qu'aucun motard ne porte de casque protecteur. Le Hells Duhaime est le fils du maire. La SQ intercepte plusieurs dizaines de motards à leurs retours de Saint-Paulin, sans pouvoir émettre aucun constat d'infraction.

Cette manifestation scandaleuse de l'impuissance de la police face aux Hells a des échos dans les tribunes téléphoniques de la radio. Le service de police de la ville de Trois-Rivières en prend pour son rhume. Les clameurs résonnent jusqu'à l'Assemblée nationale à Québec, où la réaction politique ne se fait pas attendre, même en pleine période estivale. À l'état-major de la SQ, on comprend que, dorénavant, il faut développer de nouvelles méthodes pour lutter contre la montée en puissance des motards criminalisés.

Le capitaine Michel Arcand et son adjoint le lieutenant Mario Laprise convainquent alors le directeur-général adjoint André Dupré, responsable des enquêtes criminelles à la SQ,

MARIO LAPRISE ET GUY OUELLETTE

d'augmenter, et ce, dès le début de septembre, les effectifs de l'unité de la répression du banditisme en y adjoignant une équipe multidisciplinaire qui sera chargée des dossiers opérationnels impliquant des motards criminalisés. Je suis affecté à ce groupe. Je ne reviendrai plus dans mes fonctions de gestionnaire aux renseignements criminels.

Désormais, je peux « passionnément » me concentrer à plein temps sur ma fonction de « spécialiste » des motards criminalisés. En plus de mon collègue des renseignements criminels[24] et moi, notre équipe comprend deux enquêteurs des crimes contre la personne, deux des crimes contre la propriété, deux des crimes économiques et deux du crime organisé. Notre mandat : monter des dossiers d'enquêtes, assister les unités opérationnelles tant des sûretés municipales que de la SQ et conduire des enquêtes sur tout genre d'activités criminelles impliquant des motards criminalisés.

La SQ se réveille. Depuis le temps que j'ai le sentiment de crier dans le désert, de faire partie d'un groupe restreint de policiers qui veulent mener la lutte aux motards criminalisés... Nous en avons tellement parlé que quelqu'un, enfin, a reçu notre message. C'est un début ; modeste, mais c'est mieux que de ne rien faire du tout.

Les motards criminalisés : des petits gars bien de chez nous

La guerre des motards est un phénomène essentiellement francophone étroitement lié à la pauvreté, aux problèmes familiaux et sociaux des quartiers est et sud-ouest de la ville de Montréal. Le chômage et le bien-être social caractérisent la vie des motards, même quand ils deviennent riches[25].

On connaît l'importance des faits divers criminels pour accroître les cotes d'écoute. Les médias qui visent un auditoire populaire francophone servent de caisses de résonance au phénomène motards et à leurs luttes intestines. L'image véhiculée est souvent, de façon implicite, positive pour l'auditoire : voilà des petits gars de l'Est avec de grosses motos qui deviennent millionnaires et qui savent se faire respecter des riches et des puissants. Des Robin des Bois à moto qui peuvent même se payer des vedettes de la chanson pour leurs *partys*.

Avant les « bavures » des meurtres du petit Daniel Desrochers en 1995 et des deux gardiens de prison, Diane Lavigne et Pierre Rondeau en 1997, *Mom* et ses Nomads sont devenus des *role model*, des *success stories*, à l'est de la rue d'Iberville. Les guerres de motards à Montréal ne se passent pas à Côte-des-Neiges ou à Saint-Léonard, des fiefs contrôlés par des gangs « ethniques ».

GREGORY WOOLLEY

Seuls les petits criminels haïtiens de Montréal-Nord y sont impliqués à la périphérie. On retrouve quelques Haïtiens comme *dealers* de rue au bas de la pyramide. Boucher fait même *patcher* un Noir dans son club-école des Rockers. Gregory Woolley contrôlerait ainsi beaucoup mieux la vente de *dope* auprès des gangs de rue haïtiens.

Un Noir dans l'organisation des Hells, même dans un club-école, voilà qui est vraiment exceptionnel. Une règle internationale, en vigueur depuis le 3 août 1986, fait état de la restriction suivante : *No niggers in the club*. Puisque le mot *Niggers* est offensant, lorsque les Hells ouvrent des chapitres en Afrique du Sud, ils changent la phraséologie de la règle pour *No member may be of African Decent* (sic). Mais les statuts internationaux ne disent rien au sujet des clubs-écoles, pourtant racistes de façon générale. Si Woolley est accepté chez les Rockers, c'est peut-être qu'on est moins raciste ici qu'ailleurs, mais c'est surtout pour ses habiletés criminelles et ses talents pour étendre son réseau de vendeurs dans la communauté haïtienne.

Plus de 70 % des motards québécois sont unilingues français. Les Hells sont fédéralistes. Ils sont fiers de faire flotter le drapeau canadien sur leurs bunkers aux côtés du drapeau de leur organisation. Les deux sont exactement de la même couleur et seul le logo central les différencie. La plupart des Hells, à l'instar de Boucher, n'ont pas terminé leur scolarité. Quand ils sont en prison, leur priorité est de finir leurs études secondaires et d'apprendre un métier. Si c'est aussi important, c'est que cela constitue un indice de réhabilitation pour obtenir une libération conditionnelle plus rapidement. Mais, chez les motards, le taux de récidive est extrêmement élevé. Tous les

CHAPITRE HELLS MONTRÉAL 1994 : BOUCHER 7E À PARTIR DE LA DROITE EN ARRIÈRE

Hells québécois ont des dossiers criminels. Plus de 85 % des Hells canadiens ont des condamnations judiciaires.

Ma première conversation avec Boucher

Au cours de l'année 1994, Boucher peut encore passer presque inaperçu parmi les motards en province. Boucher tire alors discrètement des ficelles et s'adonne à des opérations de renseignements contre ses adversaires. Il sait lui aussi que le renseignement est le nerf de la guerre. Il recrute des hommes de main et des *dealers* pour ses Rockers dans Verdun, Ville-Émard et Hochelaga-Maisonneuve et achète les services d'informateurs au sein de l'Alliance.

Il n'est encore qu'un des 29 membres en règle du chapitre Montréal. La police enquête activement sur deux autres membres des HA Montréal : Wolodumyr *Nurget* Stadnick, David *Wolf* Carroll et Scott Steinert, celui qui a acheté le château des Lavigueur sur l'île aux Pruches. Ils sont engagés dans l'expansion des Hells vers l'Ontario. À cette époque, ils nous intéressent beaucoup plus que Boucher.

Les médias n'ont pas encore fait de Maurice Boucher une vedette. Le personnage de *Mom Boucher superstar* n'est créé par les médias qu'en décembre 1997 à la suite de son arrestation et prend beaucoup plus d'ampleur en novembre 1998, à la suite de son acquittement lors de son premier procès pour le meurtre des deux gardiens de prison.

Trois semaines après la mise en place de l'équipe multidisciplinaire, l'un des membres fondateurs du chapitre Montréal, Louis *Ti-Wee* Lapierre se suicide dans un chalet des îles de Sorel. D'autres funérailles *grandioses* sont donc organisées à Sorel le 29 septembre 1994. Ce jour restera dans nos mémoires comme *Le jeudi du blé d'Inde*. C'est à cette occasion que Gaétan Girouard, journaliste de TVA, se fait intimider par l'imposant Robert *Tiny* Richard. Un caméraman de Radio-Canada capte l'incident sur bande vidéo. Cinq membres des Death Riders Laval s'assurent ensuite que Girouard quitte la ville au volant de son véhicule de TVA. En cette occasion, je suggère fortement au journaliste de porter plainte. Je lui confie que, s'il ne prend pas les moyens judiciaires de se faire respecter, il sera l'objet de menaces et d'intimidation plus graves lors de ses prochaines rencontres avec les motards. Mais l'un de ses patrons a des hésitations et l'affaire en reste là.

Encore une fois, à Sorel, la SQ ne participe pas au service d'ordre. La police municipale ne demande pas d'aide, affirmant avoir le plein contrôle de la situation. La réalité se révèle rapidement totalement différente. Je revois encore le policier André Millette, porte-parole de la police municipale, déclarer à la télévision: « On ne peut pas faire grand-chose, nous sommes 25 policiers, ils sont 350 motards. »

La Sûreté du Québec attend les Hells à l'extérieur de Sorel. Dès que le cortège funèbre d'une centaine des motards sort de la ville en direction de Drummondville, les membres de l'unité d'urgence, assistés de l'hélicoptère de la SQ, entrent en action. La SQ doit rester vigilante pour éviter des événements comme celui de la bombe à clous trouvée dans un baril sur le bord de la route en septembre 1983. Un plan d'interception est approuvé. Sa mise en application doit survenir lors du retour du convoi des motards vers Sorel.

Les Hells prévoient une présence de 60 à 80 minutes à Drummondville, avant leur retour au local de Sorel. En arrivant dans Drummondville, les motards répètent le même manège qu'à Trois-Rivières et à Sorel. Leurs affiliés, qui portent fièrement les couleurs de leurs clubs respectifs, sont déjà postés aux diverses intersections; ils se substituent aux policiers de Drummondville pour diriger la circulation et permettre au convoi de se rendre au salon funéraire sans faire d'arrêts obligatoires et sans attendre aux feux de circulation. Les policiers municipaux sont pris de court par ces manœuvres.

Puisque la SQ n'a pas reçu de demande officielle d'assistance du service de police de Drummondville, dès que la majorité des policiers de la SQ arrivent aux limites de la ville, ils reçoivent l'ordre d'aller dîner. Cette pratique de prendre notre repas à ce moment est une mesure d'économie. Elle évite à la direction de devoir payer le temps du repas en heures supplémentaires.

Les motards comprennent très vite les conséquences de cette pause repas collective des membres de la SQ. Pendant qu'on choisit et regarde le menu des différents restaurants, nos cellulaires se mettent à sonner en cacophonie. Le convoi des motards repart après seulement 20 minutes d'arrêt à Drummondville. On s'est fait berner et on est déstabilisé. Notre beau plan d'interception tombe à l'eau. On repart à leurs trousses en quatrième vitesse.

Une petite équipe de l'escouade tactique, restée hors de la ville, aperçoit le convoi de motards qui regagne Sorel. La dizaine d'agents réussit à intercepter le convoi d'une centaine de motos dans un rang étroit de Saint-Bonaventure, entre deux champs de blé d'Inde. Une dizaine de motos avec Robert *Tiny* Richard à leur tête réussissent à éviter ces manœuvres d'interception, mais sont quand même contrôlées par un dernier groupe de la SQ aux environs de Saint-Robert.

JEUDI BLÉ D'INDE SAINT-BONAVENTURE

La tension monte. Les motards interceptés ne réalisent pas que les renforts policiers s'en viennent. Plusieurs membres des Hells et leurs affiliés essaient de provoquer les policiers intercepteurs, de leur faire perdre contenance. Ils veulent provoquer un affrontement.

Il nous faut 10 longues minutes pour rejoindre les lieux de l'interception. On arrive derrière le convoi. Le chemin n'est pas large et complètement bloqué par les motos et les véhicules d'accompagnement du convoi. On doit laisser nos voitures verrouillées derrière le convoi et rejoindre nos confrères policiers devant, en longeant les motos et en marchant sur l'accotement du fossé. Au même moment, l'hélicoptère de la SQ atterrit dans le champ, près de l'intersection où s'est faite l'interception des motards. Des officiers supérieurs en descendent et commencent à discuter avec l'avocat des Hells, Me Pierre Panaccio[26].

Les négociations de l'avocat avec les policiers semblent se diriger vers une impasse. Policiers comme motards, nous attendons le résultat des discussions en nous regardant, en nous épiant de part et d'autre de cette ligne imaginaire tracée devant le convoi, en nous filmant et en nous photographiant réciproquement.

La tension monte. Un membre du chapitre Trois-Rivières invite un policier en uniforme de l'unité d'urgence à venir se battre à mains nues dans le champ de blé d'Inde, tandis qu'un membre des Joker's Joliette crève le pneu arrière du véhicule banalisé de l'escouade tactique. Ce véhicule a servi à l'interception et a été laissé au sein du convoi, entouré par des motards. Nous sommes plusieurs enquêteurs de l'équipe multidisciplinaire sur les lieux. Je suggère au sergent Jean Gaboury de la répression du banditisme une façon de dénouer la crise. Après discussions, nous en référons aux officiers supérieurs de l'unité d'urgence de la SQ qui acceptent d'emblée notre suggestion.

Gaboury et moi rencontrons Me Panaccio et nous lui expliquons comment nous envisageons de désamorcer la crise. Me Panaccio en rend compte à Maurice Boucher et aux autres motards. L'avocat est une vieille connaissance, au temps où j'étais responsable de l'ERM de Saint-Jérôme.

Je lui propose que les agents de la SQ forment un genre d'entonnoir par lequel les motards pourront passer un à un sur leurs motos. Leurs véhicules d'accompagnement suivront ensuite. Ainsi, je pourrai identifier ceux que je reconnaîtrai. Une fois leur numéro de plaque relevé, ils pourront poursuivre leur chemin. Ceux que je ne reconnaîtrai pas devront s'identifier en présentant leur permis de conduire et certificat d'immatriculation. Dans le cas des étrangers, ils seront identifiés et remis aux autorités fédérales pour être expulsés en vertu des règlements d'immigration en vigueur au Canada depuis 1992.

Cette procédure d'immigration nous a permis de procéder à une trentaine d'expulsion de membres Hells Angels de tous les pays du monde qui ont essayé d'entrer au Canada pour la 13e édition du *World Run*, tenue à Sherbrooke en 1992. L'organisation mondiale des Hells Angels a, par la suite, pris la décision de ne plus jamais tenir ce genre d'événement au Canada, car seulement 154 membres en règle des différents chapitres mondiaux ont pu y assister.

Je m'installe donc à l'intersection du rang, à l'endroit convenu, avec quelques confrères de la SQ en uniforme, munis de blocs-notes, et le défilé commence. Pour chaque moto qui passe devant moi, je prononce haut et fort le nom de l'individu et son chapitre à l'intention de mes deux collègues qui notent le numéro de plaque à côté de ces informations. Les motards décident de se regrouper après avoir passé dans l'entonnoir, à environ 1 000 pieds plus loin.

La très grande majorité des motards ont le sourire en arrivant à ma hauteur, se demandant, bien sûr, si je peux passer le test de les identifier avec leurs casques attachés au cou et leurs lunettes de soleil posées sur le nez. Ils en sont abasourdis. Qui peut donc être « cette police » qui les connaît si bien, mais à qui ils n'ont jamais porté attention ! Je sens la confiance revenir chez tous les policiers présents avec moi à cette intersection. Eux aussi sont surpris de me voir « décrire » les motards présents.

OUELLETTE VÉRIFIE BOUCHER

BOUCHER PARLE À OUELLETTE

Deux autres policiers notent les mouvements de ceux qui font des départs brusques (des *starts*) ou qui font crisser leurs pneus arrière après leur passage dans l'entonnoir afin de rédiger des billets d'infraction pour action imprudente.

Après avoir identifié une soixantaine de motards et fait prendre leurs numéros de plaques, je me retourne et constate que Maurice Boucher est derrière moi, les bras croisés. Il est l'un des premiers que j'ai identifiés. Il porte ses couleurs de Hells Angels. Il me regarde, ébahi. Je lui demande poliment : « Est-ce que je peux faire quelque chose pour vous, monsieur Boucher ? Il répond en souriant : « Non, j'apprécie chaque minute du spectacle. »

Sur les 129 motards du convoi, j'en reconnais 120. En ce qui concerne les inconnus, il y a cinq motards ontariens, un Hells d'Angleterre et un du Danemark. Ce dernier n'a pas déclaré son appartenance aux Hells en arrivant à l'aéroport de Mirabel. Ce n'est pas un crime de faire partie des Hells Angels, mais un Hells étranger est tenu d'informer les autorités canadiennes de son appartenance à l'organisation et de son dossier judiciaire s'il en possède un. Le lendemain, l'Anglais et le Danois sont expulsés du Canada.

Boucher revient me voir avant que je termine les identifications pour me demander si je peux laisser passer le corbillard. Des arrangements sont alors pris avec les policiers de l'unité d'urgence afin d'accélérer le passage du corbillard qui part aussitôt en direction de Sorel.

Personne n'est fouillé, car la police ne peut fouiller un citoyen sans avoir de motifs raisonnables lui permettant de croire qu'il a commis un crime. Ce n'est qu'un simple contrôle d'identité qui nous permet de dénouer la situation tendue qui prévaut donc en ce « jeudi après-midi du blé d'Inde » sur une route déserte de campagne, à Saint-Bonaventure, près de Drummondville.

Je peux identifier Richard *Rick* Vallée, membre du chapitre Trois-Rivières, comme étant l'individu qui a proféré des menaces à un agent de l'unité d'urgence en uniforme, et Guy *Ti-cul* Majeau, membre des Joker's Joliette, comme étant celui qui a crevé le pneu d'un véhicule banalisé de la SQ. Les bandes vidéo tournées par Pierre Nolin de la SQ et Jean Guy Desjardins de la sûreté municipale de Ste-Thérèse me sont d'un grand secours.

L'équipe multidisciplinaire de la SQ obtient des mandats d'arrestation contre Vallée et Majeau dans les jours qui suivent.

JEEP DE SYLVAIN
LE BLOND PELLETIER

Ceux-ci ne veulent pas se présenter aux policiers. Quatre locaux des Hells au Québec et le local des Joker's Joliette sont visités et mis sous surveillance. Cette initiative des enquêteurs amène Vallée et Majeau à se livrer à la police. Un troisième individu, David *Gyrator* Giles est aussi accusé de voies de fait sur la personne du policier Pierre Nolin pour avoir craché sur lui. Par ailleurs, après le départ des motards du lieu de l'interception, une fouille de la scène permet de retrouver deux armes à feu chargées jetées dans les fossés sur le bord de la route.

À la mi-octobre, Maurice Lavoie de Repentigny, un vendeur de drogue à la solde des Rockers, est assassiné par Patrick Call, un tueur, membre de l'Alliance et fidèle allié des frères Pelletier. Call est arrêté dans la région par des policiers du SPVM quelques heures après le meurtre.

La vengeance de Boucher va être spectaculaire. Deux semaines plus tard, Sylvain *Le blond* Pelletier est déchiqueté par une bombe télécommandée placée sous le siège du conducteur de son camion Jeep Cherokee, dans le stationnement de son logement de la rue Notre-Dame, à Repentigny. Pelletier a été chez les SS avec Boucher. Un membre et un *hangaround* des Hells s'enfuient au Brésil quelques heures après l'attentat.

La trêve est finie. Au cours des mois suivants, les attentats et les règlements de compte se multiplient. Les cadavres s'accumulent dans les deux camps.

CHAPITRE 4

LES NOMADS : L'INSTRUMENT DE BOUCHER POUR DEVENIR MILLIONNAIRE

Début janvier 1995, les 27 membres vivants du chapitre Montréal se divisent en deux groupes: ceux qui veulent devenir millionnaires et les autres, plus modestes, qui sont prêts à se contenter de moins, c'est-à-dire quelques centaines de milliers de dollars de revenus non déclarés par année. Maurice Boucher fait partie des premiers. Et pour satisfaire son ambition, il met à exécution un projet qui lui trotte dans la tête depuis quelque temps déjà. Il convainc six membres du chapitre Montréal (Stadnick, Stockford, Carroll, Hamel, Houle et Mathieu) ainsi que deux membres du chapitre Trois-Rivières (Roy et Vallée), qui partagent sa soif d'argent et de pouvoir, de se joindre à lui pour créer un chapitre Nomads au Québec.

Les chapitres Nomads chez les Hells sont ceux qui n'ont pas de territoires d'activités criminelles prédéfinis et, plus souvent qu'autrement, aucun attachement géographique, que ce soit Montréal, Quebec City, etc. Un chapitre Nomad a cependant les mêmes obligations et responsabilités que tous les autres chapitres HA. Des chapitres Nomads existent dans d'autres provinces canadiennes (en Ontario, en Alberta et en Colombie-Britannique), aux États-Unis et dans plusieurs pays du monde.

EMBLÈME AU CANADA

EMBLÈME AUX ÉTATS-UNIS

EMBLÈME AUTRE PAYS DU MONDE

J'apprends l'existence de ce chapitre le 9 mars 1995, lorsqu'un patrouilleur de la SQ intercepte un Hells, Richard *Rick* Vallée sur l'autoroute 40, dans la région de Repentigny, avec ses couleurs des Nomads dans son véhicule. Les patrouilleurs ont instruction de transmettre aux renseignements criminels toute information digne d'intérêt qu'ils peuvent découvrir dans le cadre de leurs fonctions. Je peux confirmer ce renseignement une semaine plus tard, en participant à une perquisition à la résidence du Hells Denis *Pas fiable* Houle.

Sa veste de cuir portant un écusson Nomads cousu sur la poitrine du côté gauche a été placée sur un valet dans la chambre principale.

La veste d'un membre Hells Angels porte dans le dos la tête de mort ailée, emblème mythique de l'organisation criminelle avec le nom Hells Angels. Sous cet emblème figure le nom de la province canadienne, de l'État américain ou du pays étranger où est situé le chapitre, avec l'inscription MC pour Motorcycle Club sur le côté droit. Le nom du chapitre et le statut de l'individu se portent à la hauteur du sein gauche de la veste. Les décorations d'un membre se portent toujours à droite, que ce soit l'emblème des *Filthy Few* (tueur) ou une épinglette, par exemple celle précisant l'ancienneté.

Quant aux règles internationales pour la création d'un chapitre, elles sont précises et doivent être scrupuleusement respectées. Le nom du chapitre doit être autorisé par le chapitre d'Oakland, « gardien mondial » de la marque de commerce des Hells Angels. Le nom et l'emblème des Hells Angels sont légalement enregistrés au Bureau fédéral des marques de commerce à Ottawa. Chacun des chapitres canadiens y est

CHAPITRE NOMADS: BOUCHER, CHOUINARD, ROBITAILLE, CARROLL, MATHIEU, STOCKFORD, STADNICK, HAMEL, ROY, HOULE, À L'AVANT, ROSE

légalement enregistré. L'enregistrement de la marque de commerce Hells Angels existe dans plus de 50 pays du monde.

Pour ouvrir un nouveau chapitre dans un nouveau pays, les deux tiers des votes de tous les membres Hells Angels du monde sont requis. Chaque membre en règle de la planète a droit de vote, selon la règle internationale adoptée le 29 novembre 1986.

L'ouverture d'un nouveau chapitre dans une nouvelle province à l'intérieur d'un pays se fait aux deux tiers des voix de tous les membres de ce pays. La création d'un nouveau chapitre à l'intérieur d'une province exige les deux tiers des votes de tous les membres de cette province. C'est l'approbation qu'ont obtenue *Mom* Boucher et ses *frères* motards pour créer le chapitre Nomads. Ces fondateurs du chapitre Nomads vont devenir des « généraux » de la guerre des motards, même si leur objectif à l'origine n'est pas de faire la guerre, mais de gagner de l'argent. Quand j'interroge le Hells Denis Houle, lors de son arrestation en mars 1995 pour menaces de mort à l'endroit d'un policier municipal de Saint-Sauveur, et alors qu'il est en état d'ébriété, il me confie son grand désir de devenir millionnaire.

Le nouveau chapitre Nomads est formé sur papier le 7 mars 1995. *Biff* Hamel l'incorpore sous le nom de H.A.N. Québec inc. Les Nomads voient officiellement le jour le 24 juin 1995, journée du 4e anniversaire du chapitre Trois-Rivières. Le chapitre Nomads partage le local du chapitre Trois-Rivières pendant 15 mois avant d'emménager rue Gilford, dans le quartier Rosemont à Montréal, en septembre 1996.

Chaque chapitre des Hells Angels du Québec et leurs clubs affiliés sont gérés par des incorporations avec charte fédérale. Ils doivent déposer un rapport annuel, élire des administrateurs (président, vice-président, secrétaire, trésorier), émettre des actions. Dans la cause de la saisie du local des Hells Angels de Saint-Nicolas en novembre 1997, chaque membre en règle du chapitre possède son certificat officiel d'actionnaire de la corporation qui gère le chapitre. Cela m'est très utile pour mon témoignage à titre d'expert dans ce dossier.

Les Nomads en guerre et Boucher en prison

En plus d'être le président du chapitre, Boucher est aussi le « chef de guerre » des Hells Nomads. Je suis d'ailleurs le premier à utiliser cette expression devant un tribunal. J'invente l'expression à l'occasion d'un témoignage que je rends dans une enquête sur remise en liberté de Boucher en octobre 1995.

Boucher, comme chef de guerre, dirige au jour le jour ses soldats, les Rockers Montréal, dans leur campagne pour se rendre maîtres du quartier Hochelaga-Maisonneuve. Le célèbre local de la rue Gilford des Rockers est acquis en février 1994 à l'aide d'un prêt de la BFD (Banque fédérale de développement), société d'État qui vient en aide aux petites entreprises. La demande de prêt est négociée par Guy Lepage, *alter ego* de Boucher. Il explique alors qu'il veut exploiter une entreprise de réparation de machines distributrices.

LOCAL ROCKERS MONTRÉAL RUE GILFORD

Le local est l'objet de deux attaques à la bombe à une semaine d'intervalle par des membres de l'Alliance. Le 10 mars, le Rockers André *Toots* Tousignant, lui-même dynamiteur à ses heures, découvre la première bombe télécommandée près du mur avant de la bâtisse ; il porte le paquet contenant une vingtaine de livres d'explosifs de l'autre côté de la rue. *Toots* a juste le temps

ANDRÉ *TOOTS* TOUSIGNANT

d'enlever le détonateur et de lancer l'engin à bout de bras avant qu'il explose dans le terrain vague des usines Angus. Le SPVM vient par la suite détruire ce qui reste de la bombe. Aucune plainte n'est déposée par les Rockers.

ANDRÉ CHOUINARD
MEMBRE ROCKERS

La semaine suivante par contre, Tousignant porte plainte quand une bombe cause de lourds dommages à la porte avant du repaire.

Boucher se sert aussi de Tousignant, qui se dit vendeur de *peanuts*, comme relationniste de presse. Ce dernier donne, sur ordre de Boucher, des entrevues à la télévision et à la radio pour tenter de convaincre les citoyens de la gentillesse des motards. Cette campagne médiatique de Tousignant se développe après que le Rockers André Chouinard a bousculé et menacé Gaétan Girouard et son caméraman de TVA. Lors de ces infractions, Chouinard a le visage masqué par un foulard. Ce n'est d'ailleurs pas la première fois qu'il agit ainsi. Il a déjà tenté d'intimider Pierre de La Voye de Radio-Canada aux funérailles du Hells Louis Lapierre en septembre 1994.

Dans les heures qui suivent l'incident, Gaétan Girouard, que j'ai toujours considéré comme un ami personnel, me contacte pour me demander conseil. Dans son premier appel, il veut d'abord savoir si je peux reconnaître un motard avec un foulard sur le visage. Je lui réponds que cela peut sûrement être possible, mais qu'il a avantage à porter plainte et à faire respecter son intégrité physique. Il discute de la situation avec son patron et me rappelle quelques minutes plus tard. Je me rends à son bureau pour prendre sa déposition. Il en profite pour porter plainte pour les menaces qu'on lui avait faites le 29 septembre 1994 à Sorel[27].

Par la suite, Gaétan Girouard n'est plus jamais intimidé par les motards en faisant son travail. Il a décidé de se faire respecter. Le samedi suivant, les motards recherchés pour ces deux événements n'apprécient pas tellement que les membres de l'équipe multidisciplinaire aillent perturber la première journée de leur *bike show* annuel qui se tient comme à l'accoutumée à l'hôtel Delta de Sherbrooke.

MAURICE *MOM* BOUCHER
MARS 1995

Robert *Tiny* Richard, membre du chapitre Montréal, Benoit *Brutus* Charron, Stéphane *Fesse* Plouffe, Robert *Bob* Dubois, Claude *Pig* Archambault et Martin Roussy, tous membres des Death Riders Laval, sont accusés de menaces et d'intimidation pour l'affaire de Sorel, tandis que André Chouinard, membre des Rockers Montréal, l'homme au foulard, est aussi accusé de menaces et d'intimidation pour les événements du 17 mars 1995.

Le 23 mars 1995 en soirée, je reçois un appel de l'enquêteur Pierre Samson de l'équipe multidisciplinaire m'informant que, le lendemain matin, Boucher doit se rendre à Sherbrooke pour assister au *bike show,* mais qu'avant son départ de Montréal il doit finaliser une transaction de stupéfiants. De plus, il doit être en possession d'une arme. J'organise une opération de filature de bonne heure le lendemain matin et j'alerte les autres membres de la répression du banditisme qui prêtent main-forte aux enquêteurs de l'équipe multidisciplinaire. La police intercepte Boucher à 11 h 20 près de la Brasserie Frontenac, dans la rue du même nom. Il est passager d'un véhicule conduit par André *Toots* Tousignant. Boucher porte un pistolet 9 mm à la ceinture. Il est arrêté et est accusé de possession d'une arme à autorisation restreinte. Fait étonnant, c'est Boucher qui est armé en tant que passager et Tousignant ne l'est pas comme garde du corps. On découvre aussi sur Boucher un carnet de numéros de téléphone qui revêt au cours des années une grande importance et qui est utilisé dans plusieurs procédures judiciaires impliquant des motards criminalisés. De sa main, il y a inscrit les noms et numéros de téléphone des chefs de toutes les grandes organisations criminelles qui œuvrent à Montréal, dont ceux des Rizzuto, Volpato, Cotroni et Matticks.

Dès le lendemain matin, neuf heures et demie, son avocat Me Gilles Daudelin se présente en cour, et Boucher, contre toute attente, plaide coupable aux accusations portées contre lui. On est le 25 mars. La cérémonie de fondation officielle du chapitre Nomads est prévue trois mois plus tard, soit le 24 juin, et Boucher ne veut surtout pas la manquer. Il est condamné séance tenante à une peine de six mois de prison. Normalement, dans le système provincial que Boucher connaît bien, il doit être libre pour la Saint-Jean-Baptiste et surtout pour les célébrations de la naissance de son chapitre Nomads.

Pendant que Boucher prend le chemin de la prison, les motards lancent une campagne médiatique bien orchestrée contre les forces policières. Un communiqué diffusé publiquement identifie des hauts dirigeants de la SQ, André Dupré, Michel Arcand, Mario Laprise et Gilles Thériault, avec des références précises sur leurs fonctions policières. J'en suis convaincu, les auteurs du communiqué ont pu compter pour sa rédaction sur la collaboration de quelqu'un très au fait du fonctionnement de la SQ, par exemple des ex-policiers.

Lorsque des patrouilleurs interrogent des jeunes en train de mettre le communiqué sous l'essuie-glace d'une voiture dans le stationnement d'un centre commercial de Saint-Jean-sur-Richelieu, ils apprennent que c'est André *Toots* Tousignant qui les a envoyés chercher les communiqués au bureau de l'avocat de Maurice Boucher. Les Hells ne veulent donc pas seulement redorer leur blason, ils veulent en même temps discréditer la SQ.

Pour des fringues et des filles : Quesnel, un tueur sans état d'âme

Le 31 mars 1995, je témoigne au palais de justice de Longueuil lors de l'enquête sur remise en liberté de Paul Magnan, un Joker's St-Jean, arrêté en possession d'une arme à feu. Son avocat, Me Guy Quirion, explique au juge que la guerre des motards est une invention de la SQ. Au cours de la même soirée, les policiers arrêtent un tueur à gages au service du chapitre Trois-Rivières. En effet, Serge *Skin* Quesnel doit tuer, au cours des jours suivants, Robert *Bob* Dubuc, président des Joker's Saint-Jean. Le contrat lui a été donné par Richard *Rick* Vallée, un Nomads.

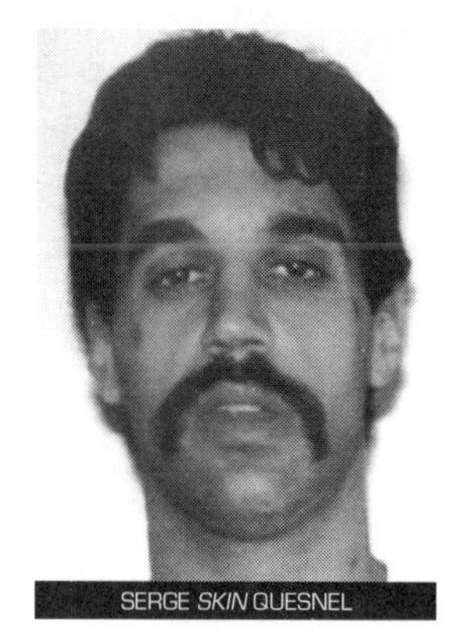
SERGE *SKIN* QUESNEL

Quesnel se met à table et nous donne des informations extrêmement intéressantes sur ce qui se passe chez les

LA GUERRE DES MOTARDS

PROVOQUÉE ET ALIMENTÉE PAR LA SQ

Depuis plusieurs mois, par l'entremise de ces nombreux indicateurs, et de certains journalistes judiciaires .

La Sûreté du Québec pour **arriver à ses fins**, a innondé le millieu des **motards** de fausses informations, faisant croire entre autre, que leurs vies étaient menaces par d'autres groupes, provoquant ainsi la guerre sanglante que l'on connait.

De plus, lorsque le conflit est sur le point de se régler la **S.Q.** n'hésite pas à relancer la guerre en faisant paraître des articles incendiaires allant même jusqu'à faire exploser une **bombe {Bar L' Énergie} comme le faisait la G.R.C** dans le temps du F.L.Q.

CETTE OPÉRATION EST L'OEUVRE DE ***BILL DUPRÉ,* D.G.A.** assisté de ***MICHEL ARCAND*** CAPITAINE au BANDITISME, ***MARIO LAPRISE*** LIEUTENANT au Banditisme et ***GILLES THÉRIAULT*** INSPECTEUR au ***B.E.C***

La sûreté a investie le poste de CHAMBLY pour controler leur agissements, qui peut investir la **S.Q.** pour contrôler les leurs?

Cette opération a plusieurs buts.

1- Demanteler les clubs qui defient leur autorite.
2- Obtention de nouveaux budgets, et de nouvelles lois leurs donnant plus de pouvoirs.

La S.Q. n'a qu'un seul objectif être la police, des polices, elle prendra tous les moyens nécessaires pour y arriver.

La S.Q. compte les cadavres en se frottant les mains, mais c'est la population qui en souffre.

motards de Trois-Rivières. Sa confession nous permet de résoudre cinq meurtres. Il nous révèle la liste des contrats qu'il a obtenus, mais qu'il n'a pas encore exécutés. Son avocat prend mal son changement d'allégeance. Il faut voir le visage de Me Quirion après sa rencontre avec Quesnel au Q.G. de la SQ à Québec, dans la nuit du 1er avril 1995.

Skin Quesnel nous révèle la teneur d'un meeting à l'hôtel Intercontinental en novembre 1994. Les motards convoqués ont l'ordre de venir en civil, sans leurs couleurs et leur attirail de motards. Mais, prudents en période de guerre, ils apportent avec eux des sacs de sport contenant des armes à feu. Les images vidéo prises par les caméras de l'hôtel sont très révélatrices.

À GAUCHE ME MARTIN TREMBLAY AVEC 2 SATANS GUARDS

Si Quesnel décide de nous parler, c'est qu'il vient de commettre deux meurtres, avec Michel Caron, un membre des Mercenaires Sainte-Foy affiliés au chapitre Quebec City, devenu délateur lui aussi. Quesnel se sait donc coincé. Il nous révèle comment il a été recruté par Me Martin Tremblay, un avocat criminaliste qui s'occupe des dossiers judiciaires touchant le chapitre Trois-Rivières. Quesnel est un tueur professionnel sans état d'âme qui a une réputation de travail bien fait. Il peut tout aussi bien tuer pour l'Alliance que pour les Hells.

D'ailleurs, les deux organisations l'approchent au pénitencier de Donnacona avant sa sortie. Il se confie à Me Tremblay lors d'une de ses visites au pénitencier. L'avocat lui demande

LOUIS *MELOU* ROY

d'attendre avant de prendre sa décision de tuer pour l'une ou pour l'autre des organisations. Quelques jours plus tard, Tremblay revient voir Quesnel pour lui dire: « Mais que tu sortes, t'appelles ce numéro-là, pis tu dis que c'est moi qui t'envoie. »

Louis *Melou* Roy le prend sous son aile, lorsque Quesnel le contacte, et lui commande plusieurs meurtres. Tuer lui procure une excitation extraordinaire. Son histoire est d'ailleurs racontée par Pierre Martineau dans un livre intitulé *Le tueur des Hells*. Les Hells le paient bien et lui fournissent même une voiture. Il couche au local. Il aime les belles fringues et les belles femmes.

Sur chacun de ses contrats, il doit soustraire 10 %, montant qui est remis au chapitre Trois-Rivières. C'est une règle des HA. Chaque membre en règle d'un chapitre ou d'un club affilié doit remettre à l'organisation 10 % des revenus bruts mensuels de ses activités criminelles. Ainsi, pour un contrat de meurtre de 10 000 $, Quesnel ne perçoit que 9 000 $ en argent comptant, les 1 000 $ restant constituent le prélèvement de 10 % perçu par le chapitre.

Pour en revenir à Boucher. Il n'est pas libéré aussi rapidement que prévu lors de son plaidoyer de culpabilité. Il passe la Saint-Jean-Baptiste en prison et ne participe pas à la cérémonie de fondation de son nouveau chapitre Nomads. Je pense y être pour quelque chose. Dès sa condamnation en mars, j'entreprends des démarches auprès de représentants du service correctionnel québécois afin de leur expliquer que, en tant que chef de guerre des Hells, il représente un danger pour la société. Pour ces raisons, il ne doit pas bénéficier automatiquement de codes de sortie avant sa libération d'office prévue au deux tiers de sa peine de six mois. Boucher n'est effectivement libéré de la prison de Cowansville que le 22 juillet 1995.

Les amis de *Mom* chez le ministre Ménard et à Radio-Canada

Le samedi 29 avril 1995, nous interceptons une communication téléphonique entre Boucher et Gilles *Trooper* Mathieu du local des Hells Trois-Rivières. On entend *Mom* raconter à *Trooper* qu'il est bien content d'avoir poussé l'idée d'envoyer des gens rencontrer le ministre Ménard, qui selon lui « a l'air pas mal déboussolé et c'était ben le fun », ajoutant : « Moé chu en prison, j'pense à ça, j'me crosse pi j'viens, j'viens s'a police. » Boucher annonce aussi à *Trooper* qu'autre chose de très gros médiatiquement s'en vient. Cette interception est la preuve que les Hells préparent un complot pour discréditer la SQ et entraver le cours normal de ses activités policières.

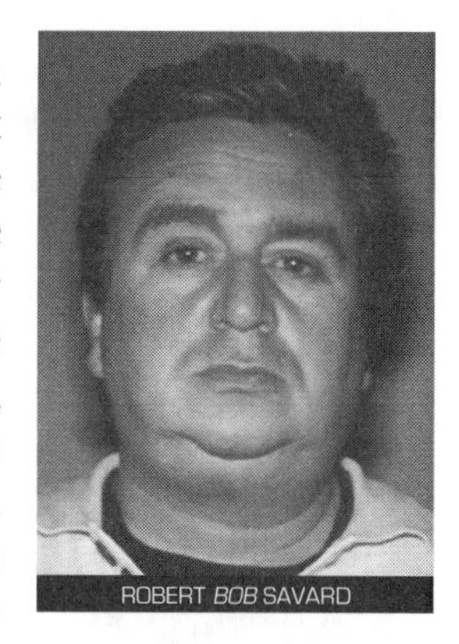
ROBERT *BOB* SAVARD

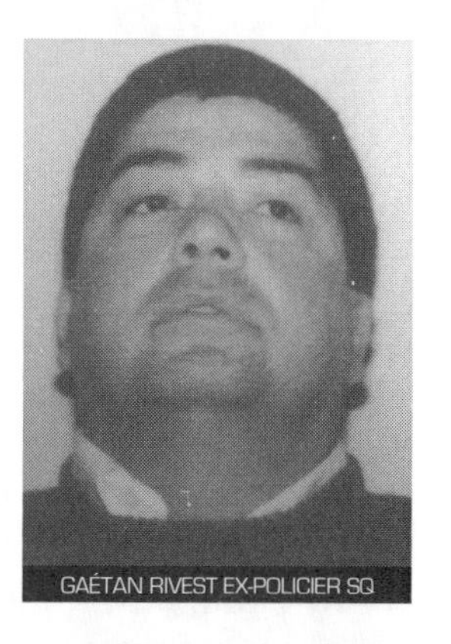
GAÉTAN RIVEST EX-POLICIER SQ

VITO RIZZUTO

Le mardi 25 avril 1995, le ministre de la Sécurité publique, Serge Ménard, accepte de rencontrer l'ex-député Guy Bélanger qui se présente à son bureau de Québec avec Me Gilles Daudelin, Robert Savard et l'ex-policier Gaétan Rivest, afin de dénoncer les méthodes d'enquêtes et les tactiques en vigueur à la SQ. Ménard semble avoir oublié d'aviser la direction de la SQ de sa rencontre avec trois hommes proches de Maurice Boucher. Le Q.G. de Parthenais apprend la nouvelle par l'interception de la conversation lors d'une écoute électronique. L'offensive des Hells contre la SQ se poursuit le mardi 30 mai 1995 alors que Rivest, en entrevue exclusive au *Point* de Radio-Canada, dénonce les méthodes de la SQ tout en s'incriminant lui-même dans certains dossiers pour lesquels il a mené des enquêtes.

La SQ réagit à l'offensive en préparant une importante opération policière pour le 1er juin 1995, afin de démontrer que Boucher est derrière la campagne de dénigrement. Pendant que la filature ne lâche pas Rivest d'une semelle durant toute la journée, la SQ rencontre plusieurs personnes qui ont été approchées par Rivest lors de sa *campagne de salissage.* L'objectif est de leur démontrer, preuve à l'appui, que Rivest agit pour les Hells. La liste des personnes rencontrées est surprenante par sa diversité: Le ministre Ménard et son chef de cabinet, Joseph *Jos* Dimaulo, l'ex-député Guy Bélanger, le maire Pierre Bourque, Gilles *Trooper* Mathieu, Robert *Bob* Savard, Me Gilles Daudelin, Gilles *L'Indien* Giguère, André *Toots* Tousignant, Vito Rizzuto, Tony Volpato, Yves *Flag* Gagné.

Nous faisons écouter à chacun d'eux la conversation entre *Trooper* et *Mom,* tout en leur demandant leurs commentaires. Boucher lui-même est rencontré à la prison de Sorel par le sergent Jean Gaboury et un collègue. Il déclare être au courant de l'enregistrement et ajoute qu'il n'avait pas le choix, il se devait d'agir comme il l'a fait.

Quand Alain Gariépy et Pierre Samson rencontrent Vito Rizzuto à son domicile, celui-ci les reçoit avec un grand sourire et leur confirme s'être entretenu avec Gaétan Rivest, mais il affirme qu'ils ne se connaissent pas plus que cela. Il leur confirme aussi connaître *Mom,* et que ce n'est pas un crime d'avoir son nom dans son calepin. Il leur adresse ce commentaire énigmatique: «Je dois voir des gens pour qu'ils en laissent d'autres tranquilles.»

L'opération nous permet aussi d'apprendre que Rivest est entré en contact avec au moins trois policiers en exercice pour leur soutirer des informations. L'ancien policier Rivest a bien choisi ses interlocuteurs: tous trois ont eu maille à partir avec le bureau des affaires internes de la SQ.

JEEP DE MARC DUBÉ APRÈS L'EXPLOSION

Daniel Desrochers, 11 ans, victime innocente de la guerre des motards

Durant l'été de 1995, les bombes continuent de sauter. Deux semaines après la libération de Boucher, le 9 août, une bombe télécommandée explose sous le véhicule du vendeur de drogue Marc Dubé[28]. Il est tué sur le coup. Son passager, un dénommé Jean Côté, est grièvement blessé. La déflagration projette un morceau du pare-choc de la Jeep qui atteint un garçon de 11 ans, Daniel Desrochers. Transporté à l'hôpital grièvement blessé, l'enfant succombera à ses blessures quelques jours plus tard.

Marc Dubé, associé aux Hells, *dealait* au bar L'Énergie, rue Notre-Dame Est. Il a fait des affaires avec un peu tout le monde. De quoi indisposer ses patrons. Ce bar a été la cible de quelques bombes placées par les Rock Machine. Je sais d'ailleurs que certains artificiers amateurs souffrent de problèmes de surdité pour avoir été trop près quand leurs bombes ont explosé.

Faire détoner une bombe télécommandée, en début d'après-midi, dans un quartier populeux et sur la rue Adam, très achalandée à cette heure, est particulièrement irresponsable. La police de Montréal connaît l'identité du gars qui a fabriqué l'engin. Faute de preuves, personne n'a pourtant jamais été accusé de ce crime odieux. La section des Homicides est convaincue que la bombe venait du côté des Hells.

Rien ne se passe chez les Hells sans que le chef de guerre en soit averti. Boucher donc n'a peut-être pas donné l'ordre de poser la bombe, mais il doit connaître les tenants et aboutissants du projet. Je pense que la mort de cet enfant, nullement impliqué dans cette folie meurtrière, a dû donner à Boucher et aux Hells un terrible choc. C'est la seule bombe de la guerre des motards qui a sauté à 12 h 40. Généralement, les motards font détoner leurs engins explosifs entre 3 et 6 h du matin, après la fermeture des bars, afin d'éviter de faire des victimes parmi la clientèle ou les passants.

José-Anne Desrochers, la mère du p'tit Daniel, affirme dans son livre *Mon enfant contre une bombe* que les Hells tentent de se racheter en lui offrant une somme d'argent considérable. Cette femme courageuse, déjà terriblement touchée par cette tragédie épouvantable, est emportée par la maladie en mars 2005. Qu'elle repose en paix, en toute sérénité !

Les Hells, les bombes et la campagne référendaire

À la fin de l'été 1995, le Québec est en pleine campagne référendaire et, indirectement, cela va aider les forces policières dans leur lutte contre les gangs de motards criminalisés. Le gouvernement du Québec veut que la population se concentre sur le référendum du mois d'octobre, mais, jour après jour, on ne parle que des bombes et de la guerre des motards dans les médias électroniques et les journaux. Pas exactement de quoi rassurer l'opinion publique ni l'inciter à faire confiance au Parti québécois pour assurer sa sécurité.

À la radio, les gens protestent et veulent des réponses à leurs questions. Où est le ministre de la Sécurité publique? Que fait la police? Comment un gouvernement, qui ne peut pas mettre fin à une guerre entre des criminels sans vergogne se foutant éperdument de la sécurité des citoyens, peut-il prétendre gouverner un pays indépendant? Des décisions politiques doivent être prises.

Le 12 septembre en soirée, le sergent superviseur de la SQ m'informe qu'une bombe vient de sauter au Bar Harley à Boisbriand, dans les Basses-Laurentides. Ce bar a la réputation d'être fréquenté par les Death Riders Laval.

Je file si rapidement sur les lieux que j'arrive alors que les secours ne font que commencer à s'activer. Un groupe de juifs hassidiques se portent au secours des blessés et leur intervention sauve probablement des vies. Neuf personnes, assises à la terrasse du bar, sont gravement blessées dans cette explosion provoquée par deux membres de l'Alliance, Marcel *Pépère* Gauthier et Roger Lavigne. Ces personnes ne réaliseront sans doute jamais la chance qu'elles ont eue de ne pas y laisser leur peau.

RICHARD *CROW* ÉMOND

Ce jour-là, en effet, deux bombes télécommandées de forte puissance sont placées sous la terrasse. Une seule explose. La seconde, qui doit sauter après la première, ne fonctionne pas et est retrouvée à plus d'une dizaine de mètres de l'explosion.

En arrivant sur les lieux, je remarque des autocollants «Support» apposés sur deux des neuf motos stationnées devant le bar. Ces autocollants me confirment que l'explosion vise les Hells. On voit assez souvent dans le milieu des motards les autocollants *Support big red machine*, *Support Montréal* ou *Support Nomads*, une façon de manifester son appui aux Hells en général ou à un chapitre en particulier[29].

Le 15 septembre, Richard *Crow* Émond, membre du chapitre Trois-Rivières et tueur reconnu par son emblème noir et blanc de *Filthy Few*, est assassiné en milieu d'après-midi dans un stationnement du centre commercial Boulevard, au coin des rues Pie-IX et Jean-Talon à Montréal. Il revient de faire des emplettes avec sa petite amie lorsqu'il est abattu par derrière. L'enquête découvre que le meurtrier est un *prospect* qui ambitionne de devenir membre en règle des Rock Machine Montréal et d'avoir la bague qui vient avec le titre. Émond devient le premier *full patch* des Hells à mourir dans la guerre des motards. Durant ces années de feu et de sang, les Hells ne perdent que deux autres membres en règle, Bruno *Cowboy* Vanlerberghe, du chapitre Quebec City, assassiné en décembre 1996 (meurtre encore non résolu) et Normand *Biff* Hamel. Les Rock Machine Montréal et Québec subissent pour leur part des pertes beaucoup plus importantes. Plus d'une douzaine de leurs membres en règle sont assassinés entre 1994 et 2002.

Quand Émond est tué, je suis en train de témoigner au palais de justice de Trois-Rivières devant le juge Henry Crochetière. Il s'agit encore une fois d'une enquête sur remise en liberté de Jean-Damien *Ti-Blanc* Perron et de Gilles Robidoux. Ces deux *prospects* du chapitre Trois-Rivières ont été arrêtés en possession d'armes à feu chargées. Le juge avise les deux motards qu'ils restent détenus, avant d'ajourner les travaux de la Cour. En sortant de la salle, la sonnerie de mon téléavertisseur se fait entendre.

L'appel m'informe de ce qui vient d'arriver à Émond. Je reviens pour en aviser l'avocat des accusés, Me Martin Tremblay, qui en reste bouche bée. Je rentre à Montréal ; Me Tremblay, pour sa part, prend la direction de Trois-Rivières-Ouest pour se rendre au local des HA.

On organise pour cette petite crapule d'imposantes funérailles de Hells, encore une fois avec des honneurs dignes d'un grand citoyen admiré par la communauté. On assiste même à une première : le corps d'Émond est exposé en chapelle ardente dans le local des Hells, partagé par les chapitres Nomads et Trois-Rivières. Que voulez-vous? un valeureux soldat est tombé au combat pour défendre les couleurs des Hells Angels.

À l'occasion des funérailles, j'effectue pendant trois jours une veille motards avec les autres membres de l'équipe multidisciplinaire et d'une seconde équipe de la SQ, en assistance à la sûreté municipale de Trois-Rivières-Ouest, afin de surveiller le cirque.

Le matin des funérailles, je dois témoigner à la cour de Trois-Rivières. Le procureur du ministère public, avec le consentement de l'avocat de la défense Me Roland Roy, demande au juge une remise de l'audience. Me Roy a la même raison que moi de vouloir cette remise. Nous devons tous deux être aux funérailles d'Émond. Lui, pour se joindre aux Hells éplorés, moi, pour les surveiller.

Deux jours plus tard, à l'occasion d'une enquête préliminaire devant le juge Guy Lambert, Me Jacques Lacoursière, représentant de la Couronne, me fait déclarer témoin expert pour la première fois. Le juge y met son grain de sel afin de tester mes connaissances réelles sur le chapitre Trois-Rivières et leurs affiliés. Je dois associer en rafales, à partir d'une série de 10 à 12 surnoms pris au hasard sur la feuille de *watch* du mois de novembre 1994, les noms réels des individus; cette pièce à conviction a été saisie lors d'une perquisition au local des Hells Trois-Rivières en novembre 1994. Je passe le test haut la main.

Aux funérailles, les mesures de sécurité sont, comme on dit, renforcées, tant du côté des forces policières que du côté des motards. Avec les événements violents des dernières semaines, les Hells venus assister aux funérailles risquent de recevoir une bombe comme mot de condoléances de la part de l'Alliance. La police installe donc, pour ces trois jours de veille motards, un périmètre de sécurité contrôlant tous les accès menant au local. Tous ceux qui veulent s'y rendre doivent se soumettre à une fouille. Cet imposant dispositif permet l'arrestation de dix personnes aux points de fouille, dont six pour port d'armes illégal.

MAURICE BOUCHER AVEC SM TROIS-RIVIÈRES-OUEST 1995

STRUCTURE HIÉRARCHIQUE
Statuts des Hells Angels et affiliés

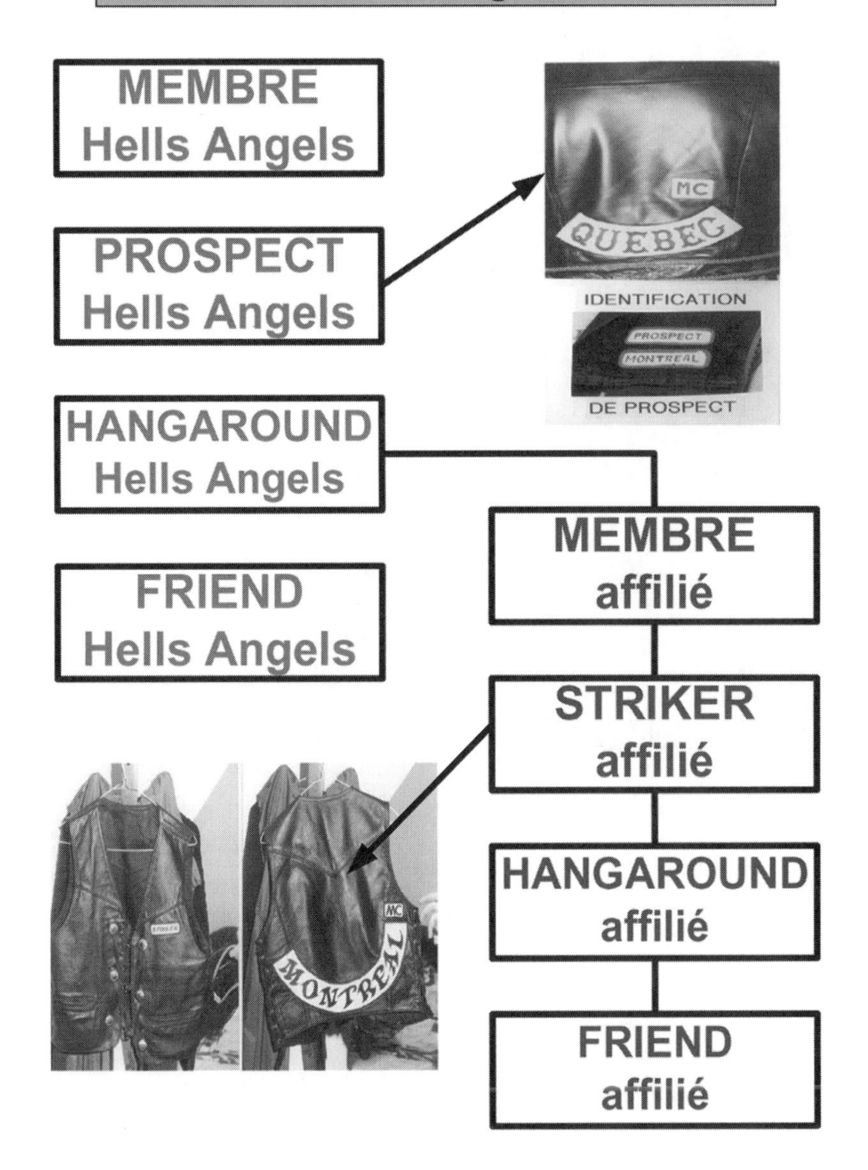

Du statut de membre affilié, on passe à celui de Hangaround Hells Angels avec une période probatoire normale de 12 mois entre chaque statut, sauf exception

CONVOI DE HELLS ANGELS

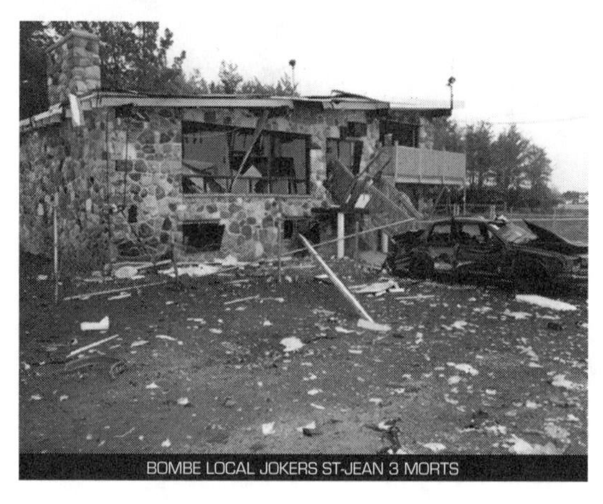

BOMBE LOCAL JOKERS ST-JEAN 3 MORTS

Boucher est présent au local et aux funérailles. Il supporte mal les actions policières entourant cet événement. Il autorise un journaliste de TQS et un photographe d'*Allô Police* à immortaliser sur ruban et sur pellicule, et en exclusivité, le cercueil ouvert de Richard Émond à l'intérieur même du local des Hells. À l'église ensuite, le président des Nomads envoie son avocat, Me Gilles Daudelin, faire une sortie publique sur le parvis de l'église devant les caméras de télévision pour dénoncer le travail des policiers et les menacer d'une plainte devant le comité de déontologie policière. J'assiste aux commentaires de Me Daudelin, debout tout près de Boucher, derrière des journalistes. Voilà qui entre parfaitement dans la campagne qu'il orchestre pour déstabiliser les organisations policières qui menacent ses activités criminelles[30].

Richard *Crow* Émond est enterré au cimetière Saint-Charles de Québec, le 20 septembre 1995. Le cortège funèbre est escorté pour sa protection par des véhicules de la SQ jusqu'à Québec. Les motards prennent eux-mêmes la précaution de mettre des vigiles au-dessus de chacun des viaducs surplombant l'autoroute 40 entre Trois-Rivières et Québec, afin de prévenir tout attentat du clan adverse.

SALLE DE *WATCH*, ENNEMIS SUR MUR

LOCAL JOKERS ST-JEAN

ANDRÉ TREMBLAY ET GUY OUELLETTE EN 1995

Cette journée de deuil pour les Hells Angels se révèle l'une des plus meurtrières et des plus mouvementées de la guerre des motards. Au cours de ces 24 heures, huit bombes explosives et incendiaires sautent dans diverses régions du Québec. L'une d'entre elles fait trois victimes parmi les poseurs de bombes de l'Alliance.

Les trois apprentis dynamiteurs doivent poser une bombe au local des Joker's St-Jean, rang Saint-André, à Saint-Luc en Montérégie. Malheureusement pour eux, le motard de garde les aperçoit sur l'un des moniteurs de la salle de surveillance du local. Il sort sur le balcon avec une carabine et fait feu en direction des intrus. Boum ! Il faut plusieurs jours aux enquêteurs des crimes contre la personne, aux pathologistes et aux experts du laboratoire de médecine légale pour reconstituer la scène et réassembler les restes humains de façon à procéder à l'identification des trois corps dont les débris s'étendent à plus d'un kilomètre de la déflagration.

Le 22 septembre 1995, le directeur du SPVM annonce publiquement, et de sa propre initiative, la création du projet HARM (Hells Angels Rock Machine) de lutte contre les motards criminalisés. De son côté, le ministre de la Sécurité publique convoque l'état-major de la SQ à une rencontre extraordinaire afin de discuter des pistes de solutions possibles.

Le samedi 23 septembre, je participe à une perquisition sur le chemin Jean-Bréboeuf à Saint-Germain-de-Grantham, au local des Evil Ones Drummond affiliés du chapitre Montréal.

Je suis en compagnie d'autres membres de l'équipe multidisciplinaire, d'enquêteurs de la SQ, de représentants du Canadien National et des ports nationaux afin de procéder au démantèlement d'un important réseau de voleurs de « Sambuca » provenant d'un conteneur du port de Montréal.

En procédant à la perquisition dans le local des motards, je trouve un faire-part annonçant le mariage de Sylvain *Mexicain* St-Pierre, membre des Death Riders Laval, pour la journée même, en fin d'après-midi, à l'église Saint-Vincent-de-Paul du boulevard Lévesque à Laval. Mais voilà, il y a un hic ! St-Pierre est en liberté sous conditions à la suite d'une accusation de voies de fait sur un policier de la SQ survenues quelques mois auparavant. Il ne doit en aucun cas se trouver en présence de personnes possédant un casier judiciaire. Puisque plusieurs Evil Ones ont confirmé leur présence au mariage, St-Pierre rompt ses conditions. J'avise donc la police de Laval des détails de la cérémonie nuptiale.

La suite des événements est prévisible et j'ai vu juste. Une kyrielle d'individus possédant des dossiers judiciaires assiste aux noces. C'est tolérance zéro. Le marié termine donc la cérémonie de noces en prison et la mariée est en « beau fusil » contre la police. Les médias se délectent de l'incident.

CHAPITRE 5

L'ESCOUADE CARCAJOU

L'occasion est propice à des annonces publiques de programmes de répression des motards. Du 24 au 29 septembre 1995 se déroule à l'hôtel Hilton de Québec la conférence IOMGIA (International Outlaw Motorcycle Gang Investigator Association) regroupant plusieurs centaines d'enquêteurs spécialisés dans la lutte aux motards criminalisés provenant de plusieurs pays. Je dois d'ailleurs y présenter un état de la situation sur la guerre des motards au Québec durant la journée du mardi 26 septembre 1995.

Les dirigeants politiques du Québec doivent prendre des initiatives importantes à la fois pour rassurer l'électorat québécois et pour projeter une image de fermeté pour le reste du pays et les médias étrangers qui s'intéressent à la fois à la campagne référendaire et à la guerre des motards.

À cette époque, je me rappelle d'avoir vu en page 4 du *Journal de Montréal* une caricature du premier ministre Jacques Parizeau, l'air menaçant, les mains sur les hanches, au milieu de bombes qui explosent, et qui lance furieux: «Arrêtez-moi ça, vous détournez l'attention du débat référendaire!»

Le ministre de la Sécurité publique annonce, dans une conférence de presse improvisée, la création d'une unité de lutte contre les motards qui rassemblera une soixantaine d'enquêteurs de la SQ et du SPVM. Les directeurs Barbeau de la SQ et Duchesneau du SPVM enchaînent en ajoutant des détails sur le fonctionnement du nouveau groupe anti-motard constitué de deux corps de police qui, de tout temps, ont eu de la difficulé à travailler ensemble. Personne n'a eu le temps d'avertir la GRC, qui brille par son absence.

L'affaire Matticks et la commission Poitras

L'annonce rassurante d'une unité de lutte contre les motards SQ-SPVM est aussi une façon de faire oublier l'affaire Matticks qui a fait grand bruit à l'époque et qui a terni la réputation de la Sûreté du Québec. Quatre enquêteurs de la SQ sont accusés d'avoir fabriqué des preuves dans le dossier d'importation de 26 tonnes de résine de cannabis, saisies par la SQ dans trois conteneurs au port de Montréal. Le jugement dévastateur de la juge Micheline Corbeil-Laramée de juin 1995 a fait avorter les procédures judiciaires contre sept individus liés au clan Matticks qui contrôlait une bonne partie des activités criminelles dans le port de Montréal depuis des décennies.

Une télécopie du service des douanes envoyée à la SQ est par erreur placée avec les pièces à conviction saisies à la compagnie Werner Philips. Cette télécopie, sur laquelle figure le numéro de téléphone des douanes, provoque l'arrêt des procédures, malgré l'intervention du procureur de la Couronne, Me Madeleine Giauque, qui plaide avec vigueur l'erreur administrative commise de bonne foi. Je reste convaincu, à l'instar de la couronne, que malgré l'amputation des éléments de preuve trouvés lors de la perquisition dans les bureaux de cette compagnie, les accusés auraient pu être trouvés coupables de cette importation, compte tenu du reste de la preuve. Le 26 septembre 1995, les quatre policiers de la répression du banditisme sont suspendus sans qu'il y ait d'accusations portées contre eux. Le premier procureur de la Couronne consulté ne trouve pas matière à accusation, alors un deuxième est appelé en renfort.

L'affaire provoque de pénibles discussions triangulaires entre le ministre de la Sécurité publique Serge Ménard, la direction de la SQ et l'APPQ (Association des policiers provinciaux du Québec) qui exige qu'on porte rapidement des accusations contre ses membres pour leur donner la chance de laver leur réputation. Un ultimatum est signifié à la direction de la SQ. « Vous agissez avec célérité ou on refuse que nos membres participent à la nouvelle escouade de lutte contre les motards. »

Le syndicat a gain de cause et les accusations sont portées une semaine après la mise en place du projet Carcajou. Cette affaire, ajoutée à la campagne de dénigrement orchestrée par Boucher, pousse le gouvernement à prendre des mesures pour assainir le climat au sein de la SQ.

Après de nombreuses tractations, dont des discussions très âpres avec le syndicat des policiers provinciaux, le gouvernement du Québec annonce, en octobre 1996, la création de la Commission Poitras, par la voix de son nouveau ministre de la Sécurité publique Robert Perreault. Le mandat de la commission est clair. Elle doit « faire enquête sur les pratiques ayant cours en matière d'enquêtes criminelles et d'enquêtes internes à la SQ et faire les recommandations appropriées ».

Maurice Boucher, en compagnie d'André *Toots* Tousignant, est présent lors de la comparution des quatre enquêteurs au palais de justice de Montréal. Ils regardent défiler devant eux la trentaine de policiers venus appuyer leurs confrères accusés.

Lors de la première journée d'audience de la Commission Poitras, je vois Maurice Boucher, Robert Savard, Gérald Matticks et Gaétan Rivest se promener près de la salle d'audience du 5e étage au palais de justice de Montréal. Ils veulent sans doute identifier les enquêteurs présents dont plusieurs travaillent pour l'escouade Carcajou. Le procès Matticks et l'enquête du juge Poitras qui suit coûteront 30 millions de dollars aux contribuables québécois.

Seules des crises graves, des pressions de l'opinion publique amènent les dirigeants à agir. Parce que les motards ont réussi à faire peur au monde, Carcajou est créé. Deux ans plus tard, l'adoption rapide, le 2 mai 1997, de la première loi antigang démontre encore une fois combien les politiciens sont sensibles aux pressions populaires, alors que des élections fédérales vont avoir lieu le 20 mai suivant. Après la bombe de mars 1997 au local de Saint-Nicolas des Hells Quebec City, 1 500 citoyens descendent dans la rue pour dire : « Ça suffit ! » Dans des contextes dramatiques comme celui-là, les politiciens agissent.

EMBLÈME DE CARCAJOU

ESCOUADE CARCAJOU EN 1995

La naissance d'un petit animal féroce, futé et mystérieux

Ce n'est pas par hasard que le nom Carcajou a été choisi pour identifier le nouveau groupe anti-motard. Le carcajou est un animal assez mystérieux, considéré comme l'une des créatures les plus féroces de la planète. Il ne lâche jamais sa proie ; il est très agressif et défend son territoire avec une grande férocité. Le carcajou est donc le symbole tout désigné pour incarner notre nouvelle escouade et le type de lutte que nous entendons mener au crime organisé.

Carcajou est créé en 13 jours, entre le 23 septembre et le 5 octobre 1995. Rapidement, l'équipe comprend 90 policiers et civils, divisés en sections ou en îlots comprenant six enquêteurs, un chef d'équipe et un superviseur. À l'origine, le nouveau groupe de lutte contre les motards criminalisés est constitué d'enquêteurs de l'équipe multidisciplinaire, à qui se sont joints des collègues de l'unité de la répression du banditisme de la SQ et du projet HARM du SPVM. Ces éléments sont soutenus par des policiers des unités de renseignements criminels de la SQ et du SPVM.

La GRC, qui ne veut pas être en reste, prête également du personnel à Carcajou. Il ne faut pas s'attendre à des miracles côté ressources humaines en si peu de temps. Le SPVM fournit des gars de renseignements, des enquêteurs provenant des postes de quartier, des centres opérationnels et de quelques unités spécialisées. La GRC, quant à elle, nous envoie, dans un premier temps, des enquêteurs de formation générale et une dizaine de patrouilleurs en uniforme provenant de Kanawake, en plus des gars des renseignements du Q.G. de Montréal. Il faut composer avec les forces et les faiblesses de tous ces nouveaux intervenants pour en faire une ÉQUIPE.

Alors qu'Ottawa continue de payer le salaire de ses agents, même s'ils sont détachés de la GRC, la SQ assume le salaire et les avantages sociaux des policiers du SPVM.

Il n'y a plus de place au Q.G. de la rue Parthenais dans les bureaux de la répression du banditisme (le centre de détention occupe encore les derniers étages du quartier général), il faut donc louer des locaux du gouvernement fédéral dans le Vieux-Port, juste en face des bureaux d'un des fils Matticks. On fait sécuriser l'édifice avant que l'équipe s'y installe.

À Carcajou, on demande à tout le monde de travailler ensemble. C'est tout un changement culturel. Les corps de police, au Québec comme ailleurs dans le monde, prônent avant tout, et malheureusement, le chacun pour soi. Carcajou est là pour rétablir la paix sociale. C'est en quelque sorte une mégapolice axée sur le partage du renseignement qui est, comme on le sait, le nerf de la guerre. Notre mission première est de s'attaquer aux têtes dirigeantes des organisations criminelles de motards et d'assister les corps policiers de la province. Ce n'est pas nous qui irons enquêter sur le terrain chaque fois qu'un motard criminel se fera abattre dans les toilettes d'un club de danseuses. Cela relève des Homicides du SPVM ou des Crimes contre la personne de la SQ.

La première chose que je fais, dans l'après-midi du 6 octobre, est un exposé de base sur la question des motards au Québec, un genre de cours 101. Carcajou peut compter sur les dossiers signalétiques des motards que j'ai fait constituer dans le cadre du projet motards depuis 1991. Tous les individus associés à des groupes de motards criminalisés sont fichés. Chaque fois qu'un de ces motards est contrôlé ou son nom vérifié par un service de police quelconque au Québec, un message est transmis à l'unité qui l'a introduit dans le système informatique. Le fichier contenant les informations de tous les motards du Québec est transféré aux renseignements criminels de Carcajou dès la formation de l'escouade. J'amène aussi avec moi les 17 albums photographiques regroupant les portraits des motards criminalisés de tous les clubs affiliés et chapitres Hells Angels du Québec. (Quand j'ai commencé le fichier au début des années 90, on travaillait encore sur support diapositives et papier.) Puis, notre ligne téléphonique sans frais 1 800 659-4264 (GANG) est une source extraordinaire d'informations. Ces renseignements fournis par des citoyens nous mettent sur des pistes intéressantes, tout en permettant le recrutement d'informateurs et d'agents sources.

Carcajou démarre sur les chapeaux de roues

Quand Carcajou démarre, le 5 octobre, on a déjà, à la division de la répression du banditisme, des classeurs métalliques contenant plusieurs dossiers opérationnels sur les motards. On peut donc frapper rapidement afin de déstabiliser le milieu des motards criminalisés. Carcajou a de l'argent, des effectifs et peut compter, à cause de la volonté politique qui sous-tend son action, sur la collaboration empressée des états-majors des différents corps policiers. On a accès sur simple demande à des spécialistes dans tous les domaines: crimes contre la personne, contre la propriété, incendies criminels, explosifs, surveillance physique et électronique, mandats, contrôle des informateurs, etc.

Nous avons aussi au sein de Carcajou une unité qui s'occupe des produits de la criminalité et qui, dès qu'on arrête un gars pour trafic de stupéfiants, par exemple, s'empresse de dresser la liste de tous ses biens et demande dans les meilleurs délais une ordonnance de blocage judiciaire de ses avoirs. Nous savons qu'une des façons les plus efficaces de lutter contre le crime organisé est de miner son pouvoir

CARCAJOU : LAPRISE, BIGRAS, ST-JEAN ET ARCAND

économique et d'empêcher ses dirigeants de profiter des fruits de leurs crimes.

L'appui inconditionnel des substituts du procureur général nous est également assuré par Me André Vincent, alors procureur chef du district de Montréal, et par son fidèle allié, Me René Domingue. Les deux hommes ont été les principaux procureurs de la Couronne contre les membres des HA impliqués dans la tuerie de Lennoxville. Me Domingue aménage son bureau dans les locaux de Carcajou, de même que Me Brigitte Bishop qui complète ce trio de procureurs de la Couronne chevronnés.

À Carcajou, la journée commence comme dans n'importe quelle unité d'enquête spécialisée par le *briefing* du matin. Tout le monde travaille de 8 h à 17 h et s'il faut continuer durant la soirée, ce sont des heures supplémentaires. Le *briefing* est donné par le patron de Carcajou, l'inspecteur Michel Arcand. Son adjoint est l'inspecteur Robert St-Jean du SPVM. Le représentant de la GRC à la direction de Carcajou est le sergent d'état-major René Lemire.

On fait donc le bilan de ce qui s'est fait la veille et on énonce ce qui doit se faire durant la journée. Les chefs d'équipe font ensuite rapport des activités de leurs enquêteurs respectifs. Un enquêteur signale les choses intéressantes obtenues par notre ligne 1 800. Un autre fait état des informations les plus récentes recueillies par les services de renseignements policiers concernant les motards. Chaque matin, les enquêteurs vérifient la banque de données « motards » pour voir si la veille ou durant la nuit des ajouts ont été faits et dans quelles circonstances. Si un motard a été arrêté, on prend immédiatement contact avec les policiers responsables de l'arrestation pour offrir notre collaboration et pour recueillir de nouveaux renseignements à ajouter à nos fichiers.

C'est durant les *briefings* matinaux qu'on apprend si des frappes sont prévues au cours des jours à venir. Les équipes de travail qui concluent leurs enquêtes doivent prévoir les effectifs nécessaires et assurer une coordination entre les différents services policiers qui seront impliqués dans leurs « frappes ».

Carcajou est autonome pour la plupart des fonctions policières. On a, par exemple, nos propres relationnistes. Le seul secteur où l'on doit vraiment faire appel aux corps policiers est celui qui assure les filatures. Cela exige beaucoup de monde. À l'époque, on ne peut pas se constituer un service de filature autonome. On peut toutefois compter sur les unités de filature des trois corps policiers, SPVM, SQ et GRC. Carcajou augmente ainsi son efficacité opérationnelle. Tant que l'égocentrisme ou la jalousie des patrons des différents corps de police n'intervient pas, tout va bien.

Carcajou cible les têtes dirigeantes des clubs de motards et en priorité des Hells Angels, c'est-à-dire tous les membres en règle du Québec, soit, à l'époque, environ 80 individus. C'est notre priorité parce que ce sont eux les donneurs d'ordres de la guerre des motards. Des HA, il y en a en province, à Sherbrooke, à Trois-Rivières, à Saint-Nicolas, à Sorel, et à Montréal. Au début, Carcajou se concentre sur ceux de Montréal, parce qu'ils sont impliqués dans la guerre : Boucher, ses Nomads et ses Rockers d'une part et les divers éléments criminels regroupés dans l'Alliance d'autre part.

Maurice Boucher est l'homme à abattre et il le sait. Il met sur pied un réseau efficace d'informateurs qui le renseignent sur tout ce qui se passe dans Hochelaga-Maisonneuve. En décembre 1994, il prend régulièrement son petit-déjeuner au restaurant Cri-Cri, rue Sainte-Catherine Est, tout à côté du siège social de sa compagnie d'importation de café Irazu. Des tueurs de l'Alliance stationnent une camionnette volée bourrée d'explosifs devant le restaurant en attendant qu'il se présente selon son habitude. Averti par ses informateurs de ce qui se trame contre lui, Boucher ne se présente pas au Cri-Cri ce matin-là.

Deux jours plus tard, un policier de la ville de Montréal fait remorquer la camionnette abandonnée sur place après avoir constaté qu'elle est rapportée volée. Peu de temps après l'arrivée du véhicule à la fourrière municipale, l'Alliance envoie un artificier pour faire sauter la bombe. Heureusement, il n'y a pas de victimes.

L'une de nos premières actions à Carcajou est de placer Boucher sous surveillance électronique, mais c'est un type qui se méfie du téléphone. Il est très rare qu'il parle, échange ou confie à des interlocuteurs des informations qui pourraient nous mettre sur des pistes intéressantes. Tout ce qu'on entend ce sont des phrases comme « Y a quelque chose », « Viens me voir », « Ramasse-moi à telle heure ». On le file aussi. On l'observe souvent alors qu'il se déplace à pied dans des parcs ou des ruelles, entouré de ses gardes du corps et de différentes personnes à qui il chuchote à l'oreille. Au cours des années, on recueille plusieurs vidéos de filature reproduisant ce rituel.

Dans certains cas, Boucher préfère recruter ses ennemis que de les tuer. Les petits bandits membres de l'Alliance sont assez faciles à convaincre de passer à son service. L'Alliance n'est pas un club de motards et le sentiment d'appartenance y est faible. On y adhère essentiellement pour se protéger des Hells et pour espérer gagner de l'argent. Lorsqu'un émissaire de Boucher leur propose de gagner plus d'argent en travaillant pour le *parrain* des Rockers, ils acceptent volontiers. Boucher peut aussi les rencontrer personnellement. C'est ainsi qu'il convainc Stéphane *Godasse* Gagné, un sous-fifre de Tony Jalbert, un trafiquant indépendant[31].

Pour rétablir la paix sociale, il faut mettre fin aux attaques à l'explosif et, à Carcajou, les fabricants et les poseurs de bombes sont en tête de liste de nos cibles. La bombe est l'arme de prédilection des membres de l'Alliance, alors que les Hells privilégient les armes à feu. Durant son existence, Carcajou peut éviter à plusieurs reprises des attentats meurtriers en effectuant des saisies d'explosifs.

EMBLÈME DEVILS DISCIPLES

C'est à partir d'enquêtes sur les deux séries d'explosions déjà mentionnées[32] que Carcajou peut découvrir le groupe en grande partie responsable des attentats à la bombe pour l'Alliance. Les informations qui nous parviennent pointent en direction du Dark Circle, un groupe de 18 motards, pour la plupart d'anciens membres des Devils Disciples des années 70. Le Dark Circle contrôle les bars du quartier Hochelaga-Maisonneuve avant que Boucher et ses Rockers décident de prendre sa place, début 1993.

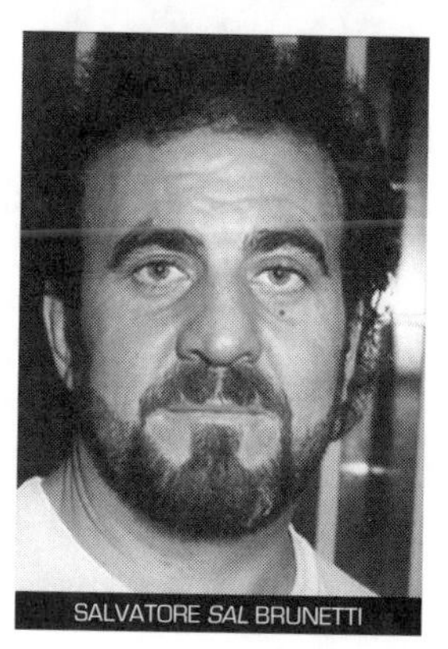
SALVATORE *SAL* BRUNETTI

Les Devils Disciples sont des vétérans des guerres entre bandes criminelles.

Au début des années 70, ils mènent une dure lutte aux Satans Choice et aux Popeyes Montréal pour s'emparer de leur territoire de vente de stupéfiants[33].

D'anciens membres vieillissants comme Jean-Jacques *Fritz* Roy, Jean-René Roy, André Bureau, Salvatore Brunetti et Normand Brisebois prennent du service dans le Dark Circle dans sa lutte contre l'organisation de *Mom* Boucher. Il faut bien défendre le fief qu'ils se sont constitué par la violence et l'intimidation dans l'est de Montréal. Mais les vieux motards veulent rester discrets. Comme l'indique leur nouvelle appellation Dark Circle, ces 18 membres veulent rester dans l'ombre, faire les sales boulots et laisser aux Rock Machine la notoriété et les honneurs de la guerre, si l'on peut s'exprimer ainsi.

Les membres du Dark Cicle n'ont pas de couleurs, juste une simple bague représentant une patte d'aigle qui tient un diamant. Ils se veulent une espèce d'organisation secrète au service des Rock Machine. Ils ne font pas vieux os face à Carcajou. On réussit à détruire toute l'organisation d'un coup à cause d'un cérémonial ringard.

Ils votent tous à main levée l'assassinat du Hells Normand *Billy* Labelle, affublé pour la circonstance et on ne sait pourquoi du surnom de *Dessert*, participant par le fait même à un complot de meurtre. Quand trois des participants (Normand Brisebois, Gilles Lalonde et Marcel *Pépère* Gauthier) deviennent délateurs, ils nous révèlent le complot et une grande quantité de renseignements sur les débuts de la guerre des motards et sur la formation de l'Alliance.

Une délicate question : le partage des « sources »

Un autre avantage de Carcajou est de mettre à contribution les informateurs des trois corps policiers. Pour cela, il faut changer les mentalités. C'est extrêmement difficile pour des services de police de partager des renseignements et des informateurs. Difficile aussi de partager la gloire. D'habitude, on est plus souvent en concurrence. On veut marquer des points sur l'autre équipe. Montrer qu'on est les meilleurs pour lutter contre le crime, pour défendre la loi et l'ordre. Non sans difficulté, Carcajou a presque réussi à devenir une escouade « sans couleur ». Je dis *presque*, car certains partenaires gardent néanmoins pour eux des secrets qui pourraient nous être d'une grande utilité.

Au cours des derniers mois de 1995, les enquêteurs de Carcajou réussissent à recruter une dizaine de délateurs. Sur le plan administratif et bureaucratique, cela nous crée des difficultés. Il faut penser aux contrats, aux avantages, aux mesures de protection, aux relocalisations, aux changements d'identité. Ces délateurs, qu'on appelle ensuite pudiquement des « témoins repentis », jouent un rôle essentiel dans la plupart de nos enquêtes et contribuent largement à mettre fin à l'image d'invincibilité de Boucher et des groupes de motards criminalisés.

Nous avons peu d'informateurs dans l'entourage de Maurice Boucher et des Nomads. Mais nous en avons qui gravitent autour des Rockers. C'est extrêmement difficile d'infiltrer le milieu des motards, puisque les nouvelles recrues doivent commettre des crimes graves justement pour éviter l'infiltration par des agents secrets de la police.

Comment avons-nous pénétré le milieu très fermé des motards ? D'abord, en recrutant des individus qui se sentent menacés de mort, parfois par leur propre organisation. Ensuite en arrêtant des gens qui font déjà face à de lourdes peines d'emprisonnement. Quand on recrute un délateur ou témoin repenti, on exige qu'il nous raconte toute sa vie criminelle. Consignée par écrit, la déclaration est ensuite assermentée. On vérifie et contrôle ce qu'il nous a dit auprès d'autres sources. On compare aussi avec les renseignements que nous possédons déjà. C'est un travail long et laborieux. C'est psychologiquement difficile aussi pour les enquêteurs qui passent des jours, des semaines, voire des mois avec des individus peu recommandables qu'ils ne voudraient pas fréquenter dans la vie.

Pourtant, il arrive quand même, à l'occasion, que des policiers se lient d'amitié avec leur source, qu'ils se sentent personnellement responsables de ce qui lui arrive. C'est quelque chose qui ressemble au fameux *syndrome de Stockholm*. Mais c'est finalement la méthode la plus efficace de s'en prendre à une structure criminelle, de développer plusieurs dossiers parallèles et de frapper d'un seul coup tout un groupe de bandits.

Les délateurs permettent de frapper durement les adversaires des Hells.

C'est un informateur, cependant, qui nous permet de saisir, le 21 mai 1997, sous ordonnance judiciaire, les locaux des Rock Machine à Montréal et à Québec. À l'époque, on dit que Carcajou frappe plus du côté de l'Alliance et des Rock Machine que du côté des Hells et des Rockers. La raison en est simple. Ils sont moins bien organisés, moins bien structurés et moins hermétiques. Les choses sont beaucoup plus difficiles du côté des Hells Angels. Il nous faut six ans pour épingler Boucher et les membres de son organisation qui dirigent la guerre des motards.

On doit un grand nombre de nos saisies de drogue au travail de nos agents secrets qu'on appelle dans l'argot de la police des « agents policiers d'infiltration ». Leur mission est de s'introduire dans un milieu criminel sous une fausse identité pour réaliser des transactions de drogues. Pendant longtemps, l'opération a été relativement facile. Notre agent secret se rendait sur les lieux du *deal*, il montrait le *cash*. Le criminel lui montrait la *dope*. Et on l'arrêtait immédiatement. Les bandits, et les motards en particulier, sont depuis longtemps plus prudents. Il demande à l'acheteur de leur donner l'argent et, quelques heures ou une journée ou deux plus tard, ils lui révèlent où la drogue est cachée. Pas de transaction directe.

À l'époque, un policier se faisant passer pour un acheteur doit, pour acquérir un kilo de cocaïne, verser 39 500 $ au vendeur pour ne rien obtenir immédiatement en retour. Les services de police et leurs comptables sont extrêmement réticents à avancer une telle somme comptant. Les organisations policières ont peur de se faire rouler et de perdre des sommes considérables. Elles sont tout aussi réticentes à acheter de la drogue au prix du marché clandestin pour permettre à l'un de leurs agents secrets d'établir sa crédibilité auprès des trafiquants. Les trafiquants misent sur le fait que si l'acheteur est un flic, il ne laissera pas partir l'argent.

Un certain temps a été nécessaire pour changer les mentalités des administrateurs. Mais une nouvelle culture a fini par s'implanter. Aujourd'hui, l'argent nécessaire est assez facilement disponible dans les grosses escouades, mais c'est un phénomène relativement récent.

Quand il crée les escouades régionales mixtes en 1999, le gouvernement du Québec attribue un budget spécial pour ce genre de transactions. C'est la meilleure façon de pénétrer les organisations et de remonter les filières, mais ça coûte cher. Souvent l'agent infiltré doit réaliser plusieurs transactions pour établir un lien de confiance avec les criminels.

La drogue ainsi achetée sert de pièce à conviction dans l'enquête policière, après avoir été analysée pour en connaître le degré de pureté; elle est ensuite détruite selon des règles très strictes de disposition lorsque la cause est terminée devant les tribunaux.

La police: Tolérance Zéro envers «le chef guerrier des Hells Angels»

Avec la mise en place de l'équipe multidisciplinaire, en septembre 1994, nous adoptons, à la SQ, une politique de Tolérance Zéro en ce qui touche les motards. Mais ce n'est pas tout pour un service de police d'adopter des grands principes, si personne ne voit à ce qu'ils soient appliqués dans les faits. Une organisation policière est une lourde machine bureaucratique qui ne donne des résultats que si des personnes précises décident de s'occuper concrètement, au jour le jour, de la mise en application des grandes politiques. Comme tout système bureaucratique, le juridico-policier du Québec tend à la désorganisation!

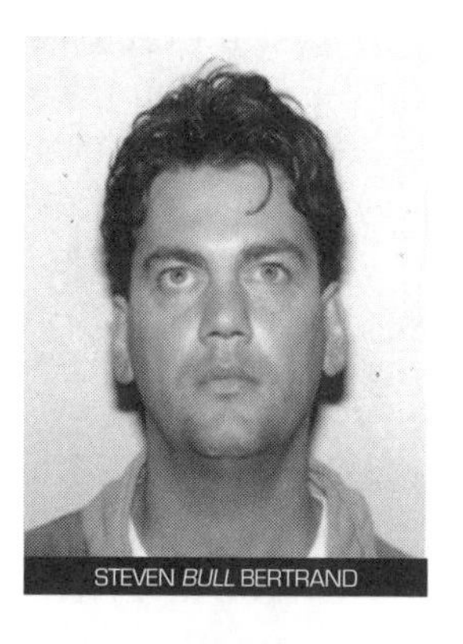
STEVEN *BULL* BERTRAND

Je parle souvent de «crime organisé contre système désorganisé». C'est ce qui explique comment, pendant des années, 15 000 policiers n'ont pu venir à bout de 150 bandits. Avec les groupes antimotards comme Carcajou, des policiers particuliers, des équipes précises assument la responsabilité de la lutte contre les organisations de motards criminalisés. Un regroupement «responsabilisé» comme Carcajou peut donc s'assurer que toutes les parties du système juridico-policier appliquent la politique de Tolérance Zéro.

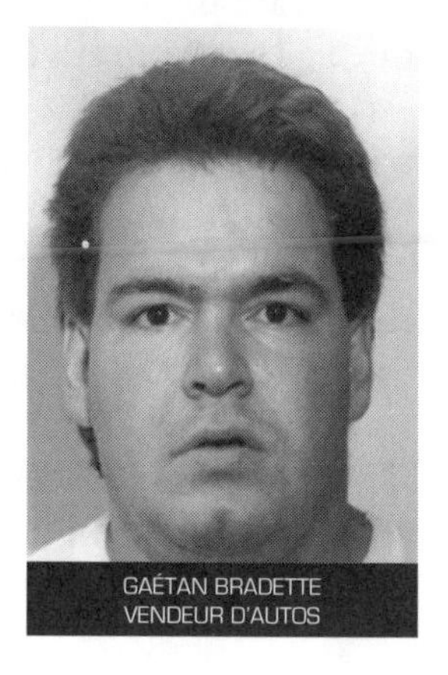
GAÉTAN BRADETTE
VENDEUR D'AUTOS

Pendant des années, je contribue donc à l'application de cette politique à Maurice Boucher. Plutôt que de tenir pour acquis que le système correctionnel québécois appliquera le principe de la Tolérance Zéro, je m'en assure en communiquant toutes les informations disponibles aux autorités concernées au sujet du président des Nomads.

À l'automne 1995, Carcajou a plusieurs motards sous écoute. On entend Boucher conseiller à l'un de ses hommes de main, Steven *Bull* Bertrand, qui se plaint d'avoir été battu par trois individus au bar L'illusion à Montréal: «Ramasse-toé un bat de baseball et câlisse-y-en une toé aussi.»

Un mandat d'arrestation est émis contre Boucher pour incitation à commettre un acte criminel. Durant son enquête pour remise en liberté, le 26 octobre, son avocat Me Léo-René Maranda le présente comme un vendeur d'autos usagées à l'emploi d'un de ses amis, Gaétan Bradette. Me Maranda décrit comme «une niaiserie» l'accusation qu'il estime sans fondement. Il affirme que c'est un prétexte pour incarcérer son client et souligne qu'il n'est pas illégal de faire partie des Hells Angels au Québec.

Quand le procureur de la Couronne, Me René Domingue, m'appelle à la barre des témoins, je rappelle les condamnations criminelles de Boucher, avant de parler de son rôle dans la guerre des motards, le qualifiant «de chef de guerre des Hells» dans le conflit qui les opposent à l'Alliance. C'est la première fois que cette expression, qui sera reprise par tous les médias jusqu'à devenir un synonyme de Maurice Boucher, est utilisée publiquement.

Citant la conversation où Boucher conseille à Bertrand d'utiliser un *bat* contre ses ennemis, Me Domingue affirme que: «[...] la preuve était forte, que c'était un acte de violence et dans le contexte de la guerre, cela devenait important», ajoutant: «Ce n'est pas le crime qui est cautionnable, mais l'accusé qui ne l'est pas.»

Répondant à d'autres questions, je confirme que le lieu de résidence en Nouvelle-Écosse inscrit sur son permis de conduire est erroné depuis plusieurs années. Je démontre ensuite hors de tout doute qu'il habite tantôt à Contrecœur avec sa femme, tantôt à Boucherville. J'informe la juge que de nombreuses enquêtes sont en cours afin d'établir la responsabilité de Boucher dans plusieurs dossiers de meurtres.

Je révèle aussi à la Cour que l'analyse que j'ai réalisée d'une lettre trouvée en possession de Boucher, au moment de son arrestation en mars 1995, indique qu'un de ses ennemis est en danger de mort. Dans cette lettre, Boucher affirme que seule l'élimination d'un individu, dont il ne mentionne pas le nom, peut mettre fin à la guerre des motards. En faisant des recoupements, j'en suis venu à la conclusion que l'homme dont il est question dans la lettre est Yvon *Momon* Roy, l'un des financiers de l'Alliance. Roy est assassiné à la fin juillet 1998, alors qu'il tond le gazon de sa résidence à Repentigny et que Boucher est incarcéré à la prison Tanguay. Après avoir délibéré, la juge Coupal remet Boucher en liberté, non sans lui imposer des conditions sévères et très restrictives. Boucher reconnaît sa culpabilité à cette infraction quelques mois plus tard, fin janvier 1996.

Les Hells Angels sont encore méconnus du système judiciaire. Les expressions « guerre des motards » ou « guerre des gangs » ne sont pas très courantes et mal comprises, autant du public que des juges. Je dois constamment expliquer ces termes lors de mes témoignages dans les causes impliquant des motards criminalisés. Je dois aussi me justifier à titre de témoin expert sur la question.

Mais, à force de persévérance, la procédure est établie. Dans le cas de chaque motard accusé, la Couronne, soutenue par Carcajou, demande à la cour une enquête afin de savoir si le prévenu peut bénéficier d'un cautionnement. Et nous n'hésitons jamais à porter la cause en appel dans le cas où la décision du tribunal nous est défavorable ou que nous l'estimons mal fondée d'un point de vue juridique.

Je suis fier de constater que mes efforts ont porté des fruits et que la notion de « motard criminalisé » fait maintenant partie du jargon judiciaire permettant aux tribunaux québécois de renforcer la protection du public.

La Tolérance Zéro des motards pour les témoins experts

Les motards aussi appliquent le principe de la Tolérance Zéro. Ils prennent connaissance des témoignages des policiers à leur endroit et en relèvent toutes les ambiguïtés de façon à s'en servir lors des procédures subséquentes devant les tribunaux.

La politique des avocats qui les représentent dans les cours de justice est de tenter de discréditer, par tous les moyens, les policiers appelés à témoigner. C'est la procédure normale dans mon cas. Je suis leur cible privilégiée. Je témoigne régulièrement à titre de témoin expert dans des procédures judiciaires qui impliquent des motards partout au Canada. Comme ma crédibilité est bien établie, ils considèrent, à juste titre, que je suis l'un des témoins qui leur fait « le plus mal » devant les tribunaux.

Les manœuvres pour me dénigrer ne datent pas d'hier. En juin 1997, lors des funérailles de Serge *Poupon* Tremblay, un membre du chapitre Trois-Rivières, Luc Dallaire m'avertit, en esquissant un grand sourire, « de faire attention dans mes témoignages ». Cette mise en garde survient deux jours après que Gaétan Rivest a déposé une dénonciation devant les tribunaux m'accusant de parjures dans des témoignages antérieurs, en novembre et décembre 1995.

Le premier juge à entendre la requête la rejette. Rivest décide d'en appeler et la cause est entendue par le juge Pierre Béliveau de la Cour supérieure du Québec, le 10 septembre 1997. Me Gilles Daudelin représente Rivest. Daudelin reconnaît devant le juge Béliveau que Rivest et lui mènent une croisade contre la police. La décision du juge Béliveau est cinglante[34] :

> *La cour conclut donc que non seulement la présente requête est dénuée de tout fondement mais qu'en sus, la décision du juge de paix est inattaquable et que les procédures intentées contre M. Ouellette n'ont aucune vraisemblance et sont abusives ainsi que vexatoires. Le recours à des poursuites pénales ne doit pas servir d'instrument de chantage ou d'intimidation…*
>
> *Dans les circonstances, la Cour n'a aucune hésitation à conclure, en se fondant sur les principes qu'elle a émis dans l'affaire Canada (Procureur général) c. Bisson (1995) R.J.Q 2409, que le requérant doit être condamné aux frais sur la base avocat-client. Après audition des parties, le soussigné les évalue à 500 $ dans le cas du procureur général du Québec et à 1 850 $ dans le cas de ceux du mis en cause Ouellette.* »

Pour ces motifs, la Cour

Rejette la requête;

Condamne le requérant à verser à M. Guy Ouellette une somme de 1850 $;

Condamne le requérant à verser au procureur général du Québec une somme de 500 $.

RICHARD *RICK* CIARNELLO

J'attends toujours le règlement final de cette décision du juge Béliveau.

En 1999, j'ai accès à des résumés des minutes des réunions des Hells. L'un de ces procès-verbaux fait état d'une requête faite par le secrétaire West Coast et président du chapitre Vancouver, Richard *Rick* Ciarnello, demandant à tous les Hells du Canada de lui faire parvenir toutes informations de nature à discréditer Guy Ouellette dans ses témoignages devant les tribunaux.

Les Hells savent bien que je connais mieux que la plupart d'entre eux l'histoire, le fonctionnement, les règles, et les us et coutumes de leur organisation. Mes témoignages dévastateurs contre eux se sont fondés sur les connaissances que j'ai acquises en les surveillant pendant près de 20 ans à la SQ et maintenant comme témoin expert indépendant. Durant toute ma carrière de policier, mes témoignages se sont toujours appuyés sur des documents saisis lors d'arrestations, de perquisitions ou sur des conversations que j'ai eues avec des personnes évoluant dans le milieu des motards criminalisés, du simple soldat au chef guerrier.

Conseillés par des policiers-renégats, comme les Rivest et Lepage, les Hells connaissent bien les rivalités entre les grands services de police et ne manquent jamais une occasion de tenter de les exploiter à leur avantage. À plusieurs reprises, dans des procès contre les Hells au cours des dernières années, il est arrivé que ce manque de collaboration entre les organisations policières affaiblisse la position du ministère public. Des questions de glorioles nuisent à la coordination étroite entre leurs témoins experts. Cette attitude consternante empêche leurs policiers de développer pleinement leur potentiel et limite celui de la relève policière. Comme témoin expert indépendant, j'en ressens encore les effets plus de quatre ans après mon départ de la SQ.

Les Hells, c'est une grosse et puissante machine. Chaque fois que je témoigne au Canada dans une procédure judiciaire, les avocats des Hells impliqués viennent au Québec rencontrer leurs collègues ou sont en contact téléphonique avec eux pour se faire *briefer* à mon sujet et ainsi préparer adéquatement leur contre-interrogatoire. C'est de bonne guerre. Cela fait partie de la *game* comme je l'avais déjà mentionné dans des causes en Alberta en 1998 et en Ontario en 2004.

Ils n'ont jamais essayé de s'en prendre à moi physiquement. Je n'ai pas connaissance qu'ils aient mis un contrat sur ma personne. J'ai toujours respecté les règles non écrites du *grand jeu* entre la police et les bandits. Ces règles sont de toujours faire la distinction entre leurs activités criminelles et leurs activités personnelles, en l'occurrence leurs vies privées. Pour moi, c'est une règle d'or. Ne jamais mêler les deux. Je joue toujours franc-jeu avec eux.

Ils veulent devenir riches en employant des méthodes criminelles, ils sont des professionnels du crime. Moi, je me considère comme un professionnel de la lutte contre la criminalité. Quand je suis en contact avec eux, je leur donne l'heure juste et je respecte ma parole. Ils peuvent dire du mal de moi, mais je pense qu'ils me respectent. Ils savent que Guy Ouellette n'est pas un « crosseur ». Mon job est de les mettre en prison et de contrecarrer leur ambition de devenir riches en vendant de la *dope*. Je fais mon travail en respectant scrupuleusement les règles d'une société démocratique.

Ce n'est pas un exécutant qui prendra la décision de se *faire* Guy Ouellette. Les ordres doivent venir d'en haut. Et en haut, ils savent que tuer un policier, fût-il retraité, engendre des réactions publiques, ce qui nuirait à leur image et à leur business. *Mom* Boucher a oublié cette règle élémentaire en donnant l'ordre d'assassiner des gardiens de prison.

CARCAJOU se mue en ERM

L'escouade Carcajou fonctionne très bien quand, quelqu'un au début de 1996, a la « brillante » idée de disperser les effectifs de Montréal dans diverses régions. En envoyant des ressources à Québec et à Sherbrooke, plusieurs dirigeants pensent obtenir des résultats importants contre les chapitres de motards criminalisés de ces régions. L'opération coûte très cher, tout en ne produisant que des résultats mitigés. Quand on se rend compte de l'erreur et qu'on rapatrie les enquêteurs de Carcajou à Montréal, ce sont les policiers de Québec et de Sherbrooke qui doivent assumer la charge de travail supplémentaire sans que leurs ressources en soient accrues.

En 1998, la police de Montréal se retire de Carcajou. Le directeur Duchesneau explique que la paix sociale est revenue à Montréal et qu'il n'y a donc plus lieu que ses hommes participent à l'escouade. Pour lui, Carcajou a perdu sa raison d'être.

Carcajou crée des frustrations dans les états-majors policiers. Certains officiers supérieurs expriment celles-ci sur la place publique. Dans l'enquête de la Commission Poitras, un officier d'état-major du SPVM va même jusqu'à livrer un témoignage dévastateur sur les policiers de la SQ et les pratiques en vigueur à Carcajou.

Il faut comprendre le déroulement d'une opération policière spectaculaire: saisie de drogues, arrestation d'un criminel notoire, démantèlement d'un réseau criminel quelconque. Dans les heures qui suivent, les médias sont convoqués à une conférence de presse. Un officier supérieur parle de l'opération et lit ses notes préparées à l'avance par un subalterne. On l'a *briefé* sur les détails de l'opération. On le voit sur les différentes chaînes de télévision et dans les journaux. Son travail se termine immédiatement après le point de presse. Pour les enquêteurs au dossier et le procureur de la Couronne qui a autorisé les dénonciations ou les mandats d'arrestation, c'est le début d'un travail ardu et fastidieux qui commence et qui se terminera lorsque le dernier accusé sera passé devant les tribunaux.

Carcajou et les ERM (Escouades Régionales Mixtes) ont produit des résultats opérationnels exceptionnels à cause de l'engagement total des procureurs de la Couronne dès le début des enquêtes, de l'excellence des enquêteurs travaillant aux dossiers et des analystes professionnels appuyant les hommes de terrain.

Je rêve du jour où, lors d'un point de presse, tous les intervenants en tenue de ville bien soignée prendront la parole à tour de rôle, devant les drapeaux de toutes les organisations participant aux opérations conjointes. Ce jour-là, ces organisations auront vraiment saisi le sens du « vrai partenariat » (s'oublier soi-même pour travailler en équipe).

En avril 1999, le SPVM accepte de contribuer de nouveau en déléguant des policiers à condition que le fonctionnement et la structure de Carcajou soient modifiés. L'état-major du SPVM est un partenaire important du ministère de la Sécurité publique dans la création des ERM; ces unités gardent le même mandat que l'escouade Carcajou. Seul le nom a changé.

La direction du SPVM revient donc dans le giron des unités conjointes, tout en conservant certains ressentiments à l'égard de la SQ. Un haut responsable du SPVM, Richard McGinnis, déclare en avril 1999, lors de la formation de l'ERM Montréal, qu'il est « très content » que le leadership de l'escouade métropolitaine de Carcajou soit confié à un policier du SPVM avant d'enchaîner: « Ça va de soi. La connaissance du territoire, ce sont les gens du SPVM qui l'ont. Ç'aurait dû être comme ça depuis le début. » Le commandant Francois Bigras du SPVM devient responsable de l'ERM Montréal. Il n'en est pas à ses premières armes dans l'escouade puisqu'il a été superviseur des enquêteurs qui ont démantelé le Dark Circle en novembre 1995.

Une semaine après l'annonce de la création de l'ERM Montréal, 21 bombes sont fabriquées et sont toutes destinées aux postes de quartier (PDQ) du SPVM. Maurice Boucher décide de profiter encore une fois de la situation pour déstabiliser la police et susciter un sentiment d'insécurité chez les Montréalais. L'enquête nous permet d'établir que ces bombes sans amorce, donc inoffensives, ont été posées par Robert *Bob* Dugal et Stéphane *Le blond* Faucher, deux membres des Scorpions affiliés aux Rockers Montréal. La commande, en passant par Normand *Pluche* Bélanger des Rockers, émane « des lunettes », le deuxième surnom de Boucher. Faucher prépare le communiqué qui accompagne les bombes en signant KOSOVO, sans doute une tentative dérisoire pour détourner les soupçons.

Dans les mois et les années qui suivent, des ERM se forment dans les villes de Québec, Trois-Rivières, Sherbrooke, Hull, Chicoutimi et Lachenaie en janvier 2004.

CHAPITRE 6

LA MONTÉE EN PUISSANCE DE *MOM* BOUCHER

L'année 1997 marque une étape charnière dans la lutte de Carcajou contre les Hells Angels et les autres motards criminalisés. Les opérations policières se multiplient. La police commence à marquer des points contre ces organisations, nouvellement appuyée comme elle l'est par l'entrée en vigueur de la loi antigang C-95, début mai 1997. Cette nouvelle loi nous permet, pour la première fois, de porter des accusations de gangstérisme.

Le nom de *Mom* Boucher revient de plus en plus souvent dans nos dossiers. Depuis son parrainage des Joker's Wild Card en mai 1991, Boucher est un sujet d'intérêt pour les renseignements criminels de la SQ. Notre intérêt va grandissant lorsqu'il étend son influence dans le milieu criminel en créant les Rockers Montréal en mars 1992. Après une analyse approfondie produite par Robert Gravel, je démarre le projet ABC qui a pour objectif de réunir le plus de renseignements possible sur Boucher. Je veux tout savoir sur l'individu. L'enquêteur Michel Martineau se voit confier la tâche de mettre à jour notre dossier sur l'implication de Boucher dans différentes entreprises commerciales et de découvrir qui fait partie de son réseau de contacts[35].

Boucher s'entraîne régulièrement au Pro-Gym, coin Bennett et Hochelaga, en face du poste de quartier 23, tout près

2101 BENNETT, LOCAL NOMADS

BOUCHER, PHOTOS MUR LOCAL HELLS

du siège des Nomads, à quelques pas de là. La majorité des membres des Rockers, des Nomads et leurs amis s'y entraînent aussi. Bien qu'il loue un local dans l'édifice, Boucher gère ses affaires criminelles importantes en marchant.

Il entre dans une ruelle, ressort par une autre rue, marche le long du chemin de fer, s'achète un sandwich au marché Maisonneuve, avant de retourner dans la cour de son bureau sur Bennett ou du Pro-Gym sur Hochelaga. Il est imprévisible. Il sait que dans son domaine toute routine peut le rendre vulnérable à ses ennemis de la police ou des bandes criminelles adverses. Il nous complique ainsi la tâche pendant des années. On est loin d'Hollywood, de ses micros directionnels à longue distance et de ses interceptions de communications par satellite. À cette époque, d'autres technologies, que je ne mentionne pas, peuvent être très efficaces pour déjouer les plans de *Mom* et s'adapter à sa stratégie, mais les lenteurs administratives et les contraintes budgétaires jouent souvent contre nous.

MAURICE BOUCHER EN HABIT, 1993

Boucher est un gars qui aime le pouvoir et l'argent. Il aime le luxe comme en rêve un Nord-Américain de classe moyenne. Loin d'être un amateur de sushi, c'est plutôt un gars de Steak House. Ce n'est pas non plus un type qui aime se pavaner avec ses couleurs. La plupart du temps, il est *en civil.* Il porte rarement son blouson de cuir avec son emblème des Hells Angels. À mon avis, le rituel et la philosophie de vie des Hells, il s'en moque comme de sa première chemise, mais cette crainte et cette insécurité projetées sur la population par l'image des Hells lui sont utiles pour assurer son pouvoir sur les soldats de son organisation.

OUELLETTE, *PATCHE* HELLS PERQUISITION LONGUEUIL

Au cours des années, j'ai participé à de nombreuses perquisitions dans des locaux de motards criminalisés. Je crois d'ailleurs les avoir tous visités, certains même, à plusieurs reprises.

LOCAL HELLS SOUTH SAINT-BASILE-LE-GRAND

Dans chacun de ces locaux, il y a toujours de nombreuses photos aux murs pour renforcer le sentiment d'appartenance à l'organisation. On trouve d'abord une photo générale du chapitre avec, normalement, une moto Harley-Davidson au centre et ensuite des photos individuelles de tous les membres entourant la photo de groupe. Sur ces photographies, les motards portent fièrement leurs couleurs d'appartenance aux Hells Angels. À l'occasion d'une perquisition au local de Longueuil des Hells Montréal, j'ai pu voir une photo individuelle de Boucher en costume-cravate.

Après l'adoption de la loi antigang de 1997, les Hells ne savent plus trop sur quel pied danser. Leurs avocats leur font des analyses de la nouvelle loi et des répercussions qu'elle peut avoir sur leurs rassemblements où les participants arborent avec fierté leurs couleurs d'appartenance au groupe[36].

Trois semaines après l'adoption de la loi antigang, un nouveau chapitre, celui de South, est fondé sur les conseils de leur avocat. Selon cet avis, les neuf membres fondateurs, qui appartiennent tous au chapitre Montréal, se soustraient ainsi à la nouvelle définition que le code criminel donne au mot gang. Selon cette définition, un gang est un groupe qui comprend au moins cinq personnes condamnées dans les cinq dernières années pour des actes criminels punissables de cinq ans d'emprisonnement ou plus. Ce qu'on appelle la règle des trois 5. Or, aucun de ces neuf motards n'a été condamné au cours des cinq dernières années.

BOUCHER, OUELLETTE ET ÉTHIER EN 1997

LEFEBVRE, LEFEBVRE, ST-PIERRE ET CHARRON INTOXIQUÉS À L'AZOTE

Quelques semaines plus tard, un membre du chapitre Trois-Rivières, Serge *Poupon* Tremblay, perd la vie dans un accident de la route dans la région de La Tuque. Je fais partie de l'équipe de surveillance lors de ses funérailles, les 15 et 16 juin 1997. Boucher se présente à notre point de vérification près du local des Hells avec Louis *Bidou* Brochu, membre du chapitre Sherbrooke, et Richard *Dick* Mayrand, membre du chapitre Montréal. À mon plus grand étonnement, tous les trois portent des blousons en jeans, des casques protecteurs du genre *full face* et conduisent des motos japonaises de marque Honda et Kawasaki.

BOUCHER GRIMACE EN 1997

INTERDIT AUX FEMMES

Ils renoncent ainsi à leurs Harley-Davidson et à leurs couleurs de Hells pour assister à ces funérailles, sans doute pour surprendre la police ou des tueurs éventuels qui ne peuvent ainsi les repérer, cachés par leur casque à visière complète. En une autre occasion, ils procèdent de façon complètement différente. Lors des anniversaires des chapitres Trois-Rivières et Nomads, qui ont été secrètement reportés du 24 juin au 1er juillet 1997, personne ne porte ses couleurs et aucun motard n'arrive en moto. Boucher, accompagné de sa femme, arrive au volant d'un petit véhicule Tracker blanc. Il fait des grimaces en direction de notre caméra vidéo lorsque je lui parle.

Contrairement à l'image qu'on s'en fait, un *party* officiel d'un chapitre Hells Angels n'est plus, depuis les années 90, une orgie de sexe, d'alcool et de drogues. Les Hells savent qu'ils sont sous observation policière et ne veulent pas donner à la police l'occasion de les prendre en défaut. Ces rencontres sont donc devenues de grosses fêtes familiales.

On fait un méchoui et on y va avec femme et enfants. On y invite aussi tous les autres membres des chapitres canadiens. Même si l'une des principales activités de ces organisations criminelles est le trafic de stupéfiants, il ne doit normalement pas se consommer de drogue dans un *party* des Hells. Ils savent fort bien que s'ils consomment de la drogue ou se saoulent, ils risquent de se faire arrêter lors d'un contrôle routier. Ils s'intoxiquent donc à l'azote. Ils gonflent des ballons et en aspirent le contenu à petites doses. Ils appellent cela faire de la «balloune». C'est devenu une tradition chez les Hells et leurs affiliés au Québec. Dans leurs *partys*, ils font les mêmes pitreries que les autres humains quand ils sont en état d'ébriété. Eux, c'est sous l'effet de l'azote.

Rien de compromettant, rien de criminel ne se déroule normalement dans les locaux de motards criminalisés. Ils sont paranoïaques. Ils pensent que la police y a installé des micros. Partout, sur les murs, il y a des affiches: «Attention à ce que tu dis au téléphone» ; « Téléphone, danger » ; « Le local est bogué » ; «Ce que tu dis, ce que tu entends, reste icitte». Quand ils remettent leurs couleurs à de nouveaux membres et qu'ils doivent à cette occasion évoquer publiquement leurs réalisations criminelles, ils font ça dans des hangars ou dans des garages à l'abri des écoutes policières.

Boucher mise sur les médias pour déstabiliser la police

Maurice Boucher est de plus en plus irrité par les frappes policières contre les membres de son organisation. Il cherche toujours de nouveaux moyens afin de déstabiliser les policiers et le système judiciaire en commettant des gestes spectaculaires. C'est au cours de l'année 1997 que Boucher accentue sa croisade en créant l'OSAPP (Organisation de surveillance des abus politiques et policiers) et en publiant, en octobre 1997, le premier numéro du journal *Le Juste milieu* qui paraîtra encore à quatre reprises. Son ami Robert Savard et l'ex-policier Gaétan Rivest deviennent les maîtres d'œuvre de ces deux créations. Le président Rivest émet pour Maurice *Mom* Boucher la carte de membre numérotée «0001» de l'OSAPP.

0001

Maurice "Mom" Boucher
membre officiel (niveau platine)

7105, rue St-Hubert, suite 200
Montréal (Québec) H2S 2N1
(614) 277-2666 Fax: 277-5258

O.S.A.P.P.

Président

CARTE OSAPP DE MAURICE BOUCHER 0001

LE JUSTE MILIEU

Volume 1 Numéro 4

1,99$

JACQUES DUCHESNEAU

UN FURONCLE

SUR LE VISAGE POLITIQUE MONTRÉALAIS

VIOLENCE À DOLBEAU

LA VÉRITÉ SUR L'AFFAIRE CHEVALIER

SCANDALE AUX CAISSES POPULAIRES

NOUVEAU MOTS CROISÉS

ATTENTION!

LA LECTURE DE CE JOURNAL PEUT OCCASIONNER UNE PRISE DE CONSCIENCE DOULOUREUSE

À VOS RISQUES

JOURNAL *LE JUSTE MILIEU* VOLUME 1 NUMÉRO 4, PAGE COUVERTURE

Sa campagne médiatique contre la police et particulièrement contre la SQ est déjà engagée depuis quelques années. Ainsi, en 1995, il fait imprimer un tract sur la responsabilité de la police dans la guerre des motards. Il envoie Gaétan Rivest, accompagné de Robert Savard et de Me Gilles Daudelin rencontrer le ministre Ménard, le 25 avril. Gaétan Rivest n'a pas de contact direct avec *Mom*. Le chef des Nomads transmet ses ordres par l'entremise de Robert Savard qui les relait à Rivest.

À plusieurs reprises, à la cafétéria du 5e étage du palais de justice de Montréal, j'observe Boucher, flanqué de Tousignant et d'autres Rockers, recevoir en *audience* Robert Savard ou les avocats Daudelin, Cliche ou Frigon. Rivest, lui, s'assoit toujours à une table adjacente à celle de la discussion et n'y participe jamais[37].

Dans les mois qui suivent, Gaétan Rivest devient un collaborateur régulier de l'émission d'André Arthur à CKVL, où il discute avec Claude Poirier de questions touchant la Sûreté du Québec. Poirier autant qu'Arthur enragent de voir que la SQ n'a jamais voulu que je réponde à leurs questions dans le cadre de leur émission radiophonique journalière. Ils répliquent à notre mutisme par le dénigrement. Ils s'en prennent souvent à moi à cette époque.

Après Rivest, *Toots* Tousignant est la figure la plus visible de la campagne médiatique de Boucher. Il prend plaisir à ridiculiser le système. Dans une entrevue en direct du local des Rockers, le matin du 27 avril 1995, avec Claude Poirier durant l'émission de Pierre Pascau, Tousignant explique comment il a suivi son cours de « dynamiteur » payé par l'assurance-chômage, en 1988. Il ajoute que, par la suite, il a obtenu son permis général d'explosifs de la SQ parce qu'il n'avait pas encore de dossier criminel.

Lors de la conversation du 29 avril, Boucher avertit Gilles Mathieu que sa campagne pour déstabiliser la police ne fait que commencer, qu'il augmente la pression tant que la police n'abandonne pas la sienne sur les Hells. Boucher se sent de plus en plus puissant, de plus en plus invulnérable. Il se félicite d'avoir réussi à mettre les médias de son côté dans sa lutte contre la SQ. Il se rend compte que le système contre lequel il se bat est, au fond, très désorganisé. Facile à déstabiliser. La coopération de certains journalistes et de certains médias lui permet de créer et d'entretenir de la bisbille.

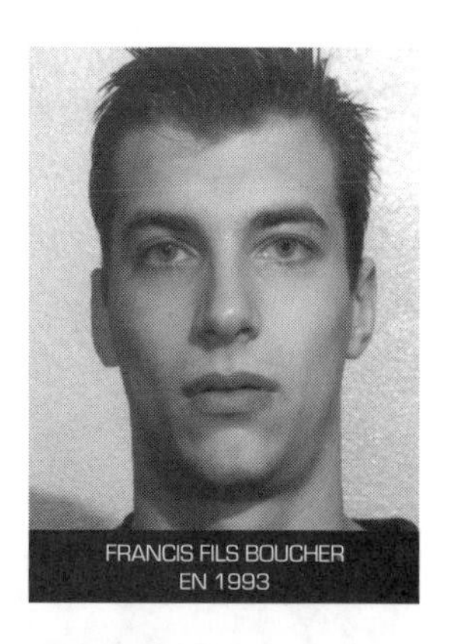
FRANCIS FILS BOUCHER EN 1993

Lorsque Boucher est remis en liberté en octobre 1995, ses conditions de libération lui interdisent d'être en contact avec ses amis, ses associés, et avec tout motard canadien. Pour lui, c'est impossible de vivre comme ça. Cela entrave complètement sa « business ». Il charge son fils Francis de s'occuper de ses affaires et ce dernier devient son chauffeur et son garde du corps.

EMBLÈME ROCKERS MONTRÉAL

Le 18 janvier 1996, le véhicule à bord duquel se trouve les deux Boucher est contrôlé par les policiers du SPVM. On trouve une arme dans la boîte à gants. Pour protéger son père, Francis déclare qu'il en est le propriétaire. Quelques jours plus tard, *Mom* décide de régler sa cause pendante d'incitation à commettre un acte criminel. Il plaide coupable et le juge le condamne à une amende de 2 000 $. « Des pinottes ! »

Dès mon arrivée aux renseignements criminels, j'entends parler de Francis *Fils* Boucher, fils aîné de *Mom*. Âgé de 17 ans, Francis est impliqué dans l'organisation d'une rencontre néonazie dans les îles de Sorel, prévue pour la fin juillet 1992. Radio-Canada l'interviewe, début juin, en tant que dirigeant de l'organisation raciste White Power au Québec. Les Hells de Montréal envoient une lettre ouverte aux journaux pour démentir toute affiliation avec le « pouvoir blanc ». Le secrétaire du chapitre Montréal, Robert Bonomo, dément publiquement à la télévision toute implication des Hells dans l'organisation de cette réunion.

Finalement, plutôt que d'avoir lieu dans les îles de Sorel, la rencontre néonazie se déroule à Saint-Lin et n'a pas l'envergure prévue. Encore une fois les médias ont amplifié l'importance du phénomène.

OUELLETTE EN DISCUSSION AVEC ROBITAILLE, CARROLL ET Me GILBERT FRIGON EN 1998.

Francis *Fils* Boucher est très près de son père et est vu comme son successeur présomptif. S'il en reste quelque chose, c'est lui qui, un jour, reprendra ses affaires. Le jeune Boucher a fait ses classes dans le milieu motards au sein des Rockers Montréal. Je le vois pour la première fois, avec l'écusson *striker* Montréal cousu sur sa veste de cuir[38], aux funérailles de Gérard Fontaine, père du Nomads Paul *Fonfon* Fontaine, en octobre 1998, à Sainte-Adèle.

Fils Boucher devient membre à part entière de la bande à papa le jour du 7e anniversaire de fondation du club des Rockers, en mars 1999. Quelques mois plus tard, la police l'arrête alors qu'il est armé et qu'il fait de la surveillance, « de la *watch* », à l'hôpital de Saint-Jérôme. Je participe activement à l'élaboration de cette opération avec les policiers de la ville de Saint-Jérôme au cours de laquelle six Rockers sont arrêtés et détenus. Trois armes à feu chargées sont aussi saisies.

Le lendemain de l'arrestation de son fils, *Mom* fait ses pitreries habituelles devant la caméra d'une des stations de télévision qui attendent la comparution de trois des accusés au palais de justice de Saint-Jérôme. Boucher se rend ensuite au poste de police avec des Nomads et d'autres Rockers pour récupérer la voiture de location et les effets personnels de Francis. Ce dernier plaide coupable début décembre 2000 et le juge le condamne à 12 mois de prison. Francis Boucher est encore détenu lorsqu'il est accusé de nouveau dans le cadre de l'opération Printemps 2001. Après un autre plaidoyer de culpabilité, le juge Béliveau le condamne à 10 ans de pénitencier pour trafic de stupéfiants et gangstérisme.

Il termine ses études collégiales durant son incarcération. Comme Francis Boucher, plusieurs motards incarcérés apprennent des métiers, d'autres se lancent dans l'apprentissage de l'anglais ou de l'espagnol, langues utiles dans leur secteur de travail. Je m'attends à ce que Francis Boucher essaie à son tour d'abuser le système correctionnel en prétextant se retirer des motards afin de bénéficier plus rapidement d'une libération conditionnelle.

Des tueurs à gages qui deviennent délateurs

En février et avril 1997, deux tueurs à gages à la solde de Boucher, Ronnie Marcogliese et Aimé Simard, sont arrêtés. Ça crée une onde de choc chez les Nomads et les Rockers. L'homme qui fait le lien entre Marcogliese et Boucher est Richard St-Amand, un *hangaround* Nomads.

Marcogliese correspond parfaitement à la définition du tueur à gages. Il vient à Montréal en autobus pour commettre ses meurtres, collecte ses honoraires professionnels et retourne au Saguenay où il vit. Il est arrêté en flagrant délit de tentative de meurtre à Carignan sur la Rive-Sud de Montréal. Il est venu en motoneige assassiner sa victime, un dénommé Savaria. Au moment de commettre son crime, son arme s'enraie. Il prend la fuite sur son « ski-doo », mais il est rattrapé par l'homme qu'il voulait tuer et qui lui administre une raclée avant que la police arrive sur les lieux. Savaria est un *dealer* indépendant qui nuit au commerce de drogue des Nomads dans la région.

La police réussit à retourner Marcogliese qui décide de parler par crainte de se faire tuer en prison. Son arrestation nous permet de solutionner un autre meurtre survenu dans la nuit du 7 janvier 1997. Une innocente victime, Guy Lemay, est tuée par erreur dans son logement de Pointe-Saint-Charles. Le tueur a reçu de ses commanditaires la mauvaise adresse. Lemay, un agent de sécurité, est atteint de plusieurs balles dans le dos. Le lendemain matin dans les journaux, la vraie cible de Marcogliese, qui habite à l'étage au-dessus de la victime, fait des déclarations publiques et des bravades aux motards en leur disant qu'il n'a pas peur d'eux. Toutefois, le fanfaron, aussitôt son spectacle devant les caméras terminé, s'empresse de déménager.

Boucher n'est pas identifié comme l'homme qui a commandé les assassinats parce que Richard St-Amand, l'intermédiaire, garde le silence. Le lendemain de la tentative de meurtre de Carignan, St-Amand quitte la région de Montréal. Il est arrêté un an plus tard en République dominicaine par les enquêteurs de la SQ. À son retour au Canada, St-Amand plaide coupable et est condamné à 83 mois de pénitencier pour tentative de meurtre[39].

Aimé *Ace* Simard, un autre tueur à gages des Rockers, est arrêté le 11 avril 1997 pour le meurtre de Jean-Marc Caissy, un *friend* des Rock Machine, survenu le 28 mars à 21 h 45 à sa sortie d'un aréna d'Hochelaga-Maisonneuve où il venait de jouer au hockey cosom.

Simard arrive au local de la rue Gilford vers 23 h 30 en compagnie de Bruno Lefebvre pour fêter son *hit*, après s'être débarrassé de ses vêtements et avoir caché son arme dans son casier cadenassé du Pro-Gym de la rue Hochelaga. L'enquête policière permet d'arrêter *Ace* parce qu'il est proche d'un certain Dany Kane, à l'époque, un informateur de la GRC. Simard fait la bêtise de lui faire trop de confidences. Après avoir récupéré l'arme au Pro-Gym, on la relie à la scène de crime par une solide preuve scientifique. *Ace* sent la soupe chaude. Ses amis Rockers commencent à l'éviter.

Lorsqu'on arrête Simard pour le meurtre de Caissy, il est facile de le convaincre de devenir délateur puisqu'il agit déjà comme informateur pour la police de Québec.

Neuf individus reliés aux Rockers sont arrêtés à la suite de ses déclarations, dont cinq pour répondre du meurtre de Caissy.

Le 28 mars 1997, un Vendredi saint, j'ai rendez-vous au ministère de la Justice à Québec pour faire un *briefing* à deux juristes qui préparent les suggestions qui doivent être faites au gouvernement fédéral au sujet de la loi antigang qui est en processus de rédaction à Ottawa. En compagnie de l'inspecteur Richard St-Denis de la SQ, j'explique aux deux avocats les dessous de la guerre des motards, de la campagne de déstabilisation contre les organisations policières et de la violence criminelle qui caractérise, en général, le monde des motards criminalisés. La rencontre doit durer deux heures, mais elle se termine tard en fin d'après-midi, sans que nous ayons pris le temps de dîner.

Dès la fin de la réunion, je rentre en vitesse à Montréal pour aider les policiers du SPVM à l'identification des motards qui assistent aux célébrations du 5e anniversaire des Rockers

Montréal. J'arrive à temps devant le repaire de la rue Gilford pour voir défiler la majorité des motards et affiliés des autres chapitres Hells du Québec. J'assiste aussi à l'arrivée d'une limousine ayant à son bord plusieurs danseuses de l'agence Modern Jazz qui vont donner un spectacle dans le local. Par la suite, j'ai aussi une discussion avec une demi-douzaine de motards Red Liners Winnipeg, invités aux célébrations.

Vers 21 h 30, Boucher sort du local sans survêtement pour aller avertir la femme qui habite la maison voisine du local de la tenue du *party*. Le temps est très frisquet. Je vais à sa rencontre. Nous avons une conversation d'une vingtaine de minutes. Il me parle du harcèlement qu'il dit subir des policiers du SPVM aux abords du local, de la bombe au repaire des Hells à Saint-Nicolas quelques semaines plus tôt, de la guerre en général avec les Rock Machine, du battage médiatique autour de la loi antigang et du fait que nous ne sommes pas à la maison avec nos familles. Il n'y a personne d'autre que nous sur le trottoir; les policiers s'affairent à leurs vérifications aux deux extrémités de la rue Gilford. Sans que Boucher le lui demande, son garde du corps, Stéphane *Monroe* Carrier, un *hangaround* Nomads, vient lui porter un veston de cuir quand il s'aperçoit que Boucher frissonne.

Alors que Boucher enfile son veston, mon téléphone cellulaire sonne. On m'avise qu'un meurtre relié aux Rock Machine vient de survenir non loin du local. Boucher doit comprendre de quoi il s'agit. Je me rappelle encore son expression faciale. Il sourit sans rien dire. À son attitude, je comprends ce qu'il pense: «Tu ne peux pas m'accuser de ce meurtre-là. Tu es mon meilleur alibi.» Il se retourne et rentre dans le local en compagnie de Carrier.

Après les arrestations de Marcogliese et de Simard, la fuite de St-Amand, les arrestations de Woolley, Provencher, Falls et St-Pierre reliés à ses Rockers, *Mom* se sent vulnérable, d'autant plus que l'arrestation d'un autre tueur à gages, Serge *Skin* Quesnel, vient de décimer les rangs du chapitre Trois-Rivières. Lors des arrestations de Simard et de Marcogliese, Quesnel est en plein témoignage à Québec, dans le procès de Louis *Melou* Roy des Nomads, celui-là même qui l'a engagé.

Le pouvoir de Boucher sur le milieu criminel repose sur la violence. On lui obéit parce qu'il n'hésite pas, en tant que chef de gang, à faire assassiner ceux qui s'opposent à lui. Boucher a besoin de tueurs, mais il doit s'assurer que ceux qui exécutent ses ordres ne se retourneront pas contre lui et ne deviendront pas des délateurs pour sauver leur propre peau s'ils sont arrêtés. Il comprend parfaitement que les témoins repentis sont un apport décisif pour obtenir des condamnations et qu'ils pourraient éventuellement entraîner sa propre mise en accusation. Il cherche une façon de se protéger contre d'éventuelles délations. C'est ainsi qu'il conçoit un plan diabolique et terriblement efficace pour s'assurer de la loyauté et du silence de ses hommes de main. Il les oblige à commettre des crimes tellement graves, aux répercussions tellement importantes pour eux, qu'ils ne peuvent penser s'en tirer à moindres frais en devenant délateurs s'ils sont démasqués.

Boucher veut mettre sa personne et son organisation à l'abri de la police et des autorités en faisant tuer des gardiens de prison, des policiers, des juges et des avocats de la Couronne, les trois piliers du système judiciaire. Le chef Nomads mise, d'une part, sur le fait qu'il est impossible pour la Couronne de négocier avec quiconque s'attaque au système de justice. Il est assuré, d'autre part, que jamais le tueur d'un gardien de prison, d'un policier, d'un juge ou d'un procureur de la Couronne ne parlera. Il est convaincu que le tueur se fera lui-même tuer en prison par des gardiens furieux ou encore qu'il fera ses 25 ans en isolement, « dans le trou ». De cette façon, Boucher pense avoir trouvé la parade absolue pour se protéger contre le système : le priver de délateurs.

Pour Boucher, accepter ses ordres d'assassiner un représentant de la loi, un gardien de prison est l'ultime preuve de loyauté. Il veut s'entourer des motards les plus durs, les plus dévoués, les plus déterminés et les plus fiables[40]. Leur récompense est d'être admis dans les Nomads, le summum dans la hiérarchie des motards, le *nec plus ultra*. C'était le test ultime pour être accepté dans le Saint des Saints. C'est la raison pour laquelle il choisit des *hangarounds* Nomads pour lancer son projet. Comme il faut compter environ 12 mois pour gravir un échelon, un *hangaround* Nomads peut devenir membre en 24 mois. Or, les Nomads constituent les têtes dirigeantes, ceux qui contrôlent tout, ceux qui ont l'argent et le pouvoir. Boucher veut ainsi s'assurer que ses futurs partenaires sont fiables et ne le trahiront jamais.

L'assassinat de gardiens de prison a une autre conséquence positive pour Boucher et son organisation à l'intérieur des murs des prisons. Ses hommes peuvent ainsi imposer leur volonté dans les établissements de détention à cause de la peur qui s'emparera des gardiens prenant conscience de leur vulnérabilité aux représailles des Hells Angels en liberté. On l'a vu, Boucher développe, lors de ses séjours derrière les barreaux, une aversion maladive envers les gardiens de prison.

Faire partie des Hells Angels, c'est faire partie d'une organisation avec ses règles, ses rites de passage et ses cérémonies initiatiques. Et être un tueur donne à un individu un prestige particulier chez les motards criminalisés. En plus, porter une décoration sur sa veste ZZ, Filthy Few, Front Line ou 666, qui sont tous des équivalents, devenir tueur pour l'organisation des Hells permet d'obtenir des promotions beaucoup plus rapidement. Cette décoration ne peut être portée que par les membres des Hells Angels et permet de sauter les étapes et de raccourcir les périodes probatoires de 12 mois entre les promotions. Dans le passé, seul quelqu'un qui a tué pour le club peut prétendre au titre de *Full Patch* d'un chapitre des Hells. Ce n'est plus le cas maintenant, car quelques exceptions ont changé la règle. Mais cela aide encore considérablement.

Le 24 juin 1996, le chapitre Nomads compte cinq *hangarounds* qui sont tous d'anciens membres Rockers, soit Paul *Fonfon* Fontaine, André *Toots* Tousignant, Stéphane *Monroe* Carrier, André Chouinard et Richard *Le gros* St-Amand. À partir du 1er mai 1997, ce nombre passe à sept, car deux autres ex-membres Rockers viennent s'ajouter, soit Sylvain *Ti-mé* Laplante et Normand *Norm* Robitaille; tous veulent faire leurs preuves pour devenir membres en règle des Nomads.

STÉPHANE *GODASSE* GAGNÉ EN 1997

Plusieurs individus de l'entourage des Rockers rêvent aussi de passer aux Nomads. C'est le cas de Stéphane *Godasse* Gagné qui n'est pas encore un motard lorsqu'il rencontre Boucher en 1994. Il continue de faire des affaires avec les Rockers, tout en n'ayant aucun statut officiel. Il est donc encore très loin d'une *patche*. Gagné est un bon exécutant, il possède le genre de profil psychologique qui le rend parfaitement capable de tuer pour accélérer ses promotions. C'est lui le personnage central dans le drame de l'assassinat des deux gardiens de prison et des événements qui, par la suite, provoqueront la chute de Maurice *Mom* Boucher.

Godasse rencontre *Mom*

Avant de frayer avec l'organisation des Hells, Stéphane *Godasse* Gagné se livre au trafic de stupéfiants dans le quartier Hochelaga-Maisonneuve avec son associé Tony Jalbert. Trafiquants indépendants, ils n'appartiennent à aucune organisation criminelle. Stéphane Gagné et son associé s'approvisionnent en stupéfiants auprès des Rock Machine, des Hells Angels et des groupes mafieux.

Durant l'été 1994, Gagné et Jalbert commencent à subir les pressions des Rockers. Ceux-ci les menacent de fermer leurs piqueries. Tony Jalbert, alors en prison, recommande à son associé Gagné d'aller voir Boucher et de lui proposer de *dealer* avec les Hells, à condition que les Rockers le laissent en paix. Boucher accepte l'offre de Gagné, qui peut poursuivre ses activités.

En décembre 1994, Stéphane Gagné est incarcéré à Bordeaux pour trafic de cocaïne. Il s'est fait prendre par un agent d'infiltration de la police. Il est détenu dans l'aile C, majoritairement occupée par des Rock Machine. Ces derniers, qui savent que Gagné est inféodé à Boucher, exigent qu'il piétine l'une de ses photos. Devant son refus, ils lui administrent une raclée. Gagné prend sa revanche contre le Rock Machine Jean *Le Français* Duquaire à la fin mars 1995. Il est alors transféré à la prison de Sorel où il renoue avec Maurice Boucher qui y purge sa peine pour possession d'arme à feu chargée.

Les deux hommmes se côtoient régulièrement lors des sessions des Alcooliques Anonymes et des Narcomanes Anonymes offertes aux prisonniers. On refuse la demande de Gagné d'être transféré dans la même aile de prison que Boucher. Gagné se plaint à Boucher des gardiens de prison, qu'il rend responsables de ses multiples transferts.

Gagné nous révèle, lorsqu'il devient délateur, que Boucher a offert à un gardien de payer son hypothèque pour que les prisonniers de son aile aient plus d'heures de promenade par jour. Le gardien a refusé. Peu de temps avant, à la mi-juin,

Boucher, frustré que les détenus de son aile ne puissent aller à la piscine, a demandé à Gagné de l'endommager. Gagné s'est exécuté en déchirant la toile de la piscine.

Durant son incarcération à Sorel, Boucher fait une demande de permis d'absence temporaire toutes les semaines. La directrice de l'établissement, madame Nicole Quesnel, les lui refuse toutes en invoquant son appartenance aux motards criminalisés. Ces refus le mettent hors de lui. Il confie à Jasmin Lemay, un détenu que Boucher s'est attaché comme « faiseur de commissions », que s'il arrive malheur à madame Quesnel, elle saura vraiment ce qu'est le crime organisé.

Quelques semaines plus tard, alors qu'il est seul avec Lemay dans son dortoir, il prend une revue qui contient des photos des dirigeants de la prison. Il marque du chiffre 1 la photo de la directrice Quesnel, et des chiffres 2 et 3, deux de ses collaborateurs, le sergent Dumoulin et l'agent correctionnel Léon Cormier. Ces trois personnes sont chargées d'octroyer des permis d'absence temporaire.

La veille de la libération de Lemay, début juin 1995, Boucher lui dit que ses amis André *Toots* Tousignant et Daniel *Botteux* Lanthier vont lui rendre visite le lendemain. Il demande à Lemay de leur faire le message qu'il veut que le n° 1 de la revue passe au feu, ajoutant: « Qu'elle pis ses enfants soient dedans, je m'en crisse, ça sera une bonne leçon pour les autres. Que ça soit fait comme du monde. Les deux autres, ça presse pas. »

Effectivement, le lendemain, Lemay, qui a sorti la revue de prison sans attirer les soupçons des gardiens, rencontre *Toots*, *Botteux* et un détenu, Claude Lamoureux, qui a un permis d'absence temporaire de Sorel. Lemay leur fait le message de Boucher en remettant la revue à Lanthier.

C'est Claude Lamoureux qui nous confie, par la suite, ces informations. Il était aussi détenu dans l'aile G avec Maurice Boucher. Il nous révèle aussi que Boucher lui a déjà dit que: « La vache, elle va payer pour », en parlant de madame Quesnel. À son retour à la prison, à la suite de son absence temporaire, Lamoureux apprend qu'un incendie a ravagé la maison de la directrice de l'établissement et entend Boucher dire: « La Quesnel, a va se promener longtemps avec ses guenilles. »

LOCAL NOMADS ET ROCKERS

ROCKERS MONTRÉAL EN 1996 : CROTEAU, SERRA, LAPLANTE, FALLS, SIROIS, BOURGOUIN, PROVENCHER, JOHNSON, LOCK, SIGMAN ET LANTHIER

Le 14 juin 1995, les administrateurs du centre de détention de Sorel décident que l'appartenance à un groupe criminalisé n'est plus un motif de refus de sorties.

Le 24 juin 1995, lorsque madame Quesnel va apprendre à Boucher qu'il pourra bénéficier de sorties, il lui demande en souriant comment elle se porte. Quand elle répond qu'elle va bien, il ajoute : « Juste bien ? » Boucher lui demande ensuite si les autres Hells Angels vont également bénéficier de sorties et madame Quesnel lui répond qu'il n'y aura pas de problème tant qu'ils correspondront aux exigences. Boucher se déclare alors content. Voilà comment un chef motard impose ses volontés au service correctionnel du Québec.

Boucher sort de prison avant Gagné, qui est libéré en avril 1996. Dès sa sortie de prison, Gagné communique avec Francis Boucher[41] afin qu'il le mette en contact avec son père Maurice, qu'il rencontre dès le lendemain au bureau de la rue Bennett. Quelques jours plus tard, Gagné reçoit 1 000 $ de *Mom*, afin qu'il se rende disponible en prévision « d'un job » à faire.

Gagné est de nouveau incarcéré pour un crime mineur et, à sa libération au printemps 1997, il retourne au local de la rue Gilford, afin d'y obtenir « de l'ouvrage ». Steven *Sandman* Falls lui offre d'appartenir à son « équipe de football ». En effet,

Boucher a créé dans son organisation des équipes de « baseball » et de « football ». Bien sûr, il ne s'agit pas véritablement d'équipes sportives. Les équipes de « football » regroupent les tueurs de l'organisation, tandis que les équipes de « baseball » s'occupent de faire régner la peur en utilisant la violence.

Gagné n'a encore jamais tué personne, il ne reste au sein de l'équipe de Falls qu'une ou deux semaines. Il estime que les membres parlent trop au téléphone et qu'ils sont imprudents. Tousignant et Fontaine, maintenant des *hangarounds* Nomads, dirigent chacun une de ces « équipes de football », tout comme le Rockers Falls. Gagné s'adresse à Paul Fontaine et à André Tousignant afin de changer d'équipe. On l'assigne à « l'équipe de football » du quartier gai, territoire de Paul Fontaine. Tout en étant membre de cette équipe, Gagné a la tâche de veiller aux intérêts des Nomads dans le commerce des stupéfiants.

Deux mois après sa tentative de meurtre contre Christian Bellemare en mars 1997, Gagné se hisse au rang de *hangaround* Rockers, alors que Tousignant et Fontaine restent ses supérieurs. Tousignant, outre son rôle de tueur dans l'organisation, assure aussi la protection de Boucher.

Chapitre 7

LES MEURTRES DES GARDIENS DE PRISON

C'est à la fin du printemps 1997 que le projet de Boucher de faire assassiner des représentants du système juridico-policier se met en branle. Il vise d'abord les gardiens de prison, un groupe qu'il déteste particulièrement à cause des nombreux conflits qu'il a eus avec eux durant ses séjours derrière les barreaux.

Fin mai ou début juin 1997, Paul Fontaine demande à Gagné d'entreprendre la surveillance des horaires de travail et des trajets des gardiens du centre de détention de Rivière-des-Prairies. Il veut que Gagné utilise deux véhicules ; le premier, volé, sert à se rendre sur les lieux du crime et le second, loué, est caché non loin de là. Il va servir de véhicule de fuite.

Bien que Gagné soit considéré comme un spécialiste du vol de voitures, Boucher lui interdit de voler des véhicules, en lui disant qu'il est plus utile pour faire autre chose au sein de l'équipe de « football » de tueurs de Fontaine. « Si tu te ramasses en dedans un huit, neuf mois, lui dit Boucher, tu es plus important dehors que d'aller voler des chars et puis de faire de la prison pour rien. On paiera pour faire voler des chars à ta place. »

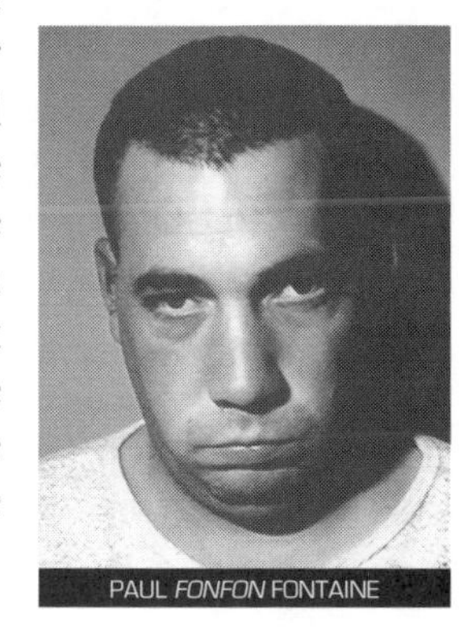

PAUL *FONFON* FONTAINE

Gagné se rend régulièrement dans les environs du centre de détention pour y exercer une surveillance dont il rend compte à Paul Fontaine. Après trois surveillances, André *Toots* Tousignant le contacte par téléavertisseur. Ils se rejoignent et marchent ensemble. Tousignant lui confie « On a un *screw* à faire à Bordeaux, et j'ai pensé à toi parce que je sais qu'ils t'en ont fait arracher en dedans des murs à Bordeaux. » Gagné l'informe qu'il est occupé à autre chose avec Fontaine, mais Tousignant insiste : « Je vais m'arranger avec Paul. » Gagné change alors à la fois de partenaire et de site de surveillance. Plusieurs rencontres ont lieu entre Gagné et Tousignant au cours desquelles ils examinent ensemble le trajet, l'endroit le plus propice pour incendier le véhicule volé et l'emplacement du véhicule de fuite.

Après avoir évalué plusieurs scénarios, ils décident de placer le véhicule de fuite dans le stationnement du centre commercial Les Galeries Laval, boulevard Le Corbusier, à Laval. Tousignant dit alors à Gagné : « On va avoir une job à faire, mais ce n'est pas sûr que ça va être toi, là. » Il lui indique que l'attentat se fera avec une moto volée. Plus tard le même jour, Tousignant, Gagné et Fontaine se retrouvent au domicile de ce dernier. Il est prévu que Fontaine et Tousignant commettent ce meurtre ensemble. Mais comme Fontaine est déjà occupé à une autre surveillance, Tousignant doit s'associer avec Gagné pour cet attentat.

Tousignant et Gagné se rendent au stationnement de l'hôpital Charles-Lemoyne, pour y récupérer le *Get away car*, une Ford Escort vert foncé, qu'ils conduisent au stationnement du centre commercial à Laval. Ensemble, ils se retrouvent dans un garage au 4261, rue Saint-André à Montréal, où ils prennent possession de la moto volée, des casques, des vêtements et des armes à feu. Ils montent sur la Katana Suzuki grise et filent vers la prison de Bordeaux. En route, la moto connaît des problèmes d'embrayage.

Tousignant et Gagné renoncent à se rendre jusqu'à la prison et retournent plutôt dans le stationnement du centre commercial où ils ont laissé la Ford Escort. Gagné place les armes dans le véhicule et ils repartent en moto en direction du garage de la rue Saint-André.

Gagné ne sait pas que lui et Tousignant ont tué une femme

Quelques jours plus tard, le 26 juin 1997, Gagné et Tousignant, qui ont communiqué ensemble par téléavertisseur, se rejoignent dans une pizzeria à proximité du parc Beaudry et reconduisent la Ford Escort dans le stationnement du centre commercial des Galeries Laval. Ensuite, ils reviennent au garage de la rue Saint-André pour prendre possession d'une nouvelle moto volée de même modèle mais de couleur différente.

Après s'être équipés comme la fois précédente, ils quittent le garage. Cette fois, Tousignant agit comme pilote de la moto. À proximité de la prison, ils croisent une Jeep Cherokee avec plusieurs gardiens à bord. Ils la prennent en chasse, mais abandonnent la poursuite quand ils se rendent compte que le véhicule se dirige dans une direction autre que celle prévue dans leur plan. Le véhicule ciblé doit être suivi jusqu'à l'autoroute 15, en direction nord. Gagné doit ouvrir le feu avant d'atteindre le pont Médéric-Martin.

Tousignant et Gagné se stationnent donc en bordure du trottoir et attendent la venue d'un autre véhicule de gardien. Tousignant repère l'insigne sur l'épaule du conducteur en uniforme d'une Plymouth Caravan. Ils partent à sa poursuite. Une fois sur l'autoroute, Tousignant accélère tandis que Gagné sort son arme. Tousignant s'approche du côté conducteur de la Caravan. Lorsqu'il atteint la fenêtre, Gagné fait feu. Il ne se rappelle pas combien de coups de feu sont tirés. Il estime en avoir tiré un ou deux alors que la moto roule à côté du conducteur et trois ou quatre autres une fois la Caravan dépassée.

Gagné se débarrasse immédiatement de l'arme. Puis, les deux tueurs se rendent au centre commercial où se trouve la Ford Escort. Ils enlèvent les vêtements que Gagné met dans un sac sur le siège arrière du véhicule, avec les casques de moto, et ils reviennent avec l'Escort au garage. Gagné dépose, dans un camion Yukon qui se trouve sur place, un bidon de cinq gallons d'essence et le sac contenant les vêtements, les gants et les casques. Il se rend ensuite avec le Yukon boulevard Saint-Jean-Baptiste, en direction de la prison Rivière-des-Prairies. Il immobilise le véhicule dans un boisé, asperge d'essence le contenu du sac et y met feu.

Le lendemain du meurtre, Gagné et Fontaine se rendent au local de la rue Bennett pour déjeuner avec les autres membres en règle. Maurice Boucher est là avec *Trooper* Mathieu. Le chef Nomads invite les trois hommes à se rendre à pied chez le fleuriste tout près de là. Après l'achat de fleurs par Boucher, ils marchent dans la ruelle. Boucher et *Trooper* discutent, tandis que Gagné et Fontaine suivent derrière. À un certain moment, Gagné dit à Fontaine: « Moi et *Toots*, c'est fait. »

Fontaine se rapproche de Boucher et lui chuchote à l'oreille quelque chose d'inaudible pour Gagné. *Mom* se retourne vers ce dernier et lui dit: « C'est beau mon *Godasse*, c'est pas grave si elle avait des totons. » Gagné vient d'apprendre que sa victime est une femme.

Boucher fait un signe en direction de *Trooper*, qui confirme: « C'est beau. » Boucher ajoute: « Il ne faut pas que tu parles de ça à personne parce que c'est 25 ans de prison et puis si la peine de mort existait, tu te ferais pendre », et il accompagne son propos du geste caractéristique. Par la suite, ils se rendent dîner au restaurant Chez Paré de la rue Notre-Dame.

Le 1er juillet, Gagné, qui est hospitalisé à la suite d'un accident de moto provoqué par un Rock Machine, reçoit la visite de Robitaille et de Tousignant, ses supérieurs dans la hiérarchie des motards. Tousignant lui annonce alors avoir reçu « son bas de *patch* » lors du *party* tenu à Trois-Rivières ce jour-là. Il est maintenant *prospect* Nomads. Gagné, lui, sera promu *striker* Rockers le 21 août 97.

Je suis de surveillance au *party* du 1er juillet 1997 et je vérifie les papiers de Fontaine à son arrivée. Il sert de chauffeur au président et au vice-président du chapitre Quebec City, Marc *Tom* Pelletier et René *Will* Pearson, avec qui j'échange quelques mots.

Paul *Fonfon* Fontaine devait conduire la moto du meurtre. Il a été remplacé à la dernière minute par Tousignant. Bon prince, Boucher lui *fronte* quand même ses *patches* de *prospect* Nomads, en même temps que Tousignant. Il n'a pas tué la gardienne, mais il était prêt à le faire. Fontaine a donc une incitation à tuer pour le chapitre Nomads au cours des prochains mois et est maintenant redevable de sa promotion anticipée.

Comme le meurtre a été commis sur l'autoroute 15, c'est la SQ qui a juridiction, même si la scène de crime est sur l'île de

Montréal, en territoire SPVM. On ne sait pas encore que Boucher est derrière le meurtre de la gardienne de prison Diane Lavigne. Parmi les hypothèses envisagées par les enquêteurs de la SQ, celle d'une vengeance d'un détenu qui déteste la gardienne est privilégiée au départ. Mais on constate rapidement que madame Lavigne n'a pas d'ennemis parmi les prisonniers. Dans ses fonctions, elle n'est en contact ni avec les Hells incarcérés ni avec leurs ennemis. Toutes les pistes sont explorées sans succès par la section des Crimes contre la personne et l'enquête piétine malgré l'annonce, le 9 juillet 1997, d'une récompense de 100 000 $ offerte par la SQ.

DIANE LAVIGNE

PIERRE RONDEAU

Le meurtre du gardien de prison Pierre Rondeau

Début d'août 1997, remis de ses problèmes de santé, Gagné reprend ses activités de surveillance au centre de détention Rivière-des-Prairies, tel que le lui avait demandé Fontaine début juin. Avec *Fonfon*, il rend visite à Boucher pour obtenir un véhicule de fuite pour le second attentat prévu. Gagné entend Maurice Boucher dire à Fontaine: « Bien, fais qu'est-ce que tu as à faire et puis tu me parleras après. » Tout en marchant, les deux hommes poursuivent leurs discussions. Fontaine revient auprès de Gagné et lui dit qu'il va recevoir un appel sur son téléavertisseur lorsque l'auto volée sera disponible.

Téléavertit le jour même, Fontaine va avec Gagné récupérer une Dodge Caravan qu'ils conduisent dans un garage loué par Steve *Mononcle* Boies, rue Losch à Saint-Hubert.

Afin que la Caravan volée n'éveille aucun soupçon lors de son utilisation, Gagné se met à la recherche d'un véhicule similaire, tant par le modèle que par la couleur. Il veut en « emprunter » la plaque d'immatriculation, le temps d'en mouler le numéro et de reproduire une plaque factice. Ce qu'il fait en quelques heures la nuit suivante.

Poursuivant sa surveillance du centre de détention de Rivière-des-Prairies, dont les gardiens sont cette fois ciblés, Gagné trouve l'endroit où il envisage de commettre l'attentat et met au point son plan de fuite. Fontaine lui suggère de choisir un véhicule « cible » avec plusieurs gardiens à bord. Après avoir observé les allées et venues du personnel de la prison, ils décident que leur victime sera un gardien conduisant une Ford Tempo grise et que l'attentat surviendra à un arrêt obligatoire du boulevard Perras.

Fontaine pense que le plan est trop risqué. La voiture de fuite est trop éloignée. Devant les hésitations de Fontaine, Gagné lui dit : « Faut qu'on le fasse. » Fontaine lui répond : « Je sais qu'il faut qu'on le fasse, *Godasse*, mais faire 25 ans pour des gardiens de prison qui ne nous ont rien fait, ça me dérange et puis faire un 25 ans pour un Rock Machine, ça ne me dérange pas. »

Fontaine opte alors pour un autre parcours à Pointe-aux-Trembles, par la rue Saint-Jean-Baptiste, où le fourgon cellulaire des détenus circule selon un horaire fixe. Le matériel est rapporté au garage par Fontaine, et Gagné est chargé de récupérer un camion Mazda B-2200 afin qu'ils se rendent tous deux au nouvel emplacement.

Alors qu'ils attendent le fourgon pour l'attaquer, celui-ci emprunte le boulevard Tricentenaire plutôt que le boulevard Saint-Jean-Baptiste comme ils s'y attendent. Fontaine reporte l'attentat à la semaine suivante et entreprend une nouvelle surveillance du trajet du fourgon. Le plan d'attaque original est modifié en fonction du trajet sur le boulevard Tricentenaire.

Gagné doit demeurer dans la Caravan, moteur en marche, prêt à démarrer dès que Fontaine fait feu sur le fourgon. Toutefois, ils doivent remettre l'attentat à plusieurs reprises, leur présence ayant été remarquée par des personnes à proximité.

Le camion Mazda B-2200 qu'ils utilisent dans ces tentatives infructueuses a été acheté à Daniel Foster, un vendeur de véhicules d'occasion de Saint-Hubert, ami de Boucher, que l'on voit souvent en sa compagnie au local de la rue Bennett ou chez lui à Contrecœur.

La veille du meurtre du gardien Rondeau, le 7 septembre, Gagné a stationné la voiture de fuite près des rues Davidson et Sainte-Catherine dans Hochelaga-Maisonneuve. Il s'agit d'une Mazda 323 provenant également du garage de Daniel Foster. Gagné et Fontaine en font teinter les vitres. Le lendemain, ils se rendent à Pointe-aux-Trembles où est stationnée la Caravan. Gagné en prend le volant, tandis que Fontaine suit dans la Mazda. Celle-ci est parquée à l'endroit prévu, près de la piste cyclable, et les deux hommes se rendent en Caravan se garer à l'endroit désigné pour l'attentat.

Vers 6 h du matin, pendant qu'ils attendent l'arrivée du fourgon cellulaire, Gagné évoque la possibilité qu'un des deux gardiens soit armé. Fontaine propose donc que Gagné participe directement à l'assassinat avec lui, au lieu de rester à bord de la Caravan, le moteur en marche. Les deux tueurs attendent le fourgon cellulaire dans un abribus situé près d'un arrêt obligatoire. Gagné doit faire feu sur le passager pendant que Fontaine tire sur le chauffeur.

Lorsque le fourgon s'approche, les deux motards sortent de l'abribus et marchent dans sa direction. Quand il s'immobilise, Fontaine, armé d'un 357 Magnum, ouvre le feu le premier sur le conducteur tandis que Gagné tire deux coups de feu en direction du passager. Fontaine, tout en continuant de tirer, monte sur le capot du fourgon et Gagné est sur le point de l'imiter lorsque son pistolet 9 mm s'enraie. Gagné réussit à le réarmer, mais il constate que Fontaine est en train de s'enfuir. Gagné s'éloigne à son tour du fourgon en continuant de tirer. Les deux tueurs regagnent la Caravan, située à 50 mètres de là, pour se diriger vers l'endroit où est stationnée la Mazda 323. Alors que Fontaine y monte, Gagné vide un contenant de cinq gallons d'essence sur le plancher de la Caravan et surveille le signal de départ convenu avec Fontaine. Il doit allumer à deux reprises les feux de freinage de la Mazda. Mais l'exécution de la manœuvre ne se déroule pas comme prévu. Gagné interprète mal le signal de Fontaine. Il doit s'y prendre à deux fois pour mettre le feu à la Caravan et finit par se brûler, les flammes se propageant avant qu'il en soit sorti.

Sous le coup de l'énervement causé par l'incendie, Gagné oublie de retirer la fausse plaque d'immatriculation de la Caravan. Alors qu'il se dirige vers la Mazda, il remarque la présence d'une jeune fille qui l'observe depuis un abribus situé à proximité. Il essaie de se dissimuler tant bien que mal en se voûtant les épaules pour se rendre jusqu'à la Mazda. Ils quittent rapidement les lieux. Ils regagnent Hochelaga-Maisonneuve, où Fontaine récupère son véhicule. Gagné conserve avec lui les vêtements de l'attentat et retourne au garage de la rue Losch afin de procéder à la destruction de ces preuves. Supposant avoir été vu par la jeune fille de l'abribus, Gagné juge trop risqué de se servir de nouveau de la Mazda 323. Il la laisse dans le garage et utilise le camion Mazda B-2200 pour se rendre au mont Saint-Bruno afin d'y incendier les vêtements, les gants et les souliers.

Un peu plus tard ce jour-là, Gagné revoit Fontaine à l'hôpital où ils rendent visite à Louis *Melou* Roy, un Nomads victime d'un attentat. Fontaine lui conseille de rester chez lui en raison de sa brûlure au visage et lui demande d'appeler Steve *Mononcle* Boies, afin qu'il « passe au gaz » la Mazda 323 pour faire disparaître toutes les empreintes digitales. Boies va aussi jeter au fleuve la provision de balles identiques à celles utilisées pour les meurtres et qui se trouvent toujours dans le garage de la rue Losch. Gagné donne rendez-vous à Boies au garage et les deux hommes entreprennent de le nettoyer de toutes les traces des produits ayant servi à fabriquer la plaque d'immatriculation.

Le lendemain du meurtre du gardien Rondeau, aux environs de 8 h du matin, Normand Robitaille apporte à Gagné la somme de 5 000 $ et lui conseille de partir pour l'Ouest canadien. Le même soir, Gagné reçoit la visite de Paul Fontaine qui lui suggère plutôt de déguerpir à l'étranger : « Va t'acheter des billets pour la République dominicaine pour toi, ta femme et ton p'tit. » Ce que Gagné s'empresse de faire.

À son retour de voyage, alors qu'il se dirige vers le local de la rue Bennett avec Fontaine, Gagné remarque le véhicule de Maurice Boucher stationné à proximité du Pro-Gym. Ils s'y arrêtent.

Boucher est en pleine séance de conditionnement. Ils ne veulent pas le déranger. Ils s'apprêtent à quitter les lieux, lorsqu'il leur lance : « Attendez une minute vous deux, il faut que je vous parle. » Après son entraînement, Maurice Boucher regagne à pied le local en compagnie de Gagné : « Et puis ton voyage, ça a tu bien été? C'est de valeur que tu as amené ta femme, là-bas, il y avait des belles pitounes.» Boucher ajoute: «Tu sais, mon beau bonhomme, on efface et puis on recommence», en faisant allusion d'un geste au visage cicatrisé de Gagné. Boucher ajoute: «Il faut être subtil quand on parle, tout d'un coup qu'on nous écouterait», et tout en marchant, il poursuit: «Tu sais, on a fait faire ça pour que le monde autour de nous autres ne devienne pas délateurs, parce que celui qui parle, il pogne 25 ans et puis si c'était la peine de mort, tu te ferais pendre» en refaisant le geste. Gagné apprend du même coup, pour la première fois, le mobile des meurtres des gardiens de prison.

Plus tard dans la journée, Robitaille appelle Gagné pour lui dire de se rendre au restaurant Lafleur, à l'intersection des rues Ontario et De Lorimier. Gagné rejoint Robitaille et Boucher dans la ruelle à l'arrière du restaurant. Boucher dit à Gagné: «Ouais, les gardes de Bordeaux sont au courant que c'est toi, les deux; fais attention si tu te fais coller, parce que la police pourrait essayer de te tuer.»

À une autre occasion, un ou deux mois avant son arrestation, Gagné se rend rue Bennett pour y rencontrer Boucher, afin de discuter avec lui d'un problème. Boucher lui dit: «On va en faire d'autres *screws.*» Gagné répond: «Crisse, ils sont tous suivis par la police, on ne sera plus capables d'en faire.» Boucher réplique: «Ce n'est pas grave, on fera de la police, des juges ou des couronnes, ça n'a pas d'importance, mais, ça, ce n'est pas pour toi ça, mon *Godasse.*» Boucher considère que Gagné a fait sa part.

Du côté de la police, on ne fait toujours pas le lien entre les deux événements. L'enquête sur le meurtre de Diane Lavigne se poursuit durant l'été et ne donne rien. L'assassinat du gardien Pierre Rondeau s'est produit sur le territoire du SPVM, c'est donc la section des Homicides de ce service qui enquête. Ce deuxième meurtre d'un représentant des forces de l'ordre crée des angoisses chez tous ceux qui travaillent dans les prisons et dans l'appareil judiciaire et policier au Québec.

J'assiste le SPVM lors des funérailles de Pierre Rondeau; elles sont entourées de mesures de sécurité exceptionnelles. Les forces policières surveillent littéralement tous les poteaux, tous les arbres, le long du parcours du cortège funèbre.

Aucun suspect, ni aucun indice en vue. Il ne se passe rien. Le ministre Pierre Bélanger y fait un discours de circonstances qui n'est pas plus remarquable que son bref passage au ministère de la Sécurité publique.

À la SQ, on commence à établir un lien entre les meurtres de Diane Lavigne et de Pierre Rondeau : deux gardiens de prison, sans histoire et sans ennemis. Quelqu'un veut se venger du système carcéral. Certains enquêteurs émettent l'hypothèse que ce n'est peut-être pas seulement le système carcéral qui est visé, mais tous les officiers de justice. Rapidement, les policiers, les juges, les procureurs et autres fonctionnaires commencent à penser qu'ils courent des risques comme les gardiens de prison. Les *burnouts* se multiplient dans les groupes visés.

Les enquêteurs sont également convaincus que les deux meurtres sont le fait des mêmes auteurs, mais pour l'instant Carcajou n'est pas dans le dossier puisque rien ne laisse encore penser que les motards sont impliqués.

Les premiers succès des enquêteurs de Laron

Encore une fois, la pression politique amène la SQ et le SPVM à former un groupe de travail conjoint pour enquêter sur les deux meurtres. Le projet s'appelle Laron. Beaucoup de gens pensent « Larron », je le vois même écrit ainsi à quelques reprises. Mais il n'y a aucune relation entre les larrons de la Bible et le projet Laron. Le mot est tout simplement un acronyme constitué des premières syllabes de LAvigne et de RONdeau, les deux victimes des meurtres.

Le 16 septembre, l'équipe d'enquête sur le projet Laron se forme dans les locaux de Carcajou. Une dizaine d'enquêteurs, dirigés par le caporal René Fortin, y sont assignés. Ils proviennent de l'escouade des Crimes contre la personne de la SQ, de l'escouade Carcajou, de l'escouade des Homicides du SPVM et du Service de police de la ville de Laval.

Les enquêteurs de Laval sont de la partie parce que le 28 juin, deux jours après le meurtre de Diane Lavigne, une tentative de meurtre s'est produite à la sortie du pénitencier de la montée Saint-François à Laval selon le même *modus operandi* que les deux meurtres de gardiens de prison. Une victime innocente est criblée de balles avec une arme automatique par deux hommes circulant en moto. Les suspects pensaient que la victime travaillait au pénitencier. Son véhicule était stationné dans les espaces réservés aux employés[42].

Des centaines d'informations sont vérifiées par les enquêteurs du projet Laron. Comme une prime de 100 000 $ est offerte, nombreux sont ceux qui tentent leur chance avec des renseignements obtenus dans le milieu. Plusieurs dizaines d'informateurs, prétendant avoir obtenu les aveux du tueur, subissent des tests de « détecteur de mensonge » afin de vérifier l'exactitude de leurs prétentions. Ils échouent tous.

Par ailleurs, quelques informateurs qui fréquentent Stéphane *Godasse* Gagné et Steve *Mononcle* Boies nous transmettent des renseignements que seul quelqu'un de directement impliqué dans l'attentat peut connaître. Ces détails ne nous permettent pas de porter des accusations, mais sont suffisants pour obtenir une autorisation judiciaire d'écoute électronique. Ainsi, les appareils téléphoniques de *Godasse* Gagné, de Steve Boies, de Francis Boucher et de Maurice Boucher sont mis sur écoute à la fin de septembre 1997.

Le SPVM consacre beaucoup de temps et d'efforts à retracer des témoins oculaires de l'assassinat de Rondeau. Ce qui donne la première véritable piste pour faire avancer l'enquête. Lors d'une séance d'identification sur photographie, qu'on appelle dans notre jargon une « parade photographique », un témoin arrête son regard sur un membre Nomads qui s'est évadé de l'hôpital Saint-Luc en juin 1997, il s'agit de Richard Vallée. Le témoin n'affirme pas que Vallée est le coupable, il ne l'identifie pas formellement, il dit simplement à l'enquêteur qu'il « pourrait ressembler au meurtrier ».

Les enquêteurs épluchent leurs collections de photos pour trouver des individus qui ressemblent à Vallée. Entre-temps, les membres de l'escouade des Homicides du SPVM obtiennent une autorisation d'écoute électronique sur différents individus liés à Richard Vallée afin de le localiser.

En même temps qu'on écoute les suspects, des équipes de filature suivent tous les déplacements de Gagné, de Boies et de Boucher. L'objectif, en plus de les arrêter en flagrant délit, est d'intercepter des conversations entre Boucher et Gagné lorsqu'ils discutent en marchant dans des ruelles ou dans des restaurants. Afin de pouvoir envoyer certains de nos informateurs rencontrer « comme par hasard » Gagné et Boucher, pour provoquer des conversations sur les deux meurtres, nous devons connaître leurs habitudes de vie.

Parallèlement, l'escouade des stupéfiants du SPVM se prépare à faire une opération dans le cadre du projet Famille visant un groupe de trafiquants liés à Serge Boutin. Une telle opération mettrait fin, avant terme, à notre projet d'écoute électronique. Si, en effet, Boies et Gagné sont arrêtés en possession de stupéfiants et détenus, nos écoutes de leurs lignes ne serviront plus à rien. Nous convenons donc de reporter l'opération à la fin du projet. On espère toujours capter une conversation entre Gagné et Boucher qui les incriminerait.

Dans notre stratégie d'enquête, nous prévoyons tenter de convaincre Steve Boies de devenir délateur. Contre lui, nous avons un dossier de tentative de meurtre monté par l'escouade des Crimes contre la personne. En effet, le 6 mars 1997, Boies a tenté de tuer Christian Bellemare, un petit vendeur de drogue de Montréal. Il a été enlevé et emmené par ses ravisseurs faire une «balade» dans les Laurentides. La voiture s'est arrêtée dans un chemin de forêt de la région de Sainte-Marguerite-du-Lac-Masson, où on l'a forcé à sortir du véhicule pour le faire marcher quelques mètres dans le bois avant de le cribler de balles. Laissé pour mort, il a cependant survécu. Pendant longtemps, il a refusé de collaborer avec la police, mais, à la fin de l'été, Christian Bellemare a identifié l'un de ceux qui ont tenté de le tuer: Steve *Mononcle* Boies.

La période des fêtes arrive à grands pas et le projet d'écoute tire à sa fin, sans qu'on ait obtenu de résultats probants. L'escouade des stupéfiants nous avise qu'elle veut frapper le groupe de Serge Boutin, car, selon leurs sources, Steve Boies et Stéphane Gagné ne sont pas dans la région, donc ils ne seront pas arrêtés.

L'opération policière dans le cadre du projet Famille se déroule telle qu'elle a été prévue dans la soirée du 4 décembre 1997. Le lendemain matin, 5 décembre, l'agent Jacques St-Arnaud, membre de l'équipe du projet Laron et enquêteur principal sur le meurtre de Diane Lavigne, s'informe auprès des enquêteurs des stupéfiants du SPVM des résultats de leur opération. C'est à ce moment-là que nous apprenons que Steve Boies a été arrêté. Il a avoué à l'agent Juan Vargas sa participation, avec Gagné, au meurtre de Rondeau en tant que fabricant de la plaque du véhicule qui a servi à l'attentat. Ce détail est important, car seuls les tueurs savent que le véhicule suspect portait une plaque de fabrication artisanale. Quelques semaines plus tôt, Boies a déjà mentionné à Vargas qu'il pourrait collaborer avec la police.

STEVE *MONONCLE* BOIES

Le caporal René Fortin dépêche les agents Pierre Samson et Richard Despaties à l'endroit où Boies est interrogé. Ils arrivent sur place au moment même où Boies, qui vient d'être libéré, s'apprête à quitter les lieux. Fortin demande à Samson et Despaties de le détenir, en rapport avec le meurtre des gardiens de prison. La SQ et le SPVM se mettent d'accord pour un interrogatoire commun de Boies par un membre de chacun des deux corps de police impliqués.

De comparses en complices, le gars de Laron remonte la filière

L'agent Pierre Samson de la SQ et le sergent-détective Derek Grilli de la section des Homicides du SPVM interrogent Steve Boies et obtiennent des déclarations impliquant Stéphane Gagné et Paul Fontaine dans les meurtres des gardiens de prison. De plus, Boies implique Gagné dans la tentative de meurtre contre Christian Bellemare. Dès lors, des membres de l'escouade des Crimes contre la personne rencontrent ce dernier afin de vérifier ces déclarations. Bellemare confirme la participation de Gagné dans l'agression, qu'il l'a laissé pour mort. Bellemare n'a jamais évoqué son nom parce qu'il le craint beaucoup plus que Boies.

Dès que Bellemare mentionne le nom de Gagné, l'agent Samson appelle le caporal Fortin pour l'informer de la nouvelle. Fortin est au poste de commandement de la cité du Havre. Carcajou est mobilisé par les activités entourant le 20e anniversaire du chapitre Montréal qui se déroule au local de Sorel où je me trouve en service commandé[43].

On a donc des motifs suffisants pour accuser Gagné et Boies de tentative de meurtre dans le dossier de Bellemarre. On est le 5 décembre. La veille, je suis à l'aéroport de Dorval où *Godasse* et d'autres membres Rockers forment le comité d'accueil des Hells des autres chapitres du Canada qui arrivent pour le *party*. Méfiant, Gagné se tient à l'écart des autres et ne m'adresse pas la parole. Je m'assure que mon confrère chargé de prendre des images vidéo des motards qui arrivent ne rate pas Gagné. Les Rockers assignés au transport des invités font la navette entre leur local et l'aéroport.

Le matin du 5 décembre, lorsqu'il est dénoncé par Bellemare, Gagné se trouve au local de la rue Gilford depuis la veille au soir. Il s'occupe des préparatifs pour le *party*. Il s'est endormi au local vers 4 h 30 du matin, car, dit-il, « tant qu'un Hells Angels est debout, tu ne te couches pas, tu restes debout ». Gagné n'est qu'un Rockers, un valet pour les seigneurs que sont les Hells. Très tôt le matin, il est réveillé pour prendre un appel de Boucher : « Ouais, viens me rejoindre chez nous à Sorel. » Gagné lui répond qu'il est désigné pour se rendre à l'aéroport chercher des membres. *Mom* réplique : « Bien, fais-toi remplacer. Ramasse *Toots* et puis descends chez nous. »

Pendant que Gagné et Tousignant se rendent à Contrecœur, je suis à Sorel devant le local du 153, rue Prince, en compagnie du policier Ron Robertson de la police municipale d'Edmonton. Il m'assiste pour l'identification des membres Hells Angels Alberta, de nouvelles recrues au sein de l'organisation depuis juillet 1997. Lui et moi avons assisté à leur cérémonie de remise de couleurs à Red Deer en Alberta.

Une fois chez Boucher, Gagné est assigné avec Tousignant à la surveillance armée par hélicoptère pour contrer un éventuel attentat des Rock Machine. Toutefois, en raison de la neige, l'opération aérienne est annulée. Gagné se rend au local de Sorel en compagnie de Tousignant et de Boucher.

Quand *Mom* Boucher entre dans le stationnement du local au volant de son Dodge Ram avec *Godasse* Gagné au centre et *Toots* Tousignant comme passager avant droit, Boucher abaisse les vitres du véhicule et rit de nous voir dehors à la « grosse neige », tandis que *Toots* et *Godasse* nous font des grimaces. Tous trois s'amusent beaucoup à nos dépens. Encore une fois, le policier chargé des images vidéo capte cette scène sur cassette.

Peu de temps après, Boucher et Gagné repartent dans le camion de *Mom*. Ils franchissent les barrages policiers sans être interceptés. Boucher lui dit : « C'est à cause de toi, ça, *Godasse*, ils nous collent pas, tu es trop tannant, ils ne veulent pas nous coller. » Boucher ajoute : « Ce n'est pas grave, je leur en prépare une sale à eux autres» et il ressert la mise en garde à Gagné: «Fais attention, si eux autres ils te collent, parce qu'ils peuvent essayer de te tuer, tu sais.»

Ils se rendent chez Boucher sur la route Marie-Victorin à Contrecœur. Ce n'est vraiment pas une journée pour voler en hélico. Il tombe 10, 15, 20 pouces de neige partout dans la région. Les routes sont très enneigées. L'hélicoptère qui doit venir prendre Gagné et Tousignant ne peut pas décoller. L'écoute électronique de la résidence de Boucher nous apprend que Gagné appelle pour se faire livrer une pizza vers 16 h 30.

Vers 17 h, le poste de commandement de Carcajou m'appelle. La filature vient de les avertir qu'une douzaine de membres des Rock Machine Québec sont en train de manger dans un restaurant de Berthierville et qu'une douzaine d'autres sont au restaurant de la halte routière du kilomètre 118 de l'autoroute 40. On ne connaît pas leurs intentions. Le capitaine Mario Laprise me demande d'aviser le président du chapitre d'une menace potentielle contre le local de Sorel. Je dois lui dire que la SQ va s'occuper de la menace, mais qu'ils feraient mieux d'être sur leurs gardes.

Dix minutes plus tard, je suis à la barrière du périmètre clôturé du bunker, une bâtisse fortifiée de trois étages équipée de caméras de surveillance. Je demande au motard en faction à parler à *Dick* Mayrand. Je n'ai pas besoin de montrer de plaque d'identification ni de lui dire pourquoi. Tous les Hells du Québec me connaissent depuis le temps qu'ils m'observent durant leurs funérailles, leurs randonnées et leurs anniversaires. Particulièrement depuis le fameux «jeudi du blé d'Inde» du mois de septembre 1994.

Le type disparaît dans le bunker et rapplique avec Robert *Bobby* Bonomo, Lionel *Linel* Deschamps et Gaétan *Fantôme* Proulx. Ils veulent savoir pourquoi je veux voir Mayrand. Je leur réponds que ce n'est pas à eux que je veux parler, mais à leur «boss». «Ouais, répliquent-ils, dis-nous-le à nous autres, on va lui faire le message.» Je leur dis que c'est assez important pour qu'ils le dérangent. Ils retournent au bunker. Quelques minutes plus tard, un *hangaround* sort du local pour me dire que Mayrand sera là dans une trentaine de minutes.

Mayrand est un gars dans la quarantaine, intelligent et qui fait du culturisme. Il s'est d'ailleurs déjà présenté dans des

RICHARD *DICK* MAYRAND

concours Monsieur Canada. Il était présent au local de Lennoxville lors de la tuerie de mars 1985 quand des Hells ont tué de sang-froid son frère Michel *Willie* Mayrand, un membre du chapitre North. Il est par la suite devenu président du chapitre Montréal et, à la mort de Robert *Tiny* Richard en 1996, président national des Hells Angels du Canada, avant de passer au chapitre Nomads en janvier 2000 afin d'accroître « sa richesse ».

Mayrand se présente, peu après 17 h 30. Je marche seul avec lui dans la cour du bunker. Il m'explique qu'il est grippé et qu'il était au lit lorsqu'on l'a informé que je voulais lui parler. Je lui dis qu'on a de bonnes raisons de croire que les Rock Machine préparent un coup d'éclat contre eux et qu'ils doivent prendre leurs précautions. Je l'assure que, de notre côté, nous prenons des dispositions pour que la sécurité des citoyens ne soit pas menacée. Mayrand me remercie et va donner l'alerte à ses comparses.

Dès que la porte du bunker se referme, c'est le branle-bas de combat. Les projecteurs illuminent immédiatement le périmètre clôturé et des gardiens motards prennent position un peu partout. À 17 h 50, je rappelle le poste de commandement de Carcajou pour informer le capitaine Laprise de ma conversation avec Mayrand.

Nouvel appel vers 21 h. On m'avise cette fois par cellulaire de communiquer avec le poste de commandement par téléphone conventionnel. C'est urgent. Je joins le caporal René Fortin qui m'informe d'arrêter immédiatement *Godasse* Gagné pour la tentative de meurtre sur la personne de Christian Bellemare. Il me donne l'adresse de Contrecœur où il a commandé une pizza à 16 h 30 selon nos services d'écoute électronique.

Je me rends à la pizzeria, elle est fermée. Je joins le propriétaire qui nous confirme avoir livré la commande chez Boucher à Contrecœur. À cause de la tempête de neige, il faut une heure pour faire le trajet entre Sorel et Contrecœur au lieu des 20 minutes requises normalement. Quand on arrive finalement sur place, Gagné a déjà déguerpi.

Les avocats des Nomads sont avertis de l'arrestation de Boies, et du message qu'il n'a pas besoin d'eux. Ils savent donc qu'il collabore avec la police. Ainsi, Gagné apprend aussi que Boies parle aux enquêteurs. Il se sait dans une situation difficile parce qu'il a désobéi à Boucher. Contrairement à ses instructions, il a demandé à Boies certains « services » après les deux meurtres. Une faute qui peut difficilement lui être pardonnée, une faute passible de mort dans les Hells. Comme Boies l'a sans doute aussi incriminé, il risque d'avoir également la police sur le dos. Une seule solution s'offre à lui : fuir le plus rapidement possible.

Pendant que l'on recherche Gagné durant la soirée du 5 décembre, l'équipe du caporal Fortin prépare déjà son interrogatoire. L'agent Robert Pigeon va l'interroger et tenter de le convaincre de devenir délateur. Pigeon ne travaille pas avec l'équipe du projet Laron. Il ne connaît du dossier que les détails qui ont été exposés lors des *briefings* du matin à Carcajou. C'est cependant un redoutable interrogateur qui connaît parfaitement la psychologie des motards.

Il connaît aussi Gagné. En 1993, alors qu'il travaille comme agent d'infiltration pour l'escouade du crime organisé de la SQ à Montréal, il le fait condamner pour trafic de stupéfiants. Gagné lui a vendu un kilo de cocaïne. Avec son flegme légendaire, mon collègue relève le défi. Robert se prépare toute la journée à faire face à *Godasse* et à l'amener à passer de notre côté.

Entre-temps, les membres de l'ECO de Joliette, sous la supervision du caporal Luc Pilon, se stationnent près de la résidence des beaux-parents de *Godasse*. Peu après, vers 22 h, Gagné arrive à bord de son véhicule, en compagnie de sa femme. Il vient chercher son enfant pour quitter la région de Montréal au plus vite, fuyant autant la police que les Hells. Quand Gagné est arrêté pour tentative de meurtre sur Christian Bellemarre, il ignore qu'il doit recevoir son statut de *full patch* Rockers au local de Sorel le soir même.

Godasse trahit son maître

Gagné et sa femme sont conduits au quartier général de la SQ, rue Parthenais. Le motard est aussitôt pris en charge par Robert Pigeon qui est secondé par le sergent-détective André Delorme du SPVM. Gagné reste d'abord silencieux. Pendant des heures, il se contente d'écouter Pigeon. Après avoir parlé une première fois à son avocat, Me Benoit Cliche, il refuse de parler de la tentative de meurtre contre Christian Bellemarre. Puis, à 6 h 46, le matin du 6 décembre, après avoir été avisé par Pigeon qu'il va être accusé des meurtres des gardiens de prison, Gagné demande à parler une seconde fois à ses avocats. Il attend pendant plus d'une heure l'appel des avocats de l'organisation, Me Benoit Cliche et Me Gilbert Frigon. Il commence à craindre d'avoir été lâché. Il demande à voir l'enregistrement vidéo de la déclaration de Steve Boies. Cela lui confirme qu'il l'incrimine dans ces meurtres.

Gagné craint le pire pour son enfant, sa femme et lui-même. Boucher possède les numéros d'assurance sociale, de permis de conduire, les adresses et numéros de téléphone des membres de sa famille. Même s'il sait maintenant que son rêve de devenir un Hells Nomads ne se réalisera jamais, il ne se résout pas encore à faire confiance aux policiers et aux autres représentants du système qu'il a toujours haï. Mais ça le travaille. Gagné s'informe tout de même des avantages que peut lui procurer le statut de délateur. Pigeon lui répond qu'il ne peut rien lui promettre, que son cas est particulier, puisqu'il est impliqué dans le meurtre de gardiens de prison. Gagné demande à parler à sa femme.

Gagné n'a toujours pas reçu de retour d'appel des avocats des Nomads, Cliche et Frigon. Leurs honoraires garantissent pourtant leurs disponibilités 24 heures sur 24. Pourquoi ne rappellent-ils pas? Où sont-ils? Que font-ils? Boucher leur a-t-il dit de ne rien faire? Ces questions tournent dans la tête de Gagné. Il se convainc que l'organisation l'a laissé tomber et il se met à table. Le silence des deux avocats est l'élément déclencheur de sa décision de trahir *Mom* Boucher.

Vers les 8 h, le matin du 6 décembre, Gagné donne, en 45 minutes, 3 déclarations, de 16 pages au total, sur 4 incidents: les meurtres de la gardienne de prison Diane Lavigne et du gardien de prison Pierre Rondeau; les tentatives de meurtre contre le gardien de prison Robert Corriveau et contre le trafiquant de stupéfiants Christian Bellemare et l'évasion de Richard Vallée, membre des Hells Nomads en cavale depuis juin 1997.

Lorsque Robert Pigeon lui demande qui a commandé les meurtres des gardiens, Gagné répond: « Maurice Boucher. »

Épuisé moralement et physiquement – l'interrogatoire s'étant poursuivi toute la nuit –, il demande à se reposer maintenant qu'il est passé aux aveux. On accède à sa demande. L'interrogatoire est suspendu jusqu'au lendemain, 7 décembre.

Sans le témoignage de *Godasse* Gagné, il aurait été impossible d'impliquer Boucher dans les meurtres des deux gardiens de prison et la tentative de meurtre d'un troisième. Boies nous a mis sur la piste, mais ne nous a donné que peu de choses. On ne l'utilise pas comme témoin étant donné que son test de polygraphe de contrôle n'est pas concluant. De toute évidence, il cache ou invente quelque chose pour ses réponses à certaines questions.

Le revirement est rapide. Le 5 en après-midi, Gagné est avec Boucher chez lui. La nuit suivante, *Godasse* le trahit parce qu'il est convaincu que *Mom* l'a abandonné puisqu'il lui a caché certaines choses et n'a pas suivi ses ordres à la lettre.

Je suis averti vers 10 h, le matin du 6 décembre, que *Godasse* reconnaît sa participation aux meurtres des deux gardiens sur ordre de Boucher. À Sorel, le chapitre Montréal est toujours en *party*. Les festivités doivent se terminer le soir même. Ce jour-là, Boucher n'est pas dans son assiette. Il semble préoccupé. Il sait que *Godasse* Gagné a été arrêté, mais ne peut pas se faire à l'idée que son protégé collabore avec la police. C'est la rumeur qui court chez les motards.

Lorsque Cliche et Frigon joignent finalement par téléphone les enquêteurs de Carcajou, ils se font dire que leurs services ne sont plus requis. Ça ne peut vouloir dire qu'une chose: *Godasse* Gagné travaille maintenant avec la police. Tout comme Boies.

En soirée, Boucher veut se rendre au local de la rue Prince, dans un véhicule conduit par sa femme. Le policier de faction ne reconnaît pas les autres passagers et n'est pas sûr à 100 % de l'identité de Boucher. Il m'appelle pour que je vienne l'aider à l'identification. À cause de la neige, il me faut 25 minutes pour le rejoindre. À mon arrivée, Boucher parle sur son cellulaire à quelqu'un au local de Sorel pour demander l'assistance de l'avocat de garde. Il n'est pas de bonne humeur.

Je me rappelle alors de notre rencontre près du local des Rockers, le soir du Vendredi saint, quand Jean-Marc Caissy des Rock Machine a été tué et que Boucher m'a souri, sachant qu'il avait devant lui « son » alibi. En ce samedi soir enneigé du 6 décembre 1997, son expression faciale trahit « qu'il sait que je sais ». Je dis au policier qui m'a appelé « OK, c'est monsieur Boucher. » Et je me retourne pour le saluer: « Bonsoir, monsieur Boucher. » Il est de glace, ignore mes salutations et ordonne à sa femme de repartir immédiatement sur un ton qui ne laisse place à aucune interprétation. Son assurance coutumière a disparu.

Dans ses déclarations, Gagné relate dans le menu détail sa vie, son ascension au sein des Rockers et ses nombreuses rencontres avec Maurice Boucher. Il nous rapporte tous les propos que Boucher lui a tenus au sujet des meurtres des gardiens de prison et du mobile de ces assassinats. Dans une de ses premières déclarations, il nous rapporte les propos disgracieux que Boucher a tenus en le félicitant d'avoir tué Diane Lavigne. Gagné nous relate également que Boucher lui a dit qu'il se vengerait du prochain délateur en assassinant un membre de sa famille.

Gagné nous révèle que plusieurs tueurs des équipes de « football » ont travaillé à la préparation des meurtres des gardiens de prison et à la tentative de meurtre qui a eu lieu deux jours après l'attentat contre Diane Lavigne. C'est aussi Gagné qui nous apprend que seuls des Rock Machine peuvent être tués par des motards liés aux Hells, sans permission préalable de l'organisation des Nomads. Dans tous les autres cas, les meurtres doivent être autorisés. Sous peine de mort !

Gagné arrive au palais de justice de Saint-Jérôme le 8 décembre, sous la protection du groupe d'intervention de la SQ. Aucun avocat ne l'accompagne puisqu'il est témoin de la poursuite. Des motards sont dans la salle d'audience lorsqu'il comparait. Ils avertissent immédiatement Boucher. La rumeur qu'il se refuse à croire, malgré les indices qui s'accumulent, se confirme. Maintenant il ne peut plus y avoir de doute. Son fidèle *Godasse* est devenu délateur. Le plan diabolique qu'il a imaginé pour se protéger contre la délation se révèle totalement inefficace à sa première utilisation. C'est lui maintenant qui est en première ligne. Gagné devient témoin à charge.

Mais on ne peut pas arrêter Boucher immédiatement. Pas plus qu'on ne peut arrêter Tousignant pour le meurtre de Diane Lavigne ni Fontaine pour le meurtre de Pierre Rondeau et la tentative de meurtre contre Robert Corriveau. Il nous faut des dossiers plus étoffés, d'autres éléments de preuves, des corroborations et des confirmations de faits. Dès lors, Boucher prend immédiatement des mesures pour entraver notre enquête.

Il préside une réunion des Nomads où il est décidé de fermer les locaux de la rue Bennett et de la rue Gilford. Boucher veut ainsi réduire au minimum la possibilité que des perquisitions et divers prélèvements puissent permettre aux policiers de recueillir des preuves concernant les assassinats.

En vidant complètement les deux locaux et en les nettoyant à fond, les Hells font disparaître des pièces à conviction potentielles. On apprend très vite qu'ils ont décidé de déménager, mais on n'est pas encore prêts à intervenir. On est encore en train de recueillir les informations nécessaires pour rédiger les « affidavits » de mandats de perquisition.

Le 9 décembre, lorsqu'on obtient les mandats d'arrestation contre Tousignant et Fontaine pour le meurtre des deux gardiens de prison, tous deux sont déjà en fuite. Le 27 février 1998, on retrouve Tousignant, sur le bord d'une route à Bromont, avec une balle dans la tête. On l'a aspergé d'essence, on l'a embrasé et laissé en flammes sur le côté de la route. Tousignant a été tué par les Nomads. Sa mort sert bien les intérêts de l'organisation[44].

On ne retrouvera Fontaine que le 28 mai 2004 à Québec. Il demeure chez une connaissance d'un membre des Hells Quebec City. Difficile de le reconnaître avec sa longue barbe et ses cheveux frisés. Il se terre à cet endroit sous la fausse identité de Jean Boyer. Fontaine s'est réfugié dans la région d'Edmonton en Alberta pendant un certain temps avant de revenir au Québec.

Boucher perturbe mes projets de retraite

Début décembre 1997, je décide de prendre ma retraite de la Sûreté du Québec après 28 années de service. J'annonce donc à mon patron, le capitaine Mario Laprise, en ce lundi matin du 1er décembre 1997, que je compte me retirer le 15 février 1998, après avoir pris mes vacances annuelles et mes journées de congé accumulées au cours des années. Je l'informe aussi que l'opération de la fin de semaine des 5 et 6 décembre à Sorel sera ma dernière.

Ironie du sort, ma première grosse opération contre les motards s'est déroulée les 4 et 5 décembre 1982, au même endroit dans le cadre du projet Endura. Je pense donc boucler la boucle 15 ans plus tard, devant le même local, à l'occasion cette fois du 20e anniversaire de fondation du chapitre Montréal.

Le 11 décembre, je suis à Québec pour ma dernière journée de travail. Mes confrères de Carcajou Québec avec leurs collaborateurs de la Couronne provinciale et des services correctionnels me rendent un hommage qui est toujours présent à ma mémoire. Je reviens à Montréal ce soir-là avec la satisfaction du devoir accompli… et en préretraite.

Le 15 décembre, je profite de ma nouvelle vie quand Mario Laprise me convoque à son bureau de Carcajou. Il m'explique que, dans le dossier de cour qu'on prépare contre Boucher et son organisation, les procureurs du ministère public veulent établir la structure de commandement des Hells au Québec, du chapitre Nomads et des affiliés Rockers. On veut profiter de mon expertise dans le domaine. « Si tu étais capable d'éclairer le juge sur ce point, ajoute Laprise, le procureur serait plus enclin à déposer des accusations contre Maurice Boucher dans les dossiers des gardiens de prison. »

Laprise est convaincu que je vais dire oui sur-le-champ. Toutefois, je lui réponds : « Donne-moi une demi-heure pour y penser. Je dois faire quelques téléphones. » Il est abasourdi et me laisse seul dans son bureau.

Je réfléchis, je suis à la retraite depuis trois jours et je sais que si j'accepte, je m'engage dans un long processus judiciaire dont je ne peux prévoir la fin. Adieux les congés des fêtes, car je sais bien que je risque de témoigner lors d'une enquête sur remise en liberté de Maurice Boucher.

Même si j'ai annoncé ma retraite, je ne peux me résoudre à laisser tomber « mon équipe ». J'ai consacré une bonne partie de ma vie professionnelle à lutter contre les motards criminalisés. Je ne peux me défiler au moment où l'on me demande de contribuer à mettre le chef de guerre Nomads derrière les barreaux. D'autant plus qu'on me dit que mon apport est important. Je dis donc au capitaine Laprise que j'accepte volontiers son offre, même si ça chambarde mes projets de retraite.

Trois jours plus tard, le 18 décembre 1997, un mandat d'arrestation est émis contre Maurice Boucher. On l'arrête

ROBERT PIGEON AVEC MAURICE BOUCHER

alors qu'il arrive à l'hôpital Notre-Dame pour se faire enlever des polypes à la gorge. Il y est attendu par Guy Lepage, l'ex-policier du SPVM qui a, dans le passé, été au service de Boucher en tant que président du club des Rockers Montréal. Des perquisitions ont lieu le soir même dans les locaux presque vides des rues Bennett et Gilford, ainsi que chez Tousignant, Fontaine et dans les deux résidences de Maurice Boucher.

Pour l'instant, l'enquête se résume aux déclarations de Gagné, un tueur de l'équipe de « football » de Fontaine avec un passé criminel assez chargé. Ce n'est pas le témoin le plus crédible aux yeux des jurés et probablement une cible facile pour les avocats aguerris de Boucher. Me André Vincent, le substitut du procureur général à Montréal, décide quand même que la preuve est suffisante. L'arrestation est faite par une équipe conjointe d'enquêteurs de la SQ et du SPVM. L'interrogatoire doit avoir lieu dans les locaux du SPVM de la Place Versailles. Le lendemain dans les médias, c'est « *Mom* Boucher, *superstar* » !

La direction de Carcajou mandate l'enquêteur Robert Pigeon et le sergent détective Derek Grilli du SPVM pour interroger Boucher. Pigeon vient de réussir à retourner *Godasse* Gagné quelques jours auparavant et Grilli a fait de même avec *Mononcle* Boies. Afin d'aider Pigeon à terminer sa préparation avant de conduire son interrogatoire, je m'efforce de lui donner toutes les informations factuelles que je possède sur Boucher.

L'interrogatoire de Maurice *Mom* Boucher par l'enquêteur Pigeon illustre parfaitement les difficultés de briser un criminel qui a été *coaché* par ses avocats. Ni la flatterie ni la provocation n'ont raison du silence de Boucher.

L'interrogatoire de Boucher: est-il intéressé à devenir délateur?

Le 18 décembre 1997, vers 23 h, après qu'il a rencontré ses avocats Frigon et Cliche, Boucher entre dans la salle d'interrogatoire, l'enquêteur Robert Pigeon sur les talons. Il s'assoit sur une chaise à côté d'une petite table. Selon les règles en usage, Pigeon le met officiellement en état d'arrestation pour le meurtre des deux gardiens de prison et l'informe que ses propos seront enregistrés pour pouvoir, éventuellement, servir de preuve en cour.

Boucher ne dit pratiquement rien pendant l'interrogatoire qui dure jusqu'à 3 h du matin avec quelques interruptions. La plupart du temps, Boucher se tient les bras croisés, la tête penchée vers l'avant. Il ne regarde jamais en direction de Pigeon. De temps à autre, il s'appuie le coude sur la table et se tient le front dans la main. L'interrogatoire de Pigeon est en fait un long monologue qui n'est interrompu qu'en de rares occasions.

Quand l'enquêteur lui dit qu'il est le chef des Hells Angels, Boucher intervient d'une voix très enrouée «C'est vous autres qui le dites.» Lorsque Pigeon lui offre une cigarette pour la première fois, il la décline en disant «J'ai une tumeur à la gorge.» (Il en accepte une plus tard.)

Pigeon ne réussit jamais à engager le dialogue et à amener Boucher à tenir des propos compromettants, malgré tous ses talents d'interrogateur.

INTERROGATOIRE DE MAURICE BOUCHER PAR PIGEON

INTERROGATOIRE DE MAURICE BOUCHER PAR PIGEON

Pour faire parler Boucher de ses activités criminelles, Pigeon lui dit que, sauf dans le cas de *Biff* Hamel, il s'est mal entouré, ajoutant qu'il aurait dû se tenir loin de Tousignant, un cow-boy irresponsable. Toujours pour le piquer au vif, il lui dit que sa plus grave erreur a été de faire confiance à *Godasse* Gagné, l'homme qui l'a trahi. Aucune réaction. Pigeon finit par lui demander si ce qu'il lui dit l'intéresse. Boucher répond: « J'ai pas d'affaire à rien dire. »

Les seules paroles que Pigeon tire de lui viennent lorsqu'il lui parle de son boisé, près de sa maison à Contrecœur. Quand l'enquêteur lui demande s'il y garde des chevreuils pour la chasse, *Mom* répond: « C'est pour les regarder, pas pour la chasse. »

Revenant sur le sujet des motards, Pigeon lui dit qu'il est le leader des Nomads. Boucher fait encore une fois objection: « *Leader*? Je suis *leader* de rien moé. Tout le monde est sur le même pied. » Pigeon tente ensuite de soulever le doute chez Boucher, en lui disant que la police a 16 sources dans son entourage et qu'il va peut-être devoir payer le prix pour s'être entouré de personnes peu fiables au sein des Hells. Boucher reste silencieux.

Puis, Pigeon joue la flatterie. Il dit à Boucher qu'avec son charisme, son intelligence, s'il était en affaires, il serait probablement devenu président d'une grosse compagnie. Boucher se regarde les pieds. Toujours dans la même veine, Pigeon lui dit que, contrairement à ce qu'il pense, les gens qui travaillent pour Boucher sont loyaux, non parce qu'ils ont peur de lui, mais parce qu'ils sont fiers de travailler pour *Mom* Boucher. Il tourne la tête et regarde le plancher.

Pigeon lui demande s'il sait que ses ennemis, les Rock Machine, disent qu'il est une source de la SQ. Pas de réponse. Il lui demande carrément s'il est intéressé à devenir un témoin repenti, ajoutant que ce serait la meilleure chose qui puisse arriver, que cela permettrait de donner un coup de balai dans la ville de Montréal.

« On en aurait pour un an, dit Pigeon, en se penchant vers Boucher, à se raconter des histoires. As-tu déjà pensé à ça? Devenir délateur. T'es-tu déjà posé la question? » Boucher répond: « J'ai rien à dire. »

Plusieurs se demandent pourquoi, moi qui suis Boucher depuis des années, qui le connaît probablement mieux que la plupart des motards qui le fréquentent, je ne l'ai pas interrogé. Disons d'abord que je n'aurais pu faire mieux que Pigeon.

La force des organisations policières demeure le travail d'équipe. Pour connaître du succès dans les enquêtes, il faut mettre en commun les forces et les spécialités de chacun. Ma spécialité est le renseignement criminel ciblé sur les motards criminalisés. Je ne suis pas peu fier du boulot que j'ai accompli durant ma carrière dans mon domaine. Robert Pigeon, lui, excelle dans l'interrogatoire des suspects. Et il vient d'en faire une éloquente démonstration avec Stéphane *Godasse* Gagné quelques jours plus tôt.

Maurice Boucher, bien sûr, ne veut rien admettre. Normal. Avant l'interrogatoire, les avocats Cliche et Frigon ont remis aux enquêteurs Pigeon et Grilli une lettre signée par Boucher à l'effet qu'il n'a rien à leur dire. Ses avocats lui ont certainement dit que c'est sa parole contre celle de Gagné. Il pense probablement qu'il peut être acquitté s'il joue bien son jeu. Il croit qu'il peut battre le système policier et judiciaire. Il croit qu'il peut jouer sur les conflits toujours présents entre corps de polices et entre procureurs et policiers.

La récompense de 100 000 $ promise par la SQ afin de solutionner le meurtre de Diane Lavigne ne sera versée ni à Boies ni à Gagné, ni à personne d'autre d'ailleurs.

CHAPITRE 8

LE PREMIER PROCÈS DE BOUCHER : ACQUITTEMENT PAR INTIMIDATION

Le lendemain de l'arrestation de Boucher, la course contre la montre commence. Il faut le faire comparaître. L'interrogatoire de Pigeon et de Grilli terminé, Boucher est incarcéré dans une cellule du quartier général du SPVM, rue Bonsecours.

Sa comparution a lieu dans des circonstances particulières. Un individu fracasse une Pontiac Firebird contre les portes du Palais de justice donnant sur la rue Notre-Dame un peu avant son heure d'ouverture. Les autorités font évacuer, craignant la présence d'explosifs dans le véhicule. La police se demande si l'incident est lié à l'arrestation et à la comparution de Boucher. Le palais de justice de Montréal étant fermé, Boucher comparaît donc dans une salle de la cour municipale.

Peu de temps avant, je vais le voir en compagnie des enquêteurs René Lavigne et Richard Despaties, dans le quartier cellulaire, situé dans le même édifice que la cour municipale. L'enquêteur au dossier se charge de lui expliquer la situation et lui explique pourquoi il doit comparaître en cour municipale. Boucher écoute Lavigne sans rien dire.

Pour ma part, je veux voir Boucher pour tenter de déterminer ses états d'âme ; c'est important pour la suite des choses. Il ne m'adresse pas la parole non plus. Nous nous regardons dans les yeux, sans échanger de salutations comme nous l'avons toujours fait dans le passé. Rien. Il ne fait aucune déclaration qui puisse, éventuellement, être retenue contre lui. Il applique à la lettre les recommandations de ses avocats, Benoit Cliche et Gilbert Frigon.

C'est une recommandation classique des avocats à leurs clients avant que ceux-ci se rendent à la justice ou soient arrêtés: « T'as rien à dire. Y a pas un son qui sort de ta bouche. T'as pas de rictus, t'as pas rien. T'écoutes. Y font ce qu'ils ont à faire, y disent ce qu'ils ont à dire, tu te la fermes. »

Maurice Boucher comparaît finalement vers 16 h 50, le 19 décembre, devant le juge Fontaine. La salle d'audience est sécurisée et nous sommes seulement quatre ou cinq policiers dans la salle qui est verrouillée à la demande du juge. Aucun *frère* de Boucher n'assiste à sa comparution. Du banc des accusés, Boucher n'essaie pas de voir qui est dans la salle d'audience.

Les avocats Frigon et Cliche demandent au juge une ordonnance afin que Boucher soit incarcéré à la prison de Rivière-des-Prairies. La procureure de la Couronne, Me Marie-Andrée Trudeau, fait objection à cette demande, invoquant la protection de la société. On ne veut surtout pas qu'il puisse fomenter du grabuge avec les Hells emprisonnés, comme il l'a fait si souvent dans le passé lors de ses multiples séjours en prison. Le juge décide simplement que Boucher ne doit pas être incarcéré dans un endroit qui l'empêchera de préparer sa défense, laissant donc beaucoup de latitude au système correctionnel.

Frigon obtient cependant une ordonnance pour que Boucher reçoive les soins médicaux nécessités par ses polypes à la gorge. Dès le lendemain, Boucher est emmené au pavillon Notre-Dame du CHUM, afin d'y subir une biopsie. Par la suite, il est renvoyé sous bonne garde à la prison de Sherbrooke où il est gardé en attendant la tenue de son enquête préliminaire.

À compter du 20 décembre, toute l'équipe du caporal Fortin du projet Laron s'active à corroborer et à confirmer les déclarations de Steve Boies et de Stéphane Gagné quant à l'implication de Boucher dans les deux meurtres des gardiens de prison. Cette phase terminée, les procureurs de la Couronne doivent divulguer la totalité des preuves accumulées par la police contre Boucher à ses avocats. Cette procédure est destinée à faire en sorte que la défense puisse se préparer adéquatement pour contrer la preuve élaborée par la police avec l'aide des procureurs de la Couronne.

Je me plonge donc immédiatement dans la préparation du dossier de Boucher afin d'être prêt à témoigner. Ses avocats peuvent en effet, à tout moment, se présenter en Cour supérieure pour demander sa remise en liberté. Notre intention est bien sûr de nous opposer avec vigueur à une telle requête.

Au cours du mois suivant, je consacre plus de 350 heures à me préparer le mieux possible. J'ai un volumineux dossier sur le président des Nomads: tout ce qui existe sur Boucher, tant dans les dossiers des services de police que dans ceux du système correctionnel québécois. Je me mets donc à lire ces milliers de pages de documents, entrecoupant mes séances de lecture par des visionnements de vidéocassettes et l'écoute de bandes sonores se rapportant à Boucher. Je suis convaincu que je connais sa vie criminelle mieux que lui, depuis le temps que je l'ai dans le collimateur.

Ma conviction est moins surprenante qu'elle ne peut paraître si l'on tient compte que j'ai accès à des centaines d'heures de conversations téléphoniques où des complices, des membres de sa famille et des amis intimes parlent de lui. Je sais donc tout ce que ce beau monde dit de lui, tout ce qu'ils n'auraient jamais osé dire devant lui. Je connais des secrets sur lui et son entourage que lui-même ignore.

Le travail d'un expert policier sur les motards criminalisés nécessite un investissement humain considérable, une vie familiale troublée par la nécessité d'être disponible en tout temps, à toute heure du jour et de la nuit, des fins de semaine ratées et des congés des fêtes perturbés. Il doit répondre aux besoins de tous les intervenants, quand on ne lui demande pas de participer à d'interminables séances de travail avec des procureurs de la Couronne assignés aux dossiers. Il faut être passionné par son travail et aussi avoir un certain idéal de la justice pour persister dans ce métier.

Maurice Boucher à la Maison Tanguay de Montréal

Le ministère de la Sécurité publique prévoit des conditions de détention particulières pour Boucher. Il est transféré immédiatement après sa comparution, le vendredi soir 19 décembre, à la prison de Sherbrooke devant laquelle un véhicule de la SQ monte la garde en permanence.

LOCAL DE SHERBROOKE FACE À LA PRISON

Fait cocasse: de la prison de Sherbrooke on peut voir, de l'autre côté de la rivière Saint-François, le drapeau des Hells Angels qui flotte au sommet du local de Sherbrooke, rue Queen. Et du balcon avant du local, on voit très bien les aires de promenade de l'établissement de détention.

Pour la tenue de l'enquête préliminaire et la poursuite du processus judiciaire à Montréal, le ministère de la Sécurité publique fait aménager une aile de détention de la Maison Tanguay, un centre de détention pour femmes. Les détenues qui s'y trouvent sont transférées ailleurs et on fait plastifier les fenêtres et installer des caméras pour surveiller l'homme qui est alors le prisonnier le plus célèbre du Québec.

Boucher dispose d'une aile d'une dizaine de cellules dans laquelle il est l'unique pensionnaire. Cependant, il ne peut utiliser que sa propre cellule, les portes des autres étant fermées. On bouche même les petites fenêtres des autres cellules pour qu'il ne puisse pas voir à l'extérieur. Seule la fenêtre de la sienne n'est pas obstruée.

Pour contrer un « affidavit » déposé en Cour supérieure par ses avocats afin d'alléger ses conditions de détention, le directeur des services correctionnels du Québec à Montréal, Michel Lacoste, justifie ainsi le choix de la Maison Tanguay comme lieu de détention de Boucher:

[...]

6. Les accusations qui pèsent contre le requérant concernent deux victimes qui étaient agents des services correctionnels, soit M. Pierre Rondeau, qui travaillait à l'Unité Mouvement et

Comparutions de Montréal, laquelle relève de l'administration de détention de Rivière-des-Prairies, et Mme Diane Lavigne, qui travaillait à l'établissement de détention de Montréal;

7. Dans ces circonstances, la détention du requérant à l'établissement de détention de Rivière-des-Prairies ou à l'établissement de détention de Montréal me semblait inappropriée parce que dangereuse, pouvant générer une atmosphère lourde, malsaine et provocante pour les membres du personnel ainsi que pour la clientèle de ces établissements;

8. Le grand nombre de personnes incarcérées dans ces deux institutions, la présence des membres de groupes criminalisés rivaux et la notoriété de M. Boucher comme haut dirigeant d'un de ces groupes m'obligeaient à ne pas détenir le requérant à l'établissement de détention de Rivière-des-Prairies ou à celui de Montréal;

9. Mon choix s'est donc arrêté sur l'établissement de détention de la Maison Tanguay pour les raisons suivantes:

a. aucun agent des services correctionnels de cet établissement n'a été impliqué dans les événements pour lesquels M. Boucher est inculpé;

b. la capacité d'hébergement officiellement reconnue de l'établissement de détention de la Maison Tanguay rend plus facile et efficace l'application de mesures de sécurité: établissement de détention de Montréal: 1003 places; établissement de détention de Rivière-des-Prairies: 500 places; établissement de détention de la Maison Tanguay: 116 places;

c. à l'établissement de détention de la Maison Tanguay, il était possible d'assurer la garde du requérant par des agents des services correctionnels, agissant sur une base volontaire, contribuant ainsi à favoriser un meilleur climat entre les agents des services correctionnels et le requérant;

d. l'établissement de détention de la Maison Tanguay se prête davantage à l'ajout d'équipements de haute sécurité, compte tenu du périmètre de sécurité moins grand à couvrir que dans les autres établissements de détention du territoire de Montréal.

10. Le requérant n'est pas placé en isolement préventif, ni en confinement ou en réclusion…

11. Le requérant est dans un secteur de l'établissement qui répond à son profil, qui se caractérise entre autres par les éléments suivants :

a. identification comme dirigeant d'un groupe criminalisé ;

b. risque important d'évasion, compte tenu de son statut au sein du groupe criminalisé auquel il appartient, comme ce fut le cas pour M. Richard Vallée, membre du groupe des Hells Angels qui s'est évadé le 5 juin 1997 alors qu'il était en attente de procès ;

c. accusations de meurtre contre des agents correctionnels ;

d. accusations de meurtre dont le but était de déstabiliser notre système de justice, tel que constaté par madame la juge Ginette Piché dans la cause de R. c. Gagné.

16. À cause de l'obligation des autorités carcérales d'assurer la sécurité de la clientèle en détention et compte tenu de l'influence notoire du requérant dans le milieu du crime organisé, il m'est impossible de placer d'autres personnes incarcérées dans ce secteur, à moins que celles-ci ne représentent un profil similaire à celui du requérant, tel que décrit précédemment.

Lors de ses séjours précédents en prison, Boucher a été impliqué dans des incidents violents et d'autres perturbations de la vie carcérale. Quelques années auparavant, des individus proches de Boucher ont même incendié des matelas et provoqué une émeute qui a causé des centaines de milliers de dollars de dégâts à Bordeaux.

Je me rends *briefer* les gardiens choisis pour s'occuper de Boucher. Tous sont volontaires. Je leur fais donc un exposé sur le phénomène des motards au Québec, sur la place occupée par Maurice Boucher dans ce milieu, sur la guerre qui oppose Hells Angels et Rock Machine. Je leur parle de l'escouade Carcajou, j'insiste sur le professionnalisme dont ils doivent faire preuve en tout temps, puisque Boucher et ses avocats cherchent par toutes les façons à les prendre en défaut dans leur travail. Je leur explique toutes les formes que peut prendre l'assistance que la SQ leur offre si le besoin s'en fait sentir.

Dans son aile, Boucher a accès à un téléphone public et à un téléviseur, comme tous les autres détenus qui ont les moyens de s'en offrir un. Le chef Nomads, semble-t-il, pense toujours qu'il est sous écoute électronique. Je peux le dire ici, ce n'était pas le cas. Du moins, pas par la Sûreté du Québec. On n'a jamais écouté ses conversations privées à partir de la prison.

Pour obtenir un mandat judiciaire d'écoute, il faut des motifs de croire qu'il participe à la commission d'un crime. Et je suis passablement convaincu que ce n'est plus le cas, depuis qu'il vit dans une solitude presque monastique.

Le service correctionnel québécois a autorité en matière d'écoute carcérale, mais encore là, il faut quand même avoir un motif pour convaincre la direction de la Maison Tanguay d'un crime potentiel tel qu'un risque d'évasion, par exemple.

Après ma présentation, je peux visiter son « aile » de Tanguay, pendant qu'il comparaît en Cour. Mon attention est attirée par un téléphone public. Je note que, gravés dans le bois, se trouvent le nom et le numéro de téléphone du journaliste Claude Poirier avec qui il est en relation depuis des années.

Boucher a une grande confiance en Claude Poirier et il l'appelle régulièrement pour discuter d'affaires policières et judiciaires alors qu'on a des écoutes judiciairement autorisées sur les téléphones qu'utilise Boucher. Maurice Boucher apprécie particulièrement les critiques féroces de Claude Poirier à l'endroit de la police et l'encourage dans ce sens.

En prison, on ne peut pas recevoir qui l'on veut, il faut soumettre une liste de noms des personnes avec qui on a des liens familiaux. Normalement, aucun de ses comparses dans le milieu des motards criminalisés ne peut venir le voir. Boucher doit aussi soumettre les noms des avocats qui, eux, peuvent le voir en tout temps et qui le tiennent parfaitement au courant de ce qui se passe à l'extérieur. Boucher peut recevoir neuf personnes proches de lui et huit avocats.

Les rencontres avec ses procureurs se font sur rendez-vous uniquement puisque la salle des libérations conditionnelles de la prison doit être utilisée pour ces rencontres et qu'elle n'est pas toujours libre. Quand il rencontre ses avocats, Boucher se place toujours dos à la fenêtre, craignant que quelqu'un le surveille avec des jumelles et puisse donc lire sur les lèvres. Sa paranoïa ne s'arrête pas là. Il obstrue lui-même, avec du papier hygiénique, quatre petits trous dans l'un des murs de la salle, laissés par des clous qui ont sans doute déjà retenu une grande affiche maintenant disparue. Boucher craint qu'on l'observe ou qu'on l'écoute par ces petites ouvertures.

L'enquête préliminaire: *Godasse* Gagné à l'école de Me Larochelle

Pendant que Boucher médite et se morfond dans la solitude de son aile de la Maison Tanguay, nous, du côté de la police et des procureurs du ministère public, on prépare le procès. La première étape est l'enquête préliminaire pour le meurtre et la tentative de meurtre des gardiens de prison qui va se dérouler du 23 mars au 12 mai 1998 devant le juge Jean-Pierre Bonin.

Boucher est représenté par une des sommités du barreau, Me Jacques Larochelle, un avocat de Québec qui perd rarement ses causes. Il en impose et est intimidant pour les témoins. C'est durant l'enquête préliminaire qu'a lieu la première confrontation entre Me Larochelle et le délateur Gagné, sur qui repose notre cause.

Intellectuellement, Stéphane Gagné n'est pas de taille. Il n'a pas été choyé par la vie. Il a de la difficulté à s'exprimer clairement, et il n'a pas usé longtemps ses fonds de culotte sur les bancs d'école, comme on disait à l'époque. Sa seule chance de réussite dans la vie était de monter dans la hiérarchie des motards. Devant un brillant plaideur, le combat est très inégal. Gagné n'a jamais témoigné publiquement dans sa vie, c'est un criminel qui n'a pas, au jour le jour, noté par écrit les crimes et les infractions qu'il a commis.

Il a beau être devenu un témoin du ministère public, il reste un type confus, brouillon et désordonné. Durant les contre-interrogatoires de Me Larochelle, Gagné se souvient parfois de quelque chose dont il n'a pas parlé auparavant. C'est l'occasion pour l'avocat de Boucher de l'entreprendre:

« Pourquoi n'en avez-vous pas parlé avec la police ? Pourquoi vous n'avez pas dit ça ? » L'apprentissage que Me Larochelle offre gratuitement à Gagné est difficile et pénible. Mais il a le meilleur professeur qui soit pour apprendre à témoigner. Il le prouve au second procès.

À l'enquête préliminaire, Me Larochelle met systématiquement de l'avant le fait que Gagné est un délateur, mot synonyme pour lui de menteur, une catégorie d'individus qui n'a pas la cote en 1998. Des témoins tarés, comme dit invariablement Claude Poirier dans ses conversations avec André Arthur à la radio. Les criminels qui collaborent avec la police sont présentés comme des « crosseurs », des gars qui ont menti toute leur vie.

Il faut dire que les organisations de motards criminalisés jouent également là-dessus. Souvent, j'explique devant des tribunaux que les motards choisissent des menteurs en série pour exécuter leurs sales besognes afin que, si ceux-ci décident de retourner leurs vestes, cela devienne un handicap pour le ministère public.

Me Larochelle ne s'en prive pas avec *Godasse* : « M. Gagné, vous avez menti pour avoir des privilèges et pour avoir de l'assurance-chômage, ou pour avoir une sortie ou pour avoir ceci, etc. » Le juge, dans le cas des témoins repentis, doit instruire les jurés : « Si vous ne croyez pas le délateur, vous êtes obligés d'acquitter l'accusé. Si vous croyez le délateur, vous allez devoir faire un autre exercice. Vous allez devoir vous demander pourquoi vous le croyez ? Le croyez-vous parce que ce qu'il a dit est confirmé par une preuve indépendante et corroborée par un autre témoin ou un autre élément ? » Et ainsi de suite.

Au procès de Boucher, le ministère public est représenté par Me Jacques Dagenais, un excellent procureur avec un vaste bagage intellectuel. Un gentleman dans tous les sens du mot. Me Dagenais est au sommet de son art, mais a peu d'expérience devant jury ; c'est un homme calme, imperturbable qui laisse rarement transparaître ses émotions.

La preuve que le ministère public possède contre Boucher est fondée principalement sur des éléments corroboratifs circonstanciels. On s'en souvient, *Mom* Boucher a dit à Gagné, devant Fontaine et Mathieu : « C'est beau mon *Godasse*, c'est pas grave si elle avait des totons. » À cela s'ajoutent d'autres conversations que Boucher a eues avec Gagné, durant lesquelles il explique pourquoi il fait tuer des gardiens de prison, pourquoi il veut s'attaquer au système judiciaire ainsi qu'aux juges et aux procureurs du ministère public.

Gagné est l'élément central de la preuve. L'enquête policière a permis de retrouver certaines pièces à conviction ayant servi au crime à l'endroit où Gagné l'a indiqué. Deux casques de motos et un bidon d'essence ont ainsi été récupérés. La stratégie de la Couronne est de démontrer aux jurés que son témoignage est en grande partie confirmé. Pourquoi donc mentirait-il sur des éléments impossibles à confirmer ?

On l'a vu, Gagné n'est pas quelqu'un d'important dans le milieu. Il est au bas de l'échelle, un exécutant, un simple pion au sein de l'organisation. Il est dans un club-école. Boucher ne lui donne jamais directement des ordres. Il utilise des intermédiaires. Il donne ses ordres aux *hangarounds* du chapitre Nomads qui les transmettent à Gagné.

Il mérite et attire l'attention du chef de guerre Nomads, qui le prend sous son aile, lorsqu'ils séjournent tous les deux en prison. L'affection que Boucher manifeste alors pour Gagné suscite des jalousies parmi les Rockers qui lui reprochent ses contacts trop fréquents avec *Les lunettes* (un autre surnom de Boucher).

À l'enquête préliminaire devant le juge Jean-Pierre Bonin, Maurice Boucher est cité à son procès pour le mois de novembre 1998.

Parallèlement à son enquête préliminaire, Boucher fait déposer une requête en *habeas corpus* par l'avocat Jacques Normandeau, afin qu'il puisse réintégrer la population carcérale régulière et avoir accès à ses avocats dans le but de préparer adéquatement sa cause. L'Honorable juge Hesler de la Cour supérieure du Québec saisie de la cause rend décision le 10 juin 1998.

La juge statue que la détention de Boucher n'est pas illégale en soi, mais certaines de ses conditions de détention violent ses droits fondamentaux, entre autres son droit à l'avocat. Par conséquent, la juge ordonne que Boucher puisse avoir un accès quotidien à ses avocats sur un préavis de quatre heures entre 13 h et 20 h. Il peut recevoir des visites, entrer en contact avec des « ressources en réhabilitation » et suivre des cours s'il le désire.

Insatisfait du jugement Hesler, Boucher porte sa cause devant la Cour d'appel. Le 28 septembre 1998, les trois juges rejettent séance tenante sa demande, ajoutant qu'il ne démontre pas que sa situation «spéciale» lui cause un préjudice ou viole ses droits fondamentaux. Me Normandeau plaide que l'isolement de Boucher est en quelque sorte une mesure punitive. Aucune preuve psychologique n'est faite par l'avocat lors de cette requête.

Les Hells intimident le jury qui acquitte Boucher

La campagne de dénigrement du système judiciaire et de la SQ téléguidée par Boucher à travers Robert Savard et Gaétan Rivest, et amplifiée par les journalistes André Arthur et Claude Poirier, porte ses fruits. L'ambiance de soupçon à l'égard du système judiciaire, des témoins repentis et de la police[45] influence aussi nécessairement les personnes choisies afin de faire partie du jury.

De plus, les motards criminalisés font peur. Quand le procès commence, début novembre 1998, le ministère public dévoile les résultats d'un sondage de la maison Léger et Léger sur le degré de crainte des gens qui sont appelés comme jurés. Les résultats sont troublants. Sur 1 000 personnes, 821 ont peur d'être membres du jury dans un procès de motards criminalisés. Les gens craignent les représailles. Ils savent par les journaux que les motards sont capables d'avoir accès à leurs informations personnelles dans des banques de données gouvernementales.

Dans le premier procès de Boucher, le jury est séquestré. Le procès dure 10 jours, du 17 au 27 novembre 1998. Le juge Boilard mène le procès rondement. Trop rondement peut-être. Il refuse que le ministère public mette en preuve certaines conversations d'écoute électronique. De plus, le juge Boilard répète plusieurs fois qu'il est imprudent de condamner un individu sur la foi d'*un témoin taré* (il emploie l'expression à plusieurs reprises) sans que ses dires soient confirmés. Il ne laisse donc aucun choix aux jurés de prononcer l'acquittement, compte tenu que Gagné est le point d'ancrage de la théorie du ministère public. Les éléments confirmatifs étant exclus, l'acquittement par le jury est inévitable.

Un autre élément qui explique l'acquittement est la présence dans la salle d'audience, vers la fin du procès, des Nomads et des Rockers affublés de divers accoutrements aux couleurs de leurs clubs; chemises, vestes de nylon, coton ouaté, bijoux de toutes sortes. Pour s'assurer d'être dans les premières rangées, ils achètent les places du public pour lesquelles ils paient de 40 à 200 $. Chaque motard choisit ensuite un membre du jury qu'il fixe du regard: une pression psychologique extraordinaire non seulement sur les jurés, mais aussi sur les autres participants au processus judiciaire.

Dans la Loi antigang C-24, en vigueur depuis le 7 janvier 2002, on tient compte de ce qui s'est passé dans ce premier procès, afin que cela ne se reproduise pas dans des procès futurs impliquant des organisations criminelles comme des bandes de motards. Des dispositions particulières de la loi portent sur des questions comme l'anonymat du jury et la disposition de la salle d'audience afin d'éviter tout contact visuel entre les membres du jury et le public qui assiste au procès.

Quand j'apprends le verdict par téléphone de la bouche du caporal René Fortin, je viens de prononcer une allocution à Toronto, dans le cadre d'une conférence nationale d'enquêteurs travaillant dans le domaine des motards criminalisés; j'en reste bouche bée. J'ai du mal à l'accepter, même si toutes les informations qui me sont parvenues de la part des enquêteurs au cours des jours précédents laissaient prévoir pareil dénouement. C'est un revers important dans cette lutte contre les motards criminalisés, mais la bataille n'est pas terminée. Un appel est envisageable.

Personnellement, le cirque médiatique qui a accompagné la libération de Boucher m'indigne au plus haut point. C'est la nouvelle du jour au Canada. Première place dans les bulletins d'information à la télévision et à la radio et, le lendemain matin, manchettes dans tous les journaux du pays. Tout le monde ne parle que de ça. Ce que je voudrais être à Montréal au Palais de justice pour constater et contrôler les « dommages collatéraux » de cette décision du jury!

Dès son acquittement prononcé, Boucher enjambe la balustrade et sort de la salle d'audience et du Palais de justice entouré par ses *frères* Nomads, ses Rockers, ses amis et ses avocats. Les journalistes, les photographes, les cameramen se précipitent afin d'obtenir ses commentaires. Dans la cohue qui s'ensuit, un gardien de sécurité du Palais de justice subit des blessures au bras.

Plusieurs gestes obscènes sont dirigés vers les policiers pendant la sortie des motards du Palais de justice. Les reportages des télévisions et des journaux montrent Boucher descendant l'escalier mobile avec le photographe Michel Tremblay qui a eu droit à certaines exclusivités médiatiques dans le passé et qui en aura plusieurs autres dans l'avenir, autant de la part des Hells Angels que des Rock Machine-Bandidos. Tout souriant, le journaliste Claude Poirier discute avec les motards présents sur le trottoir de la rue Saint-Antoine devant le Palais.

En soirée, Boucher se rend avec ses amis au Centre Bell, pour assister au combat Hilton-Ouellet. C'est le seul combat de ces deux boxeurs que je manque. Je suis trop loin et je dois ramener mon véhicule de police à Montréal. Toutefois, j'aimerais vraiment être là pour « sentir la salle ». C'est ce soir-là, véritablement, que la légende urbaine de Maurice Boucher prend son envol. On dit tout et n'importe quoi au sujet de sa présence et de son comportement durant ce combat de boxe. « Il reçoit une ovation debout. Il porte ses couleurs. Ne les porte pas. Tout le monde se précipite pour lui serrer la main. Il est la vedette de la soirée. L'homme responsable d'une guerre entre gangs qui a fait plus d'une centaine de morts, dont plusieurs innocents, est applaudi par une foule de 15 000 spectateurs en délire. »

Il faut rétablir les faits. J'ai eu l'occasion d'interviewer plusieurs spectateurs présents et de visionner par la suite à peu près tout ce qui s'est enregistré ce soir-là comme images vidéo en circuit fermé et par les différentes stations de télévision. Les combats Hilton/Ouellet et Lucas/Divaloria ont provoqué un immense intérêt médiatique, encore accru par la présence de Boucher et d'une phalange de motards portant leurs emblèmes blanc et rouge. Durant le combat de Lucas, à chaque fois que l'écran géant montrait des images de Stéphane Ouellet ou de Dave Hilton dans leur vestiaire en plein préparatifs, la foule de spectateurs du Centre Bell explosait en applaudissements qui sont confondus avec des ovations à Boucher

Boucher n'a porté ses couleurs qu'un bref instant, le temps d'enfiler un veston noir par-dessus. On l'a déjà dit, il n'affectionne pas particulièrement le port de l'uniforme des Hells.

Sur les cassettes vidéo, on voit effectivement des types applaudir, mais ça se limite à quelques *frères* et affiliés.

MAURICE BOUCHER EN 1999

Ce n'est pas une ovation générale de l'assistance. Encore mieux, on peut voir clairement que de nombreux motards qui se trouvent dans l'assistance ce soir-là restent assis, complètement indifférents, et n'applaudissent pas Boucher.

L'ovation générale marque l'arrivée des boxeurs dans le ring et leur présence sur l'écran géant. Pas pour Boucher. Mais quoi qu'il en soit, c'est ce soir-là que Maurice *Mom* Boucher devient véritablement une vedette, la coqueluche des médias. L'acquittement de Boucher lui confère une aura d'invincibilité.

Ce n'est pas la première fois que Boucher se présente au Centre Bell pour un combat de Stéphane Ouellet. Fin juin 1996, je l'observe déjà discutant avec des membres du chapitre Trois-Rivières et leurs affiliés devant l'entrée de la rue de La Gauchetière. Fidèle à son habitude, il ne porte pas ses couleurs et est accompagné d'André *Toots* Tousignant.

Il n'est pas surprenant de rencontrer des motards, particulièrement lors des combats de boxeurs québécois. Quant à leurs présences aux premières rangées, elle n'a pas besoin d'explication non plus, car l'argent ne leur pose pas problème. Ce sont aussi de gros parieurs sur les résultats des combats.

Je me souviens d'un combat revanche, fin mai 1999, entre Dave Hilton et Stéphane Ouellet. Un membre influent des Hells Nomads, Louis *Melou* Roy, m'avoue alors avoir « misé un gros paquet d'argent » CONTRE son boxeur favori. En faisant mes recherches usuelles dans l'enceinte du Centre Bell, afin de localiser les motards venus assister au combat, je croise Roy et sa compagne à un comptoir de restauration rapide du 3e étage. Je localise aussi plusieurs autres membres du chapitre Sherbrooke dans une « loge corporative » du 5e étage. On se souvient qu'Hilton a terrassé Ouellet à 2 min 48 du troisième round. L'histoire ne dit pas quels ont été les gains de *Melou* Roy ce soir-là, et je n'ai jamais pu lui en reparler avant sa disparition mystérieuse en juin 2000.

Me France Charbonneau, la femme qui a le courage d'aller en appel

Au sein du système judiciaire et dans la police, l'acquittement de Boucher provoque la consternation la plus totale. Cependant, tout en étant aussi ébranlés par la décision du jury, les procureurs de la Couronne ne remettent pas en question l'utilisation des délateurs.

Le procureur-chef de Montréal, André Vincent, demeure convaincu d'avoir eu suffisamment de preuves contre Maurice Boucher. Comme il explique à des journalistes en rappelant les résultats du sondage Léger et Léger: « [...] Ce n'était pas un procès facile. Les enjeux étaient grands. Il reste toujours des éléments de peur. »

Me Vincent réaffirme aussi son entière confiance aux deux procureurs Me Jacques Dagenais et Me France Charbonneau. Cette dernière fulmine. Elle estime que la décision du juge est mal fondée en droit; la suite des événements lui donne raison.

Me Charbonneau, après avoir plaidé dans quelque 80 causes de meurtres en tant que procureure de la Couronne, est devenue conseillère juridique en novembre 1997, au sein de l'escouade Carcajou, tout en demeurant substitut du procureur général. C'est là que je la rencontre pour la première fois, quelques jours après son entrée en fonction. Je veux prendre connaissance de l'excellent texte sur le témoignage des policiers en cour qu'elle vient d'écrire.

Je peux constater combien Me Charbonneau sait se faire apprécier des policiers peu habitués qu'un procureur de la Couronne les côtoie et partage leur environnement au quotidien. Les policiers comprennent vite qu'ils ont besoin d'elle.

GUY OUELLETTE AVEC Me FRANCE CHARBONNEAU

Elle conseille les policiers sur leurs pouvoirs et leurs devoirs dans les limites qu'impose la loi. C'est à l'escouade Carcajou qu'elle approfondit ses connaissances en matière de crime organisé. Je me plais à penser que je lui ai été utile. Elle affirme avoir été très heureuse dans ces fonctions et avoir eu le sentiment d'être appréciée. J'en suis profondément convaincu. Elle demeure avec Carcajou jusqu'en 1999.

France Charbonneau est donc incapable d'accepter ce verdict d'acquittement. Elle considère que les directives du juge Boilard aux jurés sont erronées. Elle est déterminée à porter la cause en appel. La tâche n'est pas facile. Il lui faut convaincre le Comité des appels à Québec. Heureusement, elle a l'appui d'André Vincent. Il est le seul, avec Carole Leboeuf, de tous les avocats de la Couronne de Montréal à appuyer ses démarches.

Le 8 décembre 1998, le Comité de Québec l'autorise à porter la cause en appel à la condition qu'elle s'engage à s'occuper du dossier et à représenter la Couronne devant les tribunaux, dans le cas d'un nouveau procès. Elle accepte d'emblée.

Afin de préparer son mémoire, Me Charbonneau s'adjoint les services d'une juriste de premier ordre, Me Carole Leboeuf, substitut du procureur général, faisant partie de la section des appels de Montréal. Le mémoire détaille, sur plusieurs centaines de pages, en citant la jurisprudence, les erreurs commises par le juge Boilard pendant le procès et dans ses instructions aux jurés. Il est déposé en Cour d'appel en juillet 1999 et l'audition a lieu devant les trois juges de cette même cour le 18 mai 2000.

Me Charbonneau peut bien sûr compter sur l'appui de tous les membres de l'escouade Carcajou. Nous croyons fermement en ce dossier. Pour ma part, je m'engage à lui apporter ma collaboration la plus totale.

Boucher vient de passer plus de 11 mois incarcéré à la prison de Sherbrooke et à la Maison Tanguay de Montréal. Arrêté le 18 décembre 1997 et libéré le 27 novembre 1998, il décide de reprendre le temps perdu. Au cours de l'hiver, il effectue sept voyages vers des paradis tropicaux et fiscaux[46]. Boucher ne fréquente pas beaucoup les rues du quartier Hochelaga-Maisonneuve ou les bunkers des clubs de motards dans les mois qui suivent. Il se rend plutôt au Mexique, en Jamaïque, à Saint-Martin et à Aruba. Durant les quatre premiers mois de l'année 1999, il est constamment en voyage. Il part une semaine avec son épouse et des amis, passe une semaine à Montréal et repart ensuite avec son amie de cœur, et ainsi de suite.

NOMADS EN VACANCES EN 1999 : CHOUINARD, BOUCHER, HAMEL, STOCKFORD, MATHIEU, ROBITAILLE, CHARLEBOIS ET MAYRAND

Me BENOIT CLICHE AVEC MAURICE BOUCHER À MIRABEL

Chapitre 9

UNE ANNÉE DANS LA VIE D'UN CHEF NOMADS

L'année 1999 est marquée de plusieurs démonstrations de visibilité de la part des motards. Boucher veut reconquérir le terrain perdu et profiter de son nouveau statut de vedette médiatique.

Une première manifestation de cette politique de visibilité se déroule à Montréal le 1er mai 1999, jour du 12e anniversaire de Maurice Boucher chez les Hells. Pour l'occasion, il porte ses *patches*. En plus des Nomads et de leurs affiliés Rockers, les Hells Trois Rivières et leurs affiliés Rowdy Crew et Satans Guards se promènent bruyamment en moto sur le boulevard René-Lévesque avant d'être interceptés par des patrouilleurs du Centre opérationnel sud du SPVM.

Cette démonstration se déroule une semaine après que des bombes, qui se révéleront inoffensives, auront été déposées devant les postes de quartier du SPVM. On soupçonne Boucher d'être derrière cette attaque qui relève autant de la manœuvre d'intimidation que de la démonstration de force. La tension est donc à son paroxysme entre policiers et motards.

Après une première vérification de routine, les motards repartent en brûlant des feux rouges en succession ; ils sont donc interceptés de nouveau près de la rue Saint-Denis. Ils écopent d'une cinquantaine de contraventions. Le cortège de motards se dirige ensuite vers Saint-Sauveur, où les Hells et leurs alliés passent toute la soirée à la terrasse d'un restaurant à la mode.

Quand une *ride* de Hells Angels bloque l'autoroute 10

Je reprends contact avec Boucher le 21 mai 1999. Je suis informé par les gens de la ligne info motards qu'un convoi de Hells Angels vient de quitter Montréal et se dirige vers Sherbrooke en empruntant l'autoroute des Cantons-de-l'Est. Les motards se rendent au local des Hells Sherbrooke afin de célébrer le 11e anniversaire du chapitre Quebec City. Je n'ai pas revu Boucher depuis son arrestation en décembre 1997.

En compagnie du sergent Daniel Beaudette du service des renseignements criminels, nous nous engageons en toute hâte sur l'autoroute 10 pour rejoindre le convoi des motards. Nous les localisons à la hauteur de la sortie 55, à l'Ange-Gardien. Ils se sont arrêtés pour manger dans un McDonald's et faire le plein. Le convoi de 80 motos attire l'attention d'un patrouilleur de la SQ qui décide d'effectuer une patrouille de retenue à 80 km/h. Interprétant l'initiative du patrouilleur comme une provocation, le capitaine de route de la *ride*, le Nomads David *Wolf* Carroll, immobilise sa moto, aussitôt imité par tous les autres véhicules, obstruant ainsi les deux voies de circulation à la hauteur du kilomètre 59. Les motards perturbent une première fois la circulation. Le patrouilleur de la SQ n'est pas informé qu'un comité d'accueil policier, relevant d'un autre district, doit les recevoir à Deauville, une soixantaine de kilomètres plus loin. Averti de la chose, il les laisse repartir.

AUTOROUTE 10 BLOQUÉE PAR LES MOTARDS

Environ 45 minutes plus tard, lorsque le temps est venu de guider la procession de motos vers le poste de vérification de pesée des véhicules lourds en bordure de l'autoroute 10, deux véhicules de la SQ bloquent la route. Les policiers débarquent de leurs voitures et font signe aux motards de s'engager sur la voie de service menant au poste de pesée. Carroll immobilise de nouveau le convoi. Encore une fois, toutes les motos et les véhicules d'accompagnement obstruent complètement l'autoroute. On est vendredi après-midi. C'est la cohue. Plusieurs camions semi-remorques et des centaines de voitures suivent le convoi depuis des kilomètres et sont maintenant immobilisés.

OUELLETTE PARLE À CHOUINARD

BOUCHER EN MAI 1999

FRANCIS BOUCHER EN1999

Je me fraie un chemin sur le remblai de la route à bord de ma voiture banalisée, vers l'avant du convoi, pour désamorcer la crise. J'entends des motards immobilisés que je dépasse: « Laissez-les pas passer » « En arrière, ces crisses-là. » Leur avocat de service est en tête de convoi. Je lui dis que les Hells doivent laisser passer la circulation. Il ne veut rien savoir. Peut-être pense-t-il que la SQ n'a pas juridiction sur le secteur qui relève de la police de Sherbrooke. Je rejoins ses représentants qui attendent l'arrivée des motards avec des membres de la SQ au point de contrôle établi au poste de pesée, à moins de 100 mètres de là.

Initialement, on a prévu à cet endroit une vérification complète des motards et de leurs motos et la distribution de contraventions pour toute infraction relevée. La ville de Sherbrooke possède une réglementation spéciale pour les silencieux inadéquats, et ses policiers entendent bien l'appliquer. Mais là, les Hells obstruent l'autoroute et les véhicules continuent à s'accumuler derrière leur convoi. Il faut trouver une façon d'assurer la sécurité des citoyens et la libre circulation des automobilistes. Je propose donc un compromis qui est accepté par les gars de la police de Sherbrooke. On fait une vérification sommaire des motards et on les avise qu'ils seront soumis à une vérification exhaustive s'ils sont l'objet d'un contrôle durant la fin de semaine dans la ville de Sherbrooke.

Je retourne informer les motards. Je n'ai rien à faire de l'avocaillon de service. Je veux parler à quelqu'un en autorité chez les Hells. Je cherche donc Maurice Boucher qui délègue André Chouinard, un Nomads, pour discuter avec moi. *Mom* assiste à notre échange, le sourire aux lèvres.

Je lui donne le choix. Ou ils dégagent l'autoroute, se soumettent à une vérification sommaire d'identité et de plaques pour les motards connus et vérification complète pour les inconnus, ou je leur promets de faire venir autant de camions plateformes que nécessaire pour venir embarquer les 80 motos à destination de la fourrière municipale. S'ils n'acceptent pas de dégager, cela veut dire la paralysie totale de l'autoroute pendant plusieurs heures.

Pendant mon échange avec Chouinard, Boucher ne dit rien; il est près de la portière de ma voiture banalisée et me regarde à travers ses verres fumés. Je dis à André Chouinard que j'ai tout mon temps, mais je lui suggère d'agir rapidement parce qu'il risque de rater ses propres noces et « la madame ne sera pas contente ». Je sais bien sûr qu'il se marie deux jours plus tard, le dimanche 23 mai. Je lui annonce même que le collègue qui m'accompagne, le sergent Beaudette, et moi serons à ses noces, même s'il a oublié de nous envoyer un faire-part. Chouinard me semble décontenancé et ne dit rien.

Je ne sais pas si effectivement Chouinard a peur de manquer ses noces, mais il accepte de débloquer l'autoroute et d'avancer vers le poste de pesée. En retournant vers sa moto, je l'entends demander à *Mom*: « J'ai-tu bien fait ça, j'ai-tu ben parlé, c'est-tu ce que c'est que t'aurais fait ? »

Mais je ne suis pas au bout de mes soucis. Dès que je démarre pour informer les policiers du poste de pesée que les Hells acceptent, ceux-ci, à ma plus grande surprise, me suivent immédiatement vers le point de contrôle où les policiers sont quelque peu pris à l'improviste par l'arrivée massive et inattendue des 80 motos.

Un policier, désireux de rédiger quand même un constat d'infraction à David Carroll pour avoir obstrué l'autoroute 10 en tout début d'opération, vérifie le permis de conduire de l'intéressé pour s'apercevoir qu'il est suspendu pour amendes non payées. La randonnée de Carroll est terminée. Un *prospect* Montréal doit conduire la moto de ce dernier pendant que *Wolf* prend place dans l'un des véhicules d'accompagnement. Boucher trouve plutôt comique la situation du malheureux Carroll.

À la fin de la vérification, alors que le convoi s'apprête à reprendre le chemin du local de Sherbrooke, je m'approche de Chouinard et de Boucher et je leur donne rendez-vous à l'occasion du mariage de Chouinard et de sa compagne Lyne.

Effectivement, je suis sur place deux jours plus tard, quand la majorité des Nomads et des Rockers arrivent un à un à bord de leurs véhicules au chic Château Vaudreuil, pour y célébrer les noces somptueuses du motard André Chouinard. À cette occasion, les chanteurs Martin Stevens et Charles Biddle feront les honneurs de la musique de la cérémonie qui se déroule dans le pavillon extérieur de l'hôtel.

Lorsque des images vidéo du mariage sont présentées aux jurés à l'occasion du procès tenu au centre judiciaire Gouin, l'assistance peut remarquer les talents de danseur de Me Gilbert Frigon qui s'en donne à cœur joie sur la piste au beau milieu de ses clients.

CHAPITRE NOMADS AUX NOCES DE CHOUINARD : ROSE, ROY, CARROLL, CHOUINARD, MATHIEU, ÉPOUSE, HOULE, STOCKFORD. À L'AVANT ROY, WOOLLEY ET BOUCHER

Boucher arrive au mariage en après-midi en compagnie de sa femme, dans une coccinelle vert pomme. Il passe en coup de vent sans que je puisse lui parler. La veille, il a écopé d'une contravention pour excès de vitesse avec la même voiture en revenant de Sherbrooke.

Dans toutes les fêtes de motards, la sécurité est toujours une préoccupation. Les Rockers ont loué un motorisé qu'ils ont installé à l'entrée du terrain afin de contrôler les accès de la route conduisant au pavillon extérieur. Ils ont aussi installé des vigiles tout autour de l'hôtel. Il y a longtemps que je n'ai vu autant de motards endimanchés portant de vrais costumes-cravates, dans leurs vrais véhicules personnels, et avec leurs conjointes.

Un mois plus tard, le cirque Hells Angels se déplace à Trois-Rivières pour la célébration du 4e anniversaire de fondation des Nomads. C'est l'occasion d'accueillir Michel Rose en tant que membre et René *Baloune* Charlebois-Ouellette comme *prospect.*

Avec d'autres membres de la SQ, je prête assistance à la police de Trois-Rivières-Ouest pour l'occasion. J'amène avec moi sur le terrain une analyste professionnelle du service des renseignements criminels afin qu'elle développe ses connaissances de ce genre d'événement.

Les deux agents de renseignements criminels de la SQ en poste à Trois-Rivières ont la responsabilité de l'identification des motards. De ma voiture banalisée stationnée un peu en retrait, et en compagnie de l'analyste Geneviève Gilbert, j'assiste à l'arrivée des Hells Angels South et de leurs affiliés. Quand un motard remarque la présence de l'analyste dans ma voiture, il lui lance des remarques très déplacées. Il est

MOM'S MACHINE CONDUITE PAR LEPAGE

MOM'S MACHINE, « KILL'EM ALL »

CONVOI NOMADS ROY ET BOUCHER

rapidement rappelé à l'ordre par un membre en règle qui vient s'excuser de la conduite indigne de son subalterne.

Mom Boucher fait ensuite une arrivée remarquée, dans le convoi de motards en suivant sa fameuse *Mom's Machine*. Alors que mes deux collègues procèdent aux vérifications et aux identifications, je vais voir Boucher, qui vient de fêter ses 46 ans deux jours plus tôt, pour lui offrir mes meilleurs vœux. Il me remercie en ajoutant : « Vous seriez ben mieux en avant, ça sauverait du temps et ça irait plus vite. » Je lui réponds alors que je ne suis là qu'en tant que formateur pour préparer la relève en indiquant mademoiselle Gilbert.

Guy Lepage, l'ex-policier et homme de confiance de *Mom*

La *Mom's Machine* est conduite par Guy Lepage, l'homme de confiance de Boucher. La Pontiac des années 30 affiche sur

MOTO BOUCHER

sa plaque avant l'inscription « Kill'em all » (Tuez-les tous). On retrouve ce même slogan sur l'aileron arrière de la moto de Boucher, où est aussi peint le mot *Mom* sur une partie inférieure avant du cadre.

GUY LEPAGE

C'est à Lepage que Boucher confie ses affaires importantes et délicates. C'est lui qui attend Boucher à l'hôpital Notre-Dame lorsqu'il est arrêté pour meurtre en décembre 1997. C'est souvent Lepage qui conduit Boucher lors des funérailles officielles ou lorsque celui-ci s'entraîne au Pro-Gym de la rue Hochelaga.

Membre du SPVM de 1966 à 1974, Guy Lepage démissionne du service de police alors que des allégations de fraude circulent à son sujet. À la fin des années 80, il attire l'attention des services policiers lorsque son nom figure sur le permis d'alcool d'une discothèque de Sorel dont il serait aussi le propriétaire et qui est fréquentée par les motards criminalisés. C'est aussi lui qui loue le local qui servira aux Joker's Wild Card fondé par *Mom* Boucher en mai 1991. Fin 1993, Il devient président du club Rockers Montréal.

En avril 1994, il est condamné en Colombie-Britannique pour blanchiment d'argent provenant de la vente de stupéfiants. La peine de prison de Lepage de deux ans moins un jour est assortie d'une amende de 200 000 $ qu'il paie rubis sur l'ongle. Il finit de purger sa peine dans une prison au Québec.

Afin d'obtenir son transfert d'établissement en novembre 1994, il paie lui-même son billet d'avion et celui des deux gardiens qui l'accompagnent de Vancouver à Montréal, une dépense de plus de 5 700 $. Plus tard, quand Québec envisage de fermer la prison de Waterloo, Lepage, qui préside le comité des détenus, offre d'en changer la vocation pour en permettre le financement par les détenus, afin de sauver l'établissement d'une fermeture anticipée.

Avant sa condamnation d'avril 1994, Lepage achète une bâtisse qui est transformée en bunker fortifié et devient ensuite le local des Rockers Montréal. Au moment de l'achat, il affirme vouloir convertir l'édifice en atelier de réparation de machines distributrices et, pour ce faire, obtient un prêt de la BFD, la Banque fédérale de développement. Quand le *Journal de Montréal* révèle l'affaire, la Banque a déjà exigé le remboursement du prêt de 105 000 $.

En 2005, Guy Lepage revient au Canada pour finir de purger une peine de 10 ans de prison pour trafic de stupéfiants. Il est incarcéré depuis 2002 aux États-Unis pour avoir participé à un complot d'importation de 1 700 kg de cocaïne en provenance de Colombie, entre décembre 1997 et décembre 1998. Les cinq chargements de drogue destinés au marché québécois ont transité par la Floride et New York avant d'aboutir au Canada.

L'homme de confiance de Boucher se rend en Colombie afin de servir de garantie de paiement auprès d'un cartel de narco-trafiquants de Cali. Les Colombiens le laissent partir quand les Nomads règlent la facture. C'est une indication de l'extraordinaire lien de confiance qui le lie à *Mom* Boucher. Si le *deal* avait mal tourné, si les Colombiens avaient été insatisfaits de leurs clients québécois pour quelque raison que ce soit, il ne fait aucun doute que le voyage de Guy Lepage aurait connu une fin tragique.

Lepage bénéficiera sans doute assez rapidement d'une libération anticipée, car il s'agit de sa première peine au fédéral et il devrait être soumis à la règle de l'examen expéditif au sixième de la sentence. Malgré son amitié pour Maurice Boucher et sa vie passée dans le milieu des motards criminalisés, Guy Lepage ne pourra jamais réaliser son rêve de porter fièrement un blouson de cuir noir avec une tête de mort ailée.

Une règle internationale des Hells, en vigueur depuis le 3 août 1986, interdit la présence de policiers ou d'ex-policiers dans l'organisation. Pas de femmes, pas de Noirs, pas de flics. Le règlement est scrupuleusement appliqué par tous les chapitres agréés partout dans le monde.

Soirée-bénéfice pour *Mom* Boucher

En juillet 1999, une « Soirée-bénéfice Maurice *Mom* Boucher » s'organise au club privé Monte Cristo de Jonquière. Cet événement permet à Boucher de régler les frais de ses

SOIRÉE-BÉNÉFICE BOUCHER

ARTICLE PROMOTIONNEL

avocats pour son premier procès. Des billets sont en vente à 100$ pièce et un t-shirt est imprimé pour souligner l'occasion. Les motards arrivent au Saguenay en trois convois, empruntant des itinéraires routiers différents. Pour l'occasion, ils ont réservé plusieurs étages de chambres de l'hôtel Holiday Inn de Jonquière pour les 30 et 31 juillet.

La conduite délinquante de plusieurs d'entre eux sur les routes leur vaut d'ailleurs l'émission de constats d'infractions. Les policiers de Chicoutimi appliquent à la lettre la réglementation relative aux silencieux défectueux, ce qui amène les motards à contourner la ville afin d'éviter toute vérification routière. Malgré ce filet policier qui surveille toutes les entrées de la région du Saguenay, le héros de la fête, Maurice Boucher, réussit à se rendre jusqu'à l'hôtel sans être importuné. Il arrive au Holiday Inn en fin d'après-midi du samedi dans un véhicule de location en compagnie de Louis *Melou* Roy.

Cette soirée-bénéfice doit se dérouler au club Le Monte Cristo, rue Saint-Dominique, bâtiment de deux étages du centre-ville. C'est un club privé avec carte de membre, géré par Alain St-Gelais, une relation d'affaires des Satans Guards Saguenay. L'endroit réservé aux motards et à leurs sympathisants invités est la propriété de la conjointe d'un Nomads.

Les forces policières de la région interviennent au Monte Cristo le matin du 31 juillet 1999 après avoir observé que des boissons alcoolisées sont en vente sans qu'aucun permis n'ait été émis par les autorités compétentes. Toute la boisson sur place est saisie. La descente, intervenant moins de 15 heures avant la soirée-bénéfice, soulève les protestations des avocats des Hells Trois-Rivières.

J'observe Maurice Boucher pour la première fois de la fin de semaine, alors qu'il déambule dans le stationnement du Holiday Inn et sur un petit chemin de terre qui passe derrière l'hôtel. Je me dis qu'il a sûrement quelque chose de très important à raconter à son compagnon de promenade, lui aussi un Nomads.

À proximité, Pierre *Razor* Toupin, membre Rockers, au volant d'un Yukon noir, s'assure que personne ne vienne importuner les deux marcheurs.

C'est une pratique courante chez Boucher et les autres motards, surtout quand ils ont des choses importantes à discuter, de marcher à l'improviste un peu partout en sortant des sentiers battus. Ils évitent ainsi toute surveillance policière et toute possibilité d'écoute électronique.

Quand Boucher revient une vingtaine de minutes plus tard de sa randonnée pédestre vers le Holiday Inn, il me semble soucieux ; quand il m'aperçoit dans le stationnement de l'hôtel, je comprends que ma présence l'importune et j'ai droit avec mon confrère à un geste obscène de sa part. Probablement le stress ou quelque chose qui le contrarie. Je n'ai pas d'occasion de converser avec Boucher à Jonquière. Je peux par contre constater les effets pervers de son passage très médiatisé au Saguenay.

Pour la soirée du samedi, les organisateurs réservent toute la salle du restaurant Les 400 coups de Jonquière. Le souper-bénéfice y est prévu pour 19 h. Afin d'éviter tout retard, les motards nolisent deux autobus scolaires pour transporter les Hells Angels de l'hôtel au restaurant. Durant le trajet, tous les Hells se placent dos aux vitres de l'autobus, laissant voir leurs emblèmes et leur tête de mort ailée.

Une foule de 250 à 300 personnes massées de l'autre côté de la rue, face au restaurant, attend l'arrivée du cortège. Elles sont toutes debout sur le gazon de la caserne des pompiers afin de voir *Mom* et sa horde de motards en personne. Ces curieux, en majorité des gens âgés, sortent de la messe du samedi soir à l'église située à proximité.

BOUCHER AU RESTAURANT

Les fenêtres du restaurant sont ouvertes afin que tous puissent voir les Hells Angels en chair et en os. La disposition des invités aux tables respecte les règles strictes de ségrégation des Hells Angels. Les *prospects* et les affiliés ne peuvent manger aux mêmes tables que

BOUCHER, CUSTEAU ET ROBITAILLE

leurs maîtres. Ce sont d'ailleurs ces serviteurs, *prospects* et affiliés, qui assurent la sécurité aux abords du restaurant.

Je suis debout au milieu de la foule pour surveiller les faits et gestes des motards. Cela me permet d'écouter les commentaires sur *Mom* Boucher et ses hommes. Quand Boucher apparaît sur le perron du restaurant, pour saluer ses nouveaux admirateurs et lever son verre à leur intention, les commentaires fusent.

C'est lui le méchant Mom *Boucher…*

Non, c'est l'autre avec le verre dans les mains…

Ah ok, ouais ben yé pas vieux hein…

Même si ya des cheveux blancs…

Ya ben des jeunes alentour du restaurant…

Yé où Melou?… L'as-tu vu?

Cé qui qui sont assis dain vitre…

Çà mère à qui don? Mom*!…*

S'teux autres qui tuent du monde à Montréal hen…

Ouais on est chanceux icitte hein…

Boucher fait signe à quelques motards affiliés d'aller se promener dans la foule pour parler avec les gens et continuer à propager l'effet positif de sa campagne de relations publiques. Est-ce parce que les badauds les craignent ou parce ce qu'ils sont carrément insouciants? Il n'en reste pas moins qu'ils jasent avec les motards, leur tapent dans le dos amicalement et les félicitent. L'effet Boucher fait son œuvre. Les citoyens reçoivent une grosse vedette médiatique dans leur patelin. Les médias ont réussi à rendre ce chef de guerre intransigeant plutôt sympathique et Boucher en profite pleinement.

Par la suite, j'observe Boucher ailleurs dans Jonquière, notamment au club Monte Cristo vers 21 h 45 en compagnie de Louis Roy. Puisque les policiers ont perquisitionné l'endroit la veille, deux avocats veillent au grain en tout temps à l'intérieur de l'établissement, afin de prévenir toute autre visite policière indésirable. Boucher et Roy reviennent à leur hôtel vers 1 h 30 du matin, conduits par Pierre *Gros Pit* Tremblay, l'un des propriétaires du local des motards à Chicoutimi.

ROBITAILLE MONTRE SA BLESSURE PAR BALLES À BOUCHER ET À CHOUINARD

Fin août, une connaissance proche de Boucher, Jean-Pierre Fleury, est assassiné. Ce meurtre suit une tentative visant le Nomads Normand *Norm* Robitaille quelques semaines auparavant et précède celle contre la conjointe du Nomads Denis *Pas fiable* Houle en septembre 1999.

Le même mois, la Cour suprême du Canada refuse d'entendre la cause de Boucher relativement à ses conditions de détention alors qu'il était incarcéré à la Maison Tanguay.

Boucher fait encore parler de lui à l'Halloween. Cette fois, c'est sa résidence de Contrecœur qui fait partie des maisons les mieux décorées pour la circonstance. Les journalistes sont mal reçus par son épouse lorsqu'ils veulent en savoir plus, mais insistent quand même sur ses qualités de grand-papa bonbon dans leurs reportages[47].

Boucher fait éliminer l'un de nos agents sources

Les forces policières du Québec n'ont perdu qu'un seul agent source[48] dans leur lutte difficile contre les motards criminalisés; Claude Desserres est assassiné en février 2000. Il est chargé de recueillir des informations sur l'organisation des Nomads et des Rockers. Son meurtre pourrait être imputable au vol de l'ordinateur d'un membre de l'OPP, l'Ontario Provincial Police, survenu en décembre 1999 à Sherbrooke. Maurice *Mom* Boucher est au centre de cette ténébreuse affaire.

Le constable Richard Perrault de l'OPP m'accompagne dans une mission de cueillette et de surveillance lors du gros *party* organisé pour commémorer les 15e anniversaires des chapitres Sherbrooke et Halifax, et le 22e du chapitre Montréal. Le *party* se déroule les 4 et 5 décembre 1999 à Sherbrooke.

Nous descendons tous les deux à l'Auberge des Gouverneurs de Sherbrooke où les Nomads et les Rockers se sont également installés, et cela, à notre insu. Le bureau de coordination des ERM a oublié de nous informer que ceux-ci ont réservé des chambres à l'Auberge des Gouverneurs. Tous les autres policiers qui participent à la couverture de cet événement en ont été avertis et on leur a interdit de séjourner dans la région de Sherbrooke.

En début d'après-midi, nous nous joignons à nos confrères du service de police de Sherbrooke pour le *briefing* des policiers qui vont couvrir les activités du *party* à Lennoxville. Après avoir participé aux opérations policières de la journée, Perrault et moi rentrons finalement à l'Auberge à 1 h 40 du matin. Quelle n'est pas ma surprise, en arrivant dans le stationnement à pied, car j'ai laissé mon véhicule au Q.G. de la SQ, d'y croiser plusieurs connaissances: Stéphane Faucher et Serge Boutin, nouveaux membres Rockers depuis quelques semaines, Robert Blais[49], membre Scorpions affiliés aux Rockers et René Charlebois, un *hangaround* Nomads qui est affairé à la réception.

Nous montons à nos chambres et avant de nous quitter je donne rendez-vous à Perrault pour déjeuner au restaurant de l'Auberge à 10 h. Le lendemain matin, je vais rejoindre Perrault devant la porte de sa chambre avant de descendre déjeuner. En sortant dans le corridor, on croise le Rockers Pierre *Peanut* Laurin qui sort de l'ascenseur. Comme il voit sortir Perreault de la chambre 204 pour venir me rejoindre dans le passage, il doit penser que cette chambre est la mienne, alors qu'en réalité j'occupe la 202.

Quand je lui dis bonjour, il feint de ne pas m'avoir vu. Il se rend à la chambre 209, qui sert de poste de surveillance aux Hells pour la fin de semaine. Lorsque les Hells descendent dans un hôtel, ils établissent toujours dans une chambre un tel poste en opération 24 heures sur 24. C'est là qu'ils gardent leurs armes. Et ils sont en communication avec d'autres surveillants un peu partout dans l'hôtel et à l'extérieur. C'est une procédure normale, surtout qu'ils sont en guerre.

BÉLANGER ET BOUCHER

Une occasion extraordinaire se présente à eux. Ils s'imaginent probablement que je dois avoir dans ma chambre des documents les concernant sur papier ou sous forme informatique. Ils m'ont vu entrer au petit matin avec plusieurs valises et un ordinateur.

Perrault et moi attendons l'ascenseur pour nous rendre à la salle à manger. Quand la porte s'ouvre, Maurice Boucher, sans ses couleurs, et Normand *Pluche* Bélanger, avec les siennes de Rockers Montréal, y sont déjà. Boucher me sourit et je le salue : « Bonjour monsieur Boucher. » Il me répond « Bonjour monsieur Ouellette. » Il a les traits très tirés. *Mom* est rentré de Montréal très tard dans la nuit.

J'en connais la raison, car un patrouilleur du SPVM m'a téléphoné au petit matin afin de m'informer qu'il a vu Boucher la veille au théâtre St-Denis. *Mom* a assisté à la comédie musicale *Notre-Dame de Paris* en compagnie d'au moins un garde du corps. Le policier qui assistait à la représentation en a conclu que le garde du corps était armé, parce qu'il a porté son manteau durant toute la soirée et n'a guère semblé intéressé par ce qui se déroulait sur scène.

Pendant que la porte d'ascenseur se referme, je lui demande : « Puis, *Notre-Dame de Paris*, comment c'était ? » Boucher se fige. J'ajoute : « Écoutez, c'est pas une question dans le cadre de mes fonctions, c'est personnel. Je pense acheter des billets pour aller voir le spectacle. » Il me répond : « Je vous le recommande, c'est très bon. » Au rez-de-chaussée, Perrault et moi allons vers le restaurant, tandis que Boucher et Bélanger vont rejoindre les autres motards dans le hall d'entrée de l'auberge.

Au restaurant, alors qu'on s'assoit à une table, je repère un autre Hells, Gilles *Trooper* Mathieu en train de manger en lisant le journal du matin. Je me lève pour aller le saluer. Je sais que Mathieu est rentré d'Afrique du Sud deux jours auparavant. Il y a participé au *World Run* des Hells Angels, délégué par Boucher en tant qu'officier du chapitre Nomads. Il n'est pas surpris que je lui parle de son voyage et en particulier des sérieux problèmes de criminalité que connaît le pays depuis que la minorité blanche a perdu le pouvoir politique.

CUSTEAU AVEC BOUCHER EN 1999

Il y a quelques années, la chambre de commerce de Johannesburg, toujours dominée par les Blancs, a même engagé des Hells Angels pour assurer la sécurité des commerces du centre-ville. Le chef de police de l'endroit les considérait, à l'époque, comme un club social de bienfaisance qui faisait dans la police communautaire. C'est vraiment une autre planète !

Une fois revenu à ma table, un autre Nomads, André Chouinard, me salue en passant et vient parler à l'oreille de *Trooper* Mathieu. Ensuite, c'est au tour de Pierre *Peanut* Laurin de venir flâner dans le restaurant. Il fait semblant de lire *The Gazette*, alors que je sais qu'il ne comprend pas un mot d'anglais. Peut-être tente-t-il de déchiffrer la page des *comics* ! Perrault et moi nous sentons épiés. Sylvain *Willy* Demers, membre des Scorpions affiliés aux Rockers, est le dernier à assister à notre déjeuner. Il nous dit en passant qu'il vient chercher un verre d'eau pour que *Pluche* Bélanger puisse prendre ses pilules[50]. Finalement, notre déjeuner ne dure qu'une vingtaine de minutes.

Perrault a oublié sa clé dans sa chambre. Quand nous repassons à la réception pour en ramasser le double, les Hells qui sont là évitent notre regard. Je suis à peine rentré dans ma chambre qu'on cogne à la porte. C'est Perrault déconfit. Il m'apprend que sa chambre a été cambriolée et qu'on a volé son ordinateur, ses disquettes et ses caméras de surveillance. On descend immédiatement à la réception. Boucher et Mathieu sont là dans le hall d'entrée, attendant leur transport pour se rendre au local de Lennoxville. J'apostrophe Boucher, en le tutoyant pour la première fois : « Ce que tes hommes ont pris dans la chambre de mon collègue, t'aurais avantage à le ramener. » Il me répond, en me regardant dans les yeux : « C'est pas mes hommes, r'garde, s'pas moé la police, fais ce que t'as à faire. »

On se rend au Q.G. de l'autre côté de la rue pour aviser la police de Sherbrooke et nos patrons de la SQ et de l'OPP. Lorsque Perrault avertit son supérieur que sa chambre a été cambriolée, sa première réaction est de lui demander si son arme de service a été volée. Ce n'était pas ce que les motards cambrioleurs cherchaient, c'était mon ordinateur qu'ils voulaient. Mais celui de mon collègue ontarien leur sera tout aussi utile.

Perrault est l'un des policiers que j'ai initiés aux Hells Angels et aux autres groupes de motards criminalisés au Canada. Il est assigné au PSS (Provincial Special Squad) de l'OPP. On le prépare à devenir un témoin expert sur les motards criminalisés en Ontario. Je partage avec lui tous mes fichiers informatiques. J'ai transféré, sur son ordinateur, une bonne partie des informations sous forme numérique que j'ai sur les Hells Angels : album motards, présentations Power Point, photos d'événements, copies des comptes rendus de réunions de motards, saisis lors de perquisitions policières. Perrault y a aussi transféré des textes d'analyse, des rapports de surveillance, des rapports d'informateurs et des plans d'opérations de l'OPP et du PSS. Aucun programme de sécurité ne protége l'accès au contenu de son ordinateur.

Pendant longtemps, la rumeur court que c'est mon ordinateur qui a été volé à Sherbrooke. Il faut que je rétablisse les faits lors de mon témoignage au mégaprocès des motards en décembre 2003, en répondant aux questions du procureur de la Couronne Me François Brière.

Les Hells Nomads ont-ils analysé et recoupé les informations contenues dans l'ordinateur de Perreault ? Ont-ils eu d'autres informations de sources différentes au sujet de Desserres ? On sait qu'il s'est vanté à ses proches de travailler avec la police. Toujours est-il que les motards en sont venus à la conclusion que Desserres les trahissait. À ce jour, nous n'avons jamais pu confirmer la raison de son assassinat.

Ce jour fatidique, Desserres est convoqué à un meeting par le Rockers Serge Boutin, un type qui, après avoir voulu tuer Boucher en décembre 1994[51], a joint les rangs de son organisation. Boutin est un ami personnel de Desserres. Accompagné par Mario Barriault, un *striker* Rockers, les trois se rendent dans un chalet de Notre-Dame-de-la-Merci. Un *prospect* Nomads, René Charlebois, l'y attend en compagnie d'un autre Rockers. Charlebois dit à Desserres : « On a appris que tu es un informateur de police. » Il n'a jamais eu le temps de répondre. Il est abattu de plusieurs balles.

Les enquêteurs savent ce qui s'est passé parce que Desserres porte sur lui un micro-émetteur. Le lendemain de l'assassinat de l'agent source, Charlebois agit comme garde du corps de Boucher à l'occasion du *Bike Show* de l'aréna Maurice-Richard.

BRABANT SPVM, CHARLEBOIS ET BOUCHER AU *BIKE SHOW* EN 2000

M[E] PIERRE PANACCIO ET ROBITAILLE AU *BIKE SHOW* EN 1998

Charlebois est admis membre Nomads en avril 2000. Il plaide coupable à l'accusation de meurtre au second degré de Desserres en novembre 2004 et est condamné à la prison à perpétuité, sans possibilité de libération conditionnelle avant 15 ans.

Notre enquête nous révèle que c'est Boucher qui a donné l'ordre à Chouinard de faire fouiller la chambre que le Hells croyait être la mienne. Les cambrioleurs choisis étaient deux membres des Scorpions, Sylvain *Willy* Demers et Alan *Stone* Bienvenue, qui a été assassiné à Montréal début 2005. Une écoute électronique nous permet d'apprendre par la suite qu'ils ont payé la femme de ménage 200 $ pour obtenir un passe-partout. Ils lui ont dit qu'ils avaient perdu leur clé.

Par la suite, à plusieurs occasions au cours de perquisitions, je trouverai des copies des fichiers que j'avais transférés sur l'ordinateur de travail de Perrault. Aux enquêteurs de l'ERM Québec qui se présentent chez un membre du chapitre Quebec City pour une perquisition relative à du trafic de stupéfiants, la première chose que celui-ci leur dit en riant lors de leur entrée dans la maison: «L'album à Ouellette, il est *piné* sur mon frigidaire.»

Lors des perquisitions dans le cadre de l'opération Printemps 2001, on retrouve dans les résidences d'une quinzaine de motards des albums photos imprimés à partir du fichier numérique de l'ordinateur de Perrault. Richard *Dick* Mayrand, ex-président national des Hells, cache dans son domicile un cédérom, intitulé *Photos de Noël 99*, sur lequel sont gravés tous les fichiers informatiques pertinents de mon album motards de la SQ.

Je dis souvent en conférences que les citoyens ordinaires n'ont, en général, rien à craindre du crime organisé, SAUF s'ils ont des problèmes de jeux, d'argent ou de sexe et s'ils fréquentent des endroits contrôlés par le crime organisé. Les Hells recrutent des personnes qui ont ce type de problèmes dans des professions stratégiques[52] pour eux et s'assurent ainsi de sources d'information de première importance.

Avant que les contrôles gouvernementaux soient resserrés, les motards pouvaient plus facilement puiser dans les banques de données comme celle de la SAAQ (Société d'assurance automobile du Québec) ou celle du système DACCOR, le système informatisé de gestion provinciale des détenus, pour y trouver tout ce qu'ils voulaient savoir sur leurs ennemis: noms du père et de la mère, numéro d'assurance sociale, liste de visiteurs, motifs d'incarcération, adresse, date de naissance, etc.

Chapitre 10

LA MAFIA IMPOSE UNE « PAIX DES BRAVES » AUX MOTARDS

En avril 2000, deux mois après le meurtre de Desserres, Normand *Biff* Hamel est assassiné par les Rock Machine. Hamel est tué dans le stationnement d'une clinique médicale de Laval, en sortant d'un rendez-vous chez le pédiatre avec son épouse et leur enfant. Ses agresseurs le poursuivent dans le stationnement entre les voitures avant de l'abattre à bout portant.

D'impressionnantes funérailles sont organisées à Montréal au salon funéraire Magnus Poirier, rue Sherbrooke. Maurice Boucher donne alors sa première et seule entrevue aux médias. Il choisit le journaliste en qui il a le plus confiance, Claude Poirier. Le photographe Michel Tremblay, à qui les Hells font aussi confiance, prend les photos d'usage.

Normand Hamel était un *chum* de longue date de Boucher, au temps des SS en 1982 et du chapitre Montréal depuis 1986; *Biff* l'a suivi dans l'aventure du chapitre Nomads en 1995. Quand Poirier lui demande s'il va y avoir des représailles, la réponse de Boucher est sèche : « Tu connais la réponse. » Poirier revient à la charge et l'interroge sur les répercussions possibles à la suite de cette mort violente. La réponse de Boucher est percutante : « Qu'est-ce que t'en penses ? Nous autres, on n'est pas des rats, on s'cache pas[53]. »

Peut-être est-ce une coïncidence, mais trois jours avant le meurtre de Hamel, Luc *Bordel* Bordeleau est admis, par vote,

BOUCHER, LEPAGE ET BENOIT

MAURICE BOUCHER AUX FUNÉRAILLES

hangaround Nomads. Nous savons que, pour avoir tué notre agent source Desserres, un autre motard, René Charlebois-Ouellette, a été admis membre Nomads, neuf mois seulement après avoir été reçu *prospect* à Trois-Rivières. Dans son cas, le crime a payé.

Quelques motards d'Europe se risquent à venir aux funérailles et mal leur en prend, car ils sont interceptés et renvoyés en France et en Hollande.

Le V comme victoire prématuré de *Mom* Boucher

Les funérailles de Hamel procurent encore une fois à Boucher une visibilité nationale inespérée. On voit Boucher souriant, avec une veste aux couleurs des Nomads, faisant le V de la victoire devant le salon mortuaire Magnus Poirier.

Cette image de *Mom* en compagnie de ses *frères* Hells et de ses *neveux* Rockers, amusés de la situation, est reprise par un grand nombre de médias à travers le Canada. Ce que la photo ne montre pas, c'est que, avant de faire le signe de la victoire

BORDELEAU, BOUCHER, CHARLEBOIS PARLENT AVEC OUELLETTE

OUELLETTE DISCUTE AVEC DUBÉ, GAUDREAULT SPVM

avec l'index et le majeur de sa main droite, Boucher s'est tout mêlé dans ses doigts, ne sachant lesquels utiliser pour épater sa galerie d'admirateurs, et devra s'y rependre de cinq ou six façons différentes, pendant que son compagnon de gauche, David *Gyrator* Giles, fait des gestes disgracieux aux gens qui l'observent.

J'assiste, en spectateur attentif, à tout ce carnaval. Debout, du côté sud de la rue Sherbrooke, je dois intervenir auprès de quelques Rockers et d'autres Rowdy Crew afin de les faire traverser vers le nord de la rue. Ils se déplacent en groupe prétendant faire un mauvais parti à un spectateur qu'ils semblent considérer comme faisant partie du clan adverse. L'altercation est rapportée par les médias électroniques.

Je retourne ensuite m'asseoir en compagnie des policiers ontariens Neil Finn et Richard Perrault, dans mon véhicule banalisé stationné sur le côté du salon funéraire. Boucher vient soudain me parler, accompagné de deux motards. Il me présente fièrement ses deux nouvelles recrues : Charlebois-Ouellette et

Bordeleau, qui portent respectivement leurs emblèmes de membre et de *hangaround* du chapitre Nomads.

Boucher veut aussi savoir pourquoi nous ne sommes pas intervenus avant le meurtre de Hamel, car ses informateurs lui ont dit que ce dernier était sous filature policière quelques instants avant le crime. Je lui réponds que l'enquête est en cours et que nous ferons tout notre possible pour solutionner ce crime et traduire les responsables devant les tribunaux. Après quelques banalités d'usage, les trois motards se dirigent vers un restaurant italien, situé tout près.

En cours d'après-midi, j'ai aussi une discussion sérieuse, en faisant un tour derrière le salon funéraire, avec Guy Dubé, membre des Hells Angels South, sur les circonstances du meurtre de Hamel et sur ce que les Hells prennent pour l'inaction des forces policières. Par hasard, j'ai déjà rencontré ce même individu rue de la Montagne en septembre 2003. Je lui dis que l'enquête se poursuit. Effectivement, quelques jours plus tard, Tony Duguay, un Rock Machine, est accusé du meurtre de Hamel.

Une semaine après les funérailles, Maurice Boucher rencontre André *Dédé* Desjardins pour déjeuner au restaurant-bar Shawn's du boulevard Métropolitain Est, à Saint-Léonard. Desjardins est cet ancien président de la FTQ-construction, recyclé dans le prêt usuraire. Il revient d'un séjour en République dominicaine. Le lendemain de ce rendez-vous, sans doute une nouvelle coïncidence, Desjardins est froidement abattu dans le stationnement du même restaurant. Le meurtrier a utilisé une arme conçue par un certain Michel Vézina, armurier de métier, considéré comme celui des Hells.

En mai 2000, je suis appelé à témoigner durant l'enquête préliminaire de Francis Boucher à Saint-Jérôme. *Fils* a été arrêté en septembre 1999 en possession d'une arme à feu, alors qu'il faisait de la *watch* à l'hôpital de Saint-Jérôme afin d'assurer la sécurité de la femme du Nomads Denis Houle. Alors que j'attends, dans le corridor du Palais de justice, d'être appelé à témoigner, je vois Maurice Boucher et Luc Bordeleau arriver.

Boucher vient me parler. Nous échangeons sur divers sujets touchant les enfants et leurs bêtises de jeunesse. Boucher fait référence à son fils Francis. Je lui mentionne aussi que, le vendredi précédent, rentrant de Sorel où j'ai surveillé la visite de motards du Manitoba au local des Hells, je suis passé devant chez lui à Contrecœur avec un collègue ontarien. Je l'ai vu sur le perron de sa résidence en train d'enlever ses bottes de travail. Il me sourit en me disant : « C'est sûr que j'enlève mes bottes avant d'entrer dans la maison, car mon épouse ne sera pas contente » et il ajoute : « Pourquoi n'êtes-vous pas arrêtés prendre un café. » Je lui réponds que ce n'est pas dans mes habitudes, que la vie professionnelle, c'est une chose, mais que la vie personnelle, c'est sacré. « Je ne vais pas prendre de café chez vous et vous ne venez pas prendre de café chez nous. »

Maurice Boucher s'assoit dans la salle d'audience pour écouter mon témoignage en espérant voir Stéphane *Godasse* Gagné qui doit venir témoigner ce jour-là sur demande de Me Benoit Cliche. Finalement, Boucher repart bredouille, la procureure de la Couronne, Me Ginette Maillet, n'ayant pas fait venir Gagné de sa prison fédérale pour cette audition.

En juillet 2000, c'est au tour d'un autre ami proche de Boucher, Robert *Bob* Savard, vice-président de la défunte OSAPP et du journal *Le Juste milieu,* d'être abattu alors qu'il déjeune au restaurant Eggstral du boulevard Henri-Bourassa, à Montréal-Nord. Son voisin de table, Normand Descôteaux, blessé lors de cet attentat, utilise la serveuse du restaurant, Hélène Brunet, comme bouclier humain. Elle reçoit plusieurs projectiles d'arme à feu aux jambes et aux bras. Personne n'a encore été accusé dans cette affaire, même si l'enquête s'oriente vers les Rock Machine. Savard, tout comme Desjardins, est très impliqué dans le prêt usuraire.

BOUCHER AUX FUNÉRAILLES DE SAVARD

Madame Brunet, une autre victime innocente de la guerre des motards, intente un recours civil contre Normand Descôteaux et Maurice Boucher, qu'elle rend responsables de ses blessures et de sa situation.

Le mariage princier de celui que nous soupçonnons être le tueur de notre agent source Desserres, René Charlebois-Ouellette, en août 2000, est un événement qui pourrait figurer au bottin mondain, moins par la qualité de ses invités que par les personnes chargées de les divertir. Le trompettiste des Hells, Claude Berger, accompagne la cérémonie à l'église. Jean-Pierre Ferland et Ginette Reno se donnent en spectacle aux invités qui les applaudissent chaudement pour leurs efforts qui ont dû être bien récompensés. La soirée *glamour* se termine avec le groupe Night Fever. Les médias électroniques en ont reproduit maintes et maintes fois les séquences vidéo, rendues publiques à l'occasion des procès des motards dans la foulée de l'opération Printemps 2001.

Je ne retiens qu'une déclaration de madame Reno au journaliste Marc Pigeon[54], déclaration que je trouve particulièrement troublante. Elle répondait sur sa présence aux noces, sans trop y voir de problèmes. « Aurait-il fallu que je le fasse pas ? Sont-ils des tueurs et des criminels 24 heures sur 24 ? Le monde n'est pas écœurant tout le temps. Tu peux pas être écœurant du matin jusqu'au soir. »

Peut-être à cause de leurs liens avec les Hells de France, les Hells du Québec semblent avoir appris à apprécier les bons vins. Le mariage de Charlebois-Ouellette, en tout cas, démontre qu'ils connaissent la valeur des grands crus. Nous obtenons, par un de nos informateurs sur place, la liste des grands vins français qui sont en vente durant la soirée. C'est une bonne indication des ressources financières des invités, dont une partie non négligeable ont des dossiers criminels et appartiennent au milieu des motards criminalisés. L'argent du crime fait des amateurs de Kik Cola d'Hochelaga-Maisonneuve de fins consommateurs de vins, comme l'indique la liste qui comprend un Château Margaux (1995) à 2 200 $, un Château Latour (1989) et un Château Laffitte Rothschild (1981) à 2 000 $ et toute une kyrielle d'autres grands Châteaux millésimés (Haut-Brion, Clos d'Estournel, etc.) dont les prix variaient de 500 à 1 800 $ la bouteille. Je ne peux savoir combien de telles bouteilles ont été consommées durant la soirée.

MAURICE BOUCHER AVEC GINETTE RENO

Le mariage fait beaucoup de bruit dans les médias. Boucher, encore une fois, se sert de Claude Poirier pour se porter à la défense de ses deux vedettes invitées, Jean-Pierre Ferland et Ginette Reno. Pour montrer qu'il fréquente régulièrement des gens de la bonne société, le chef de guerre Nomads remet à Claude Poirier une photographie laminée de lui et de l'ancien premier ministre du Québec, Robert Bourassa, prise en 1993, alors que Boucher était membre du chapitre Montréal. La photo a été prise à la demande de Boucher au restaurant Le Paradis d'Asie, rue Augusta à Sorel. Boucher rassure le journaliste d'*Allô Police:* « C'est pas nouveau, ça, des photos de gens connus avec nous autres. On a des photos avec des ministres et des personnalités du monde des artistes et du sport[55]. » Boucher ajoute: « Cette photo, on l'a fait laminer et on a fait un petit test avec. On l'a exposée dans plusieurs de nos clubs et, c'est bizarre, chaque fois que les policiers y faisaient des descentes, ils prenaient nos photos, nos photos personnelles et ils ne touchaient jamais à cette photo... » C'est totalement faux! Personnellement, j'ai visité tous les locaux des Hells du Québec et je n'ai jamais vu une telle photo affichée sur un mur de club. Ça fait justement partie de mon travail aux renseignements d'identifier des photos comme celle-là. Si elle avait été suspendue à un mur, je l'aurais vue.

Les Hells ne manquent jamais une occasion de se faire photographier avec des personnalités politiques, médiatiques ou sportives. Ça sert idéalement leur campagne de relations publiques. Pat Burns a été photographié avec les Nomads Stadnick et Stockford. On a aussi vu des photos de José Théodore, le gardien de but du Canadien, prises lors de ses visites au local des Hells de Saint-Basile-le-Grand ou en train de jouer au golf avec plusieurs d'entre eux.

Je me rappelle aussi qu'en 1997, quand les Hells Angels ont ouvert trois nouveaux chapitres en absorbant des membres des Grim Reapers et des Rebels en Alberta, le premier ministre de la province, Ralph Klein, a dénoncé vigoureusement la situation. Les Hells de Colombie-Britannique, leurs parrains, ont alors ressorti, à l'intention de la presse, une photographie potentiellement embêtante de Klein, alors qu'il était journaliste, en compagnie de deux motards des Grim Reapers.

Après l'attentat contre Michel Auger, la mafia exige la « paix des motards »

L'attentat de septembre 2000 contre Michel Auger du *Journal de Montréal* a une influence non négligeable sur le durcissement des mesures de la loi antigang qui est en préparation.

RALPH KLEIN AVEC 2 GRIM REAPERS ALBERTA

Les renseignements que je possède indiquent que des individus que nous soupçonnons d'avoir participé à la tentative de meurtre ont rencontré Boucher et d'autres Nomads dans un restaurant de la rue Sainte-Catherine, peu après l'attentat. La section des homicides du SPVM connaît l'identité des tueurs, mais ne peut encore les accuser ; quelques éléments de preuve demeurent manquants à la mosaïque de cette enquête policière.

L'arme utilisée contre Auger provient aussi de l'armurier Michel Vézina qui est mis en accusation deux mois plus tard et est condamné à cinq ans de pénitencier en septembre 2001, après avoir plaidé coupable.

Boucher aurait été convoqué par un dirigeant de la mafia italienne peu de temps avant l'attentat contre Auger. Le Parrain lui aurait laissé savoir que les *hommes d'honneur* étaient « tannés » de la guerre entre groupes de motards et qu'il fallait une « rationalisation » rapide du milieu des motards. L'*homme d'affaires* italien aurait confié à Boucher que ses amis politiques lui auraient appris que la nouvelle loi pourrait conférer à la police des pouvoirs étendus pour la saisie des « produits de la criminalité ». Une telle loi ne fera pas seulement mal aux Hells, mais aussi aux *made men*[56] de Saint-Léonard. Le chef mafieux aurait exigé que Boucher fasse le ménage.

Boucher n'a pas perdu de temps. Le 26 septembre 2000, une rencontre entre les hauts dirigeants des Hells Angels et des Rock Machine est organisée par les bons offices de Me Denis Bernier, en terrain neutre, à la salle 4.09 du palais de justice de Québec. L'avocat assure qu'il n'a aucune idée de la raison pour laquelle ses clients des Rock Machine lui ont demandé de réserver la salle.

La rencontre à huis clos dure 40 minutes. La délégation des Hells Angels comprend Maurice *Mom* Boucher, Normand *Norm* Robitaille, Richard *Dick* Mayrand, tous trois du chapitre Nomads, et Alain *L'Indien* Ruest du chapitre Quebec City. Les Rock Machine sont représentés par Frédéric *Fred* Faucher et Michel *Jim* Comeau des Rock Machine Québec, accompagnés de Jean *Le Français* Duquaire et de Nelson Fernandez du chapitre Montréal.

Boucher, qui dirige la réunion, offre aux Rock Machine du Canada (Québec et Ontario) un changement «*patch* pour *patch*» des couleurs Rock Machine contre les couleurs Hells Angels, sans aucune période probatoire. L'un des Rock Machine présents lui demande pourquoi ils devraient lui faire confiance, les Hells, c'était connu, tuaient leurs propres *frères*. La tuerie de Lennoxville en faisait foi. Boucher discute aussi de la nouvelle loi antigang qui risque de s'en prendre à leurs «actifs». Ses vis-à-vis lui rétorquent que la nouvelle loi importe peu aux Rock Machine qui ne possèdent pas grand-chose, que les perdants seront beaucoup plus les Hells Angels.

Aucune décision n'est prise lors de cette rencontre, les Rock Machine devant aller en consultation quant à l'offre de Boucher auprès de leurs membres et de leurs dirigeants emprisonnés. Il est convenu, à la levée de la réunion, que c'est Faucher qui donnera la réponse des Rock Machine au Hells Ruest.

Les négociations de paix se terminent vers midi. Toujours conscient des questions d'images et de relations publiques, Boucher prévoit une poignée de main à l'extérieur de la salle 4.09. Il espère que cette poignée de main de réconciliation sera captée par les caméras des médias qui font normalement leurs «directs» sur l'heure du midi, de l'atrium central au palais de justice de Québec. Malheureusement pour lui, ce n'est pas le cas ce midi-là. Chacune des deux délégations ennemies repart chez elle avec ses gardes du corps et ses vigiles postés tout autour du Palais de justice.

Je suis mis au courant de la réunion peu avant son début. Ce jour-là, je suis à Daytona Beach en Floride pour participer à la conférence de l'International Outlaw Motorcycle Gang Investigators Association (IOMGIA). Vers 11 h 15, je reçois un message numérique sur mon téléavertisseur me demandant de rappeler un numéro à Québec.

C'est le sergent Guy Royer, responsable de la sécurité au palais de justice de Québec, qui m'informe qu'il vient de croiser *Mom* Boucher et *Fred* Faucher en train de rentrer dans une salle avec six autres individus qu'il ne connaît pas. Il m'informe aussi que la police n'est pas dans les environs et que les deux gangs ont leurs propres services de sécurité, tant à l'intérieur qu'à l'extérieur.

Royer me parle vite et nerveusement. À l'évidence, une grande fébrilité règne au palais de justice de Québec. J'imagine tout le système déployé par les motards pour assurer la sécurité de leurs chefs respectifs. Je lui dis que je vais en aviser immédiatement mes collègues de la police de Québec pour qu'ils se rendent identifier les personnes présentes. Je regrette de ne pas être sur place pour cette réunion historique. Dans les minutes suivantes, je multiplie les appels téléphoniques pour alerter toutes les personnes impliquées dans ce dossier de ce qui est en train de se passer au Palais de Justice. Malgré mes nombreux appels, les enquêteurs arrivent sur place 10 minutes après la fin de la réunion et tout le monde a disparu[57].

Ce soir-là, après avoir soupé avec le nouveau président élu de l'association, un District Attorney de l'Arizona, je prends mes messages téléphoniques en revenant à mon hôtel. Le premier des 22 messages contenus dans ma boîte vocale provient de *Fred* Faucher des Rock Machine Québec. Comme c'est le cas avec Maurice Boucher et d'autres Hells, j'entretiens des contacts professionnels étroits avec certains membres des Rock Machine. Cela me permet d'analyser l'évolution des différentes situations et de suggérer les meilleures décisions à prendre dans l'intérêt de la sécurité des citoyens et de la protection de la paix sociale.

Faucher et moi avons plusieurs conversations téléphoniques au cours des 24 heures suivantes. Faucher m'explique que c'est lui qui a proposé le palais de justice de Québec pour les négociations de paix, parce que c'est l'endroit le plus sécuritaire à son avis pour recevoir Boucher et ses tueurs.

Faucher m'appelle pour me demander comment il peut joindre les dirigeants des Rock Machine Montréal et Québec, incarcérés à cette époque dans des pénitenciers fédéraux. Il a besoin de connaître leur point de vue sur l'offre de Boucher avant de répondre à ses propositions de fusion des clubs de motards. Cela pose un certain problème. Faucher n'est inscrit sur aucune liste de visiteurs de ces dirigeants motards, n'étant pas un membre de leur famille immédiate.

J'avise immédiatement mes supérieurs de la requête de Faucher. Des démarches sont entreprises auprès des agents de sécurité préventive et du directeur de l'établissement Archambault de Sainte-Anne-des-Plaines. Le service de coordination des ERM décide finalement qu'il vaut mieux que Faucher essaie d'entrer en contact avec les dirigeants emprisonnés sans l'assistance ou la collaboration des autorités policières ou carcérales. Dans un premier temps, les Rock Machine rejettent l'offre de paix de Boucher. Ils ne lui font pas confiance. Mais Faucher poursuit ses consultations et ses discussions avec les dirigeants du Québec et de l'Ontario; il voyage beaucoup entre Québec, Montréal, Kingston et Toronto et reçoit aussi des appels de Salvatore Cazzetta, principal architecte du mouvement Rock Machine au Québec, incarcéré dans le sud des États-Unis depuis quelques années, après avoir plaidé coupable à des accusations de complot d'importation de stupéfiants.

Si les Rock Machine refusent leur intégration aux Hells, ils sont disposés à négocier une trêve avec leurs ennemis. Cette fois, la rencontre se fait un dimanche soir d'octobre, au restaurant Bleu Marin, rue Crescent à Montréal, et les deux organisations concluent un arrêt des hostilités qui entre en vigueur sur-le-champ.

RESTAURANT BLEU MARIN

Même sans la présence de Claude Poirier et de son photographe Michel Tremblay, la rencontre ne serait sans doute pas passée inaperçue. Durant le repas, Boucher, toujours aussi préoccupé de l'impact médiatique de ses activités,

FAUCHER ET BOUCHER

ROCK MACHINE ET HELLS CÉLÈBRENT LA TRÊVE

POIRIER, PORTER ET BOUCHER

discute avec les motards présents de la possibilité de faire quelque chose pour attirer l'attention de la police lors de leur sortie du restaurant. Il veut que la bonne nouvelle de la trêve se propage.

Boucher est accompagné du Hells de Sherbrooke Jacques *Boubou* Filteau[58] et des Nomads, Rose, Robitaille, Mayrand et Ruest de Quebec City. Du côté Rock Machine, en plus de *Fred* Faucher et d'Alain *Will* Williamson, le président par intérim du chapitre Québec, Paul *Sasquatch* Porter et Nelson Fernandez[59] représentent respectivement les chapitres Kingston et Montréal. Les Rockers assurent la sécurité intérieure et extérieure du restaurant.

Dès le lendemain de la «paix des motards», lorsque les rapports des patrouilleurs du SPVM au sujet des vérifications de Porter, Robitaille et Faucher sont connus, la direction de l'ERM Montréal prend la décision de mettre Boucher sous filature pour savoir exactement de quoi il retourne avec cette trêve et quelle sera la position des deux belligérants sur le terrain.

Les forces policières continuent de suivre les développements, d'autant plus que les enquêteurs de l'ERM Québec sont en phase opérationnelle active, dans le cadre du projet Maroc, sur Frédéric Faucher et son réseau de distribution de stupéfiants dans la région de Québec.

Quelques jours après le souper au Bleu Marin, Faucher rencontre l'agent source du projet Maroc et lui parle de ses discussions avec Boucher au palais de justice de Québec et au restaurant :

Y dit là, on va être ensemble, on va leur faire mal sans les faire tomber en pleine face les hosties de screws sales et de bœufs sales. On peut leur faire brûler une dizaine de maisons vite faite t'sais.

M'a t'es faire brûler moé-même…

Y dit sans là t'sais faire oublier. Sans là arriver pis les chrisser en pleine face pour qu'ça nous fasse trop d'tort parce qu'il sait s'qui vient de faire avec. Pas qu'ça nous fasse trop de torts. Écoute y dit, on peux-tu en faire brûler une dizaine de maisons d'même.

Parce que lui comme quand qu'y était à prison de Sorel j'pense. Y voulait pas l'laisser sortir, il'niaisait. J'sais pas trop, il a fait brûler la maison du directeur de prison. Il y a plusieurs années. Y était en dedans dans ce temps-là.

Notre agent source lui répond :

Mas c'gars-là, tu écoutes ben là, lui y a du pouvoir pas à peu près lui.

Faucher réplique :

Ah y a du chien.

Notre source encourage Faucher à continuer :

Parce que là on l'voué aller. Moé sur les journaux c'qu'on voué aller là. T'sais l'gars s'en va c'est un chef d'État ça, là là.

Faucher renchérit :

Ah oua christ m'a t'dire de quoi c'est. Y a du monde en arrière de lui pis quand y dit c'est ça, c'est ça.

Dans la suite de la conversation, Faucher révèle à notre agent source tous les tenants et aboutissants des derniers pourparlers, ainsi que leurs incidences sur les Rock Machine. Faucher se méfie de l'offre de Boucher et il exprime son désaccord à la source et sa crainte de se faire tuer par la suite par les Hells.

Faucher explique aussi pourquoi le Canada est le paradis du crime organisé et pourquoi il faut faire quelque chose pour éviter la nouvelle loi antigang. Il affirme que les politiciens durcissent le ton envers le crime organisé parce qu'il y va avoir des élections fédérales bientôt, et les motards doivent tout faire pour amadouer l'opinion publique. Il faut, à défaut d'une paix, au moins une trêve. Les motards, selon lui, risquent de tout perdre s'ils continuent à se faire la guerre. Faucher dit enfin à son interlocuteur qu'il ne veut pas passer du côté des Hells qu'il considère comme des « crosseurs ». Il préfère se joindre aux Bandidos qu'il décrit comme des gens qui « aiment avoir du *fun* ».

CHAPITRE 11

L'HOMME DE L'ANNÉE « DÉPRIME » DERRIÈRE LES BARREAUX

Le matin du 10 octobre 2000, vers 9 h 30, la décision de la Cour d'appel tombe. Me France Charbonneau se précipite au téléphone pour m'annoncer la nouvelle. Personne ne l'attendait, surtout pas deux jours après la « trêve » dans la guerre des motards. J'étais présent dans la salle lorsqu'elle a plaidé l'appel le 18 mai.

La décision des juges est très bien étoffée. Je n'en reviens pas. J'ai peine à croire qu'on va avoir une deuxième chance de faire condamner Boucher pour le meurtre des deux gardiens de prison.

La Cour d'appel ordonne à l'unanimité un nouveau procès en raison des directives aux jurés erronées sur le plan légal, notamment quant à la notion de corroboration. La Cour d'appel, contrairement aux directives de Boilard, est d'avis que les témoignages de *Godasse* Gagné étaient corroborés sur plusieurs points.

Me Charbonneau fait émettre immédiatement un mandat d'arrestation contre Boucher. Il est en train de s'entraîner dans un gymnase de Boucherville, selon l'ERM Montréal qui l'a en filature.

Mais ce ne sont pas les enquêteurs de la filature qui lui passeront les menottes. La discussion s'amorce entre les états-majors des deux organisations impliquées dans le projet Laron.

L'arrestation est effectuée vers 14 h par une équipe conjointe formée d'enquêteurs de la section des Homicides du SPVM et d'enquêteurs de l'escouade des Crimes contre la personne de la SQ, dans le stationnement d'un restaurant de la rue Volta, à Boucherville.

Quand on l'appréhende, Boucher et ses avocats, Me Benoit Cliche et Me Gilbert Frigon, commencent à « trouver le temps long ». Tous les trois attendent tranquillement la police depuis que les avocats de Boucher lui ont communiqué la décision de la Cour d'appel. Dans les journaux du lendemain, on lit que Boucher allait se rendre lorsqu'il a été interpellé. Après un court passage au Q.G. de la SQ à Parthenais pour les formalités d'usage, il retrouve sa cellule, dans son aile réservée de la Maison Tanguay, qui l'attendait toujours. Retour à la case départ.

Pendant que Boucher refait son nid à la Maison Tanguay, je témoigne devant le comité des Communes chargé d'étudier le projet de loi C-24 qui deviendra la nouvelle loi antigang en janvier 2002. Plusieurs représentants du RIVCO (Regroupement des innocentes victimes du crime organisé) sont présents dans la salle lors de mon témoignage.

L'attentat contre le journaliste Michel Auger, le meurtre et les tentatives de meurtres contre plusieurs victimes innocentes dans cette guerre des motards insensée sont autant de sujets à l'ordre du jour des travaux de ce comité, afin d'avoir une loi antigang la plus appropriée possible. Le directeur Michel Sarrazin et son conseiller juridique, Me Denis Asselin, viennent aussi informer le comité parlementaire de la position du SPVM.

Mon témoignage terminé, je reviens à toute vapeur à Blainville pour assister la sûreté municipale de l'endroit lors de la perquisition du nouveau local des Hells Montréal dans le rang Bas Sainte-Thérèse. La vie est un éternel recommencement.

France Charbonneau est déjà en train de préparer son plan de procès. Elle a obtenu de la SQ de se faire seconder par la même équipe d'enquêteurs que la première fois.

Du côté des motards, le conflit se poursuit malgré les ouvertures de Boucher. Début décembre 2000, les Rock Machine font un pied de nez à l'offre de Boucher de se joindre à lui et entrent plutôt dans la grande famille internationale des Bandidos, qui n'est pas encore représentée au Canada. Ils deviennent des *probationary* pour une période d'un an, avant

LOCAL HELLS MONTRÉAL À SOREL

d'être admis en grande pompe au sein de l'organisation rivale des Hells. Cette décision marque la fin de la trêve décrétée au restaurant Bleu Marin, quelques semaines plus tôt. Les Hells ne vont pas rester les bras croisés.

Éconduits par les Rock Machine, les Nomads Stadnick et Stockford offrent à des motards ontariens, les Para Dice Riders, les Lobos, les Last Chance et les Satans Choice, de changer leurs couleurs pour celles des Hells.

Plus de 168 membres et 11 *prospects* acceptent l'offre sept jours seulement après l'arrivée des Bandidos au Québec et en Ontario. La stratégie est simple; les Nomads veulent embouteiller complètement les Bandidos, ne leur laisser que des miettes comme territoire d'activités criminelles et ainsi les forcer à joindre leurs rangs.

Le 29 décembre 2000, une cérémonie de remise des couleurs s'organise donc au chapitre Montréal de Sorel pour célébrer l'ouverture de ces nouveaux chapitres. Maurice Boucher vient d'être choisi par la revue américaine *Stuff for Men* au 71e rang des 100 individus les plus craints de la planète. La revue note son rôle dans la guerre des motards qui a fait jusque-là plus de 150 morts.

Au Québec, le journal *ICI* publie, en première page, la photo de Boucher prise devant le salon funéraire lors des obsèques de Normand Hamel, tout en le mettant au 1er rang du top 10 des personnalités de l'année 2000. *ICI* le désigne comme figure incontournable de l'année[60].

La police fait un appel de volontaires pour observer cette remise de *patches*. Je décide de me sacrifier pour la cause, comme c'est fréquemment mon habitude, et je me rends donc à Sorel en ce vendredi enneigé; à vrai dire, ce n'est pas un si gros sacrifice que ça!

Cependant, je promets à ma conjointe un retour avant 22 h, le soir même... Quand je mettrai enfin la clé dans la serrure, vers 5 h le lendemain matin, la lumière sera allumée, elle sera en train de lire, assise dans le lit, bien réveillée et légèrement, je dis bien, légèrement, inquiète de mon retard...

Je ne veux pas manquer cette cérémonie-là, car une nouvelle page de l'histoire canadienne des Hells Angels s'écrit en ce 29 décembre 2000. Ouvrir 11 chapitres en même temps. Doubler presque le «membership» canadien le même soir, de quoi préoccuper toutes les forces policières au Canada et en particulier celles de nos amis de la province voisine.

J'arrive donc à Sorel vers 13 h 30, afin de *briefer* les policiers municipaux de Sorel-Tracy sur l'événement de remise de couleurs prévu ce soir-là. Je prends contact avec mes confrères du PSS (Provincial Special Squad) de l'OPP venus nous assister car, pour eux, c'est un important choc culturel. Les Hells Angels débarquent en Ontario en nombre et dans 11 endroits différents en même temps. Leur vie professionnelle vient de changer à jamais.

Au moins, pour nous, au Québec, l'ouverture des chapitres s'est faite de façon progressive, jamais en même temps.

Après la séance d'information aux policiers du quart de jour, je me rends en compagnie du sergent Alain Lebrasseur de la GRC et du sergent Steve Rooke du PSS devant le local des Hells Montréal, rue Prince, afin d'analyser la situation et de discuter avec les policiers sur place.

Vers 14 h 55, je suis à l'extérieur de mon véhicule banalisé et j'identifie des motards qui arrivent, quand, du coin de l'œil, je remarque le *prospect* Nomads Luc Bordeleau dans le stationnement du local, téléphone cellulaire à la main. Il semble beaucoup s'amuser de me voir agir et continue de gesticuler tout en parlant à son interlocuteur.

Tout à coup, il se dirige vers moi, me tend son cellulaire: «Tiens, y a quelqu'un qui veut te parler.» Je le regarde avec une certaine surprise. J'essaie d'imaginer rapidement qui peut être au bout de la ligne. En répondant «oui», je reconnais la voix immédiatement. C'est Maurice Boucher de sa cellule à la Maison

Tanguay qui veut me souhaiter, à ma famille et à moi, une bonne année 2001 et beaucoup de santé. Je lui réponds: « Pareillement, à vous aussi. » Par la suite, Boucher s'informe de la rédaction de mon livre, tout en m'offrant son aide au besoin. Surpris, je l'informe que cela s'en vient et je le remercie de son offre.

Au cours de cette conversation qui dure environ deux minutes, Boucher s'informe de la date de ma retraite. Je lui indique que ma retraite est obligatoire au cours des prochains mois, car on ne peut faire que 32 ans de service maximum à la SQ.

Finalement, il conclut notre entretien par une remarque que je n'attends vraiment pas. « Pourquoi vous ne venez pas me visiter ? On pourrait jaser, j'suis pas sorteux. » J'explique à Boucher que je ne peux me rendre le visiter à la Maison Tanguay, car je ne suis pas sur la liste de visiteurs ni un membre de sa famille proche. Il rit de bon cœur de mes réponses à ses questions et son moral me semble excellent.

Au cours de la journée et de la soirée, je peux m'entretenir avec le journaliste Claude Poirier et son photographe Michel Tremblay, tous deux invités à la cérémonie afin d'immortaliser le tout sur pellicule. Poirier m'informe avoir pris des photographies à l'intérieur du local lors de la remise des couleurs. Il dit qu'il y a dans le local deux couturières qui font la couture des emblèmes au fur et à mesure.

Je demande à Claude Poirier combien de membres au total ont été *patchés*; il doit se renseigner et me revenir là-dessus. Quelques minutes plus tard, je note que Luc Bordeleau prend place sur la banquette arrière du véhicule occupé par Poirier et Tremblay et qu'il discute avec eux 10 ou 15 minutes.

PATCHOVER SOREL, COUTURIÈRE AU TRAVAIL

PATCHOVER SOREL : SPEZZANO, HOULE, PORTER, MAYRAND, WILGOZ, AKLEH, GRANO ET TANGUAY

J'apprends un peu plus tard que Paul *Sasquatch* Porter, nouveau président Hells Nomads Ontario et ex-membre Rock Machine, a remis un document manuscrit à Poirier qui s'intitule *L'union pour l'harmonie*. Ce document est publié dans *Allô Police* une semaine plus tard.

Avant de terminer ma soirée, Richard *Dick* Mayrand[61] vient me compléter le tableau des nouvelles nominations. En quittant le local, fier de lui, comme passager dans le véhicule de Bordeleau, il vient me suggérer de faire comme lui et d'aller rejoindre ma famille. Mais, je n'ai pas encore vu tous les nouveaux des chapitres. Il semble très satisfait des résultats et me souligne d'une façon presque amicale : « Ouais, t'as parlé à *Mom* ». Je lui souris : « Oui, cet après-midi. »

Une semaine plus tard, à ma grande surprise, un des avocats de Boucher, Me Jacques Normandeau, dépose une requête de 44 allégués afin de faire modifier les conditions de détention de son client et surtout de le faire transférer dans la population régulière d'un centre de détention du district de Montréal. Quand je prends connaissance de sa requête, je contacte immédiatement le procureur de la Couronne au dossier afin de l'informer de mes conversations avec Boucher, au cours desquelles il m'a paru en excellente forme mentale.

Je ne témoigne pas lors de l'audition de cette requête, car Me Charbonneau a peut-être prévu me faire entendre comme témoin expert lors du second procès de Maurice Boucher. Donc, pour des questions de stratégie, deux membres de la Gendarmerie Royale du Canada (GRC) répondront aux questions du procureur désigné par le ministère, Me Marcus

Spivock. La requête de Boucher est entendue par le juge Kevin Downs de la Cour supérieure du Québec, à compter du 19 février 2001.

La « déprime » d'un chef de guerre solitaire

Boucher n'est pas un détenu comme les autres. Il est observé par une caméra en circuit fermé 24 heures sur 24 et, durant le jour, deux agents de la SQ sont aussi en permanence affectés à la surveillance extérieure de l'établissement où il se trouve. Il doit être en cellule de 22 h 30 à 7 h 30, mais, à part cela, il est libre de circuler dans son aile. La fenêtre de sa cellule s'ouvre sur une cour extérieure de 13 m sur 20 m, entourée d'un mur de 8 m de haut où il peut faire de l'exercice.

Même s'il est seul, il n'est pas coupé du monde. Boucher reçoit régulièrement la visite de sa femme, de son amie de cœur et de ses enfants, à raison de huit visites d'une heure par mois. Il n'y a pas de limites au nombre de visites que ses avocats peuvent lui faire sur entente préalable. Pour cette deuxième visite à la Maison Tanguay, six avocats sont autorisés à le voir, soit Jacques Larochelle, Danielle Roy, Pierre Panaccio, Jacques Normandeau, Benoit Cliche et Gilbert Frigon.

Pour se divertir, Boucher a un téléviseur, une radio, une console Nintendo, des livres et un baladeur. Il a droit à un maximum de huit livres qui peuvent être changés par sa famille une fois par mois. Il a aussi accès à un autre téléviseur, une laveuse, une sécheuse. On lui propose également une bicyclette stationnaire et un appareil de conditionnement physique pour travailler ses abdominaux. On lui refuse cependant des poids et haltères, l'une de ses activités de conditionnement favorites. Il peut s'abonner à des journaux et visionner deux vidéocassettes chaque fin de semaine. Comme il est dans une prison pour femmes, le choix des cassettes est fait en fonction de l'auditoire potentiel. Les sujets appréciés par les autres détenues ne correspondent peut-être pas aux champs d'intérêt du chef guerrier…

La camaraderie des autres détenus lui manque. Il veut retrouver ses comparses à Bordeaux ou à Rivière-des-Prairies. À quoi bon être chef, s'il n'y a personne pour l'admirer, lui marquer du respect ou obéir à ses ordres ? Pour expliquer le désarroi psychologique de son client, Me Normandeau appelle à la barre le psychiatre Louis Morissette comme témoin expert.

Le fait que le Dr Morissette soit attaché à l'Institut Philippe-Pinel, une institution publique qui témoigne pour la défense contre le ministère public, agace le procureur de l'État au dossier, Me Marcus Spivock, qui le lui fait savoir. Même si tout est absolument légal, il me semble qu'il y a des questions à se poser sur le plan de la moralité. Il est vrai que, pour les psychiatres, la moralité n'est qu'une autre construction mentale élaborée à partir de l'environnement social de l'individu.

Le Dr Morissette affirme que Boucher est détenu en isolement dans son aile de la Maison Tanguay et que cet état de « déprivation sociale » pourrait, il dit bien « pourrait », être néfaste pour Boucher. L'éminent spécialiste craint que le chef motard puisse ressentir des conséquences mentales à la suite de sa détention solitaire.

Il déclare au tribunal :

> *Est-ce que la détention actuelle augmente ses chances de développer des symptômes psychologiques et/ou psychiatriques? La réponse à mon avis, de façon générale, est oui...*[62]

Le psychiatre de Pinel soutient que *Mom* Boucher est dans un état de déprime tel, qu'il pourrait avoir de la difficulté à préparer sa défense avec ses avocats.

Le Dr Morissette rencontre pendant deux heures, le 25 octobre 2000, l'être frêle, vulnérable et angoissé que serait devenu Maurice Boucher. « Chez M. Boucher, on ne parlera pas pour l'instant des symptômes dépressifs francs, donc, il ne se présente pas comme quelqu'un qui est triste, pleure, veut se suicider. »

Le psychiatre y voit une indication que Boucher est en train de « baisser les bras ». Il laisse tomber sa santé, il bouffe continuellement des barres de chocolat et des chips. Il souffre d'hypertension et il s'en fout. Morissette le cite : « Pourquoi je prendrais ma tension, docteur », « Pourquoi j'arrêterais de manger des chips », « Pourquoi je ferais de l'exercice », « J'ai plus de motivation pour faire ça », « J'ai de la misère à lire mes livres », « J'ai plus ma concentration », « Ça me tombe sur les nerfs », « Je reste assis, je reste couché », « Je pourrais sortir une heure trois fois par jour, à quoi ça sert, je sors une heure par jour[63]. »

Le docteur est préoccupé par la mine déconfite de ce pauvre motard. Il conseille à son patient/client de surveiller sa santé:

> *Bien, écoutez, ce serait simple, demandez à l'infirmière qu'elle vienne vous voir, elle va prendre votre tension, s'il faut des médicaments, vous les prendrez, c'est mieux pour vous; à long terme, vous pouvez faire un infarctus ou des accidents cérébro-vasculaires*[64].

Boucher lui répond: «À quoi ça sert? Pourquoi vous me parlez de ça, c'est trop loin...» Ces propos mettent la puce à l'oreille du spécialiste en psychiatrie légale qu'est Morissette:

> *Ça, c'est un indice. C'est un indice de quelqu'un qui est en train d'abandonner. Ça, ç'a changé pour moi, ça, ç'a changé. Ce qui est noté aussi par rapport à octobre et février, en février, il se sent plus irritable, la mèche est plus courte. Il n'a pas personne avec qui se chicaner, là, parce qu'il ne parle pas à personne.*
>
> *Il dit «je me lève, puis tout d'un coup, je suis bien fâché, puis ça passe», puis il dit que ça devient de plus... la mèche, selon lui, devient de plus en plus courte. Il fume davantage, c'est un indice d'un niveau d'anxiété plus élevé, et quand on lui fait remarquer, bien, fumer, cigarettes, toux – parce qu'il tousse – c'est pas une bonne idée, la tension artérielle, «bof!», encore là, c'est «qu'est-ce que vous voulez, pourquoi je ferais quelque chose, j'ai rien à...» C'est comme si, au niveau personnel, il était en train de commencer à abandonner*[65]. »

Dans le témoignage de Morissette, on apprend aussi qu'il existe chez Boucher des traces de paranoïa qui ont été notées près d'un quart de siècle plus tôt par le criminologue Guy Pellerin, auteur d'un rapport présentenciel lors d'une de ses premières arrestations. Le Dr Morissette témoigne en ce sens:

> *Une autre chose qui est intéressante aussi, c'est la question de la nourriture. Dans son premier séjour, pour un grand*

bout, pas totalement mais pour un grand bout, il ne mangeait pas ce qu'on lui amenait, la crainte étant qu'on l'empoisonnerait ou il ne sait pas trop ce qu'on mettrait dans son plateau, donc, il mangeait ce qu'il pouvait acheter à la cantine. Et là, dans son deuxième séjour, dès l'entrée, il a dit: « Bof! ils feront bien ce qu'ils veulent, puis s'ils me rendent malade, ils me rendront malade, mais je mange ce qu'ils m'amènent. » Ça peut paraître banal ou ça peut paraître comme quelqu'un qui a plus confiance; pas du tout, il n'a pas plus confiance, mais il se dit « il arrivera ce qui arrivera ». C'est un début d'être tanné, d'être fatigué de se battre[66].

Comme tous les autres détenus, il a le droit de faire des achats de 120 $ par semaine. Et, pendant plusieurs semaines au début de son incarcération à la Maison Tanguay, il s'empiffre de cochonneries, craignant être empoisonné par la nourriture apportée par les gardiens. Mais comme on dit, même les paranoïaques ont des ennemis. Dans le cas de Boucher, c'est particulièrement vrai.

Le perspicace psychiatre note que Maurice Boucher, qui n'est pas un intellectuel, a aussi des problèmes de concentration lorsqu'il s'adonne à la lecture.

La question de la concentration – j'y reviens parce que c'est important; les livres sont de plus en plus difficiles à lire, il les commence, quand il les reprend, il a oublié ce que tel personnage a dit, ou c'est quoi le suivi de l'histoire, donc, il est obligé de reprendre, il est obligé de reprendre, il est obligé de reprendre sa lecture, et il a moins d'intérêt à le faire.

[...] *Donc, d'un point de vue légal, par rapport à la préparation, éventuellement à l'aptitude, mais surtout à la préparation, la communication avec l'avocat, la concentration qui se détériore peut interférer avec la préparation... On me dira: « Qu'est-ce que vient faire la concentration avec l'isolement social? » Il le décrit très bien. Il n'est pas capable de se changer les idées, donc, ça tourne en rond.*

L'avocat de Boucher, Me Normandeau, dépose, en appui de sa requête, le rapport psychiatrique que le Dr Morissette a établi après avoir rencontré le chef Nomads.

HISTOIRE CLINIQUE (PSYCHIATRIQUE) DE M. BOUCHER

Au moment de l'entrevue, M. Boucher est âgé de 47 ans, il est marié depuis quatorze ans, a deux garçons âgés de 25 et 23 ans, il est en bonne santé, n'a jamais subi de trauma crânien, ne souffre pas de maladie chronique.

Au moment de son arrestation et au moment de l'entrevue, il ne prenait aucune médication.

Il nous explique qu'il pouvait consommer de l'alcool à l'occasion mais qu'il n'était pas dépendant de l'alcool. Il ne décrit pas de problème d'assuétude à quelque drogue que ce soit.

Il avait comme hobby de s'occuper de ses animaux sur sa ferme et de s'entraîner physiquement.

Il avait de nombreux contacts sociaux avec des gens de sa famille et des gens qu'il fréquentait socialement.

Monsieur Boucher ne décrit aucun antécédent psychiatrique pertinent ou significatif, il décrit avoir été évalué en psychologie à quelques reprises lorsqu'il était en détention, surtout au Centre de détention de Québec lorsqu'il était placé en isolement.

Il s'agissait alors d'isolements disciplinaires qu'il acceptait et qu'il tolérait très bien. Les évaluations psychologiques étaient nécessaires à cause de procédures en place pour les isolements disciplinaires et non pas pour des raisons cliniques ou des symptômes particuliers.

En ce qui concerne sa tolérance à une détention en milieu carcéral, monsieur Boucher décrit qu'il a subi dans le passé des incarcérations à plusieurs reprises, allant de 3 mois à 40 mois (avant décembre 1997).

Il ne décrit pas de symptômes anxieux ou dépressifs ou d'autres symptômes psychologiques lors de ses détentions antérieures, y compris lorsqu'il a dû être isolé pour des manquements à la discipline. D'ailleurs, ces isolements disciplinaires étaient de relative courte durée (quelques jours) et M. Boucher en acceptait le fardeau puisqu'il reconnaît avoir manqué à certaines règles de fonctionnement des institutions où il séjournait.

Il ne rapporte pas cependant avoir été violent soit envers les autres détenus ou les gardiens. D'ailleurs, il ne rapporte aucune accusation qui origine d'un séjour en institution.

FONCTIONNEMENT PSYCHOLOGIQUE ACTUEL

Monsieur rapporte bien dormir, il se réveille relativement tôt mais ceci est son habitude.

Il rapporte un bon appétit, il mange les repas qu'on lui apporte.

Il note une légère diminution de concentration, il doit relire certains passages des livres qu'il lit et, à l'occasion, lorsqu'il écoute la télévision, il perd le cours de l'histoire.

Il note aussi qu'il fume un peu plus qu'à l'habitude.

Il ne présente pas de diarrhée ou d'autres symptômes digestifs.

Il décrit des maux de tête plus intenses et plus fréquents qu'à l'habitude.

Il nous montre aussi une réaction de type allergique au niveau des bras, il a l'impression que sa peau réagit mal au savon de l'institution, acheté à la cantine.

Comme personne, il se décrit en général comme quelqu'un qui veut résoudre les problèmes, qui est plutôt pro-actif dans la résolution de problèmes et dans la recherche de solutions.

Il ne se décrit pas comme quelqu'un qui a tendance à se replier devant les difficultés ou à se refermer sur lui-même.

Au niveau émotif, au moment de l'entrevue du 25 octobre, monsieur se décrit comme étant plutôt hostile, irritable, impuissant, il ressent une forme de désespoir, il a l'impression qu'il est surveillé comme un poisson dans un aquarium et il ne sait pas quoi faire de son temps.

Il parle peu avec des personnes, les conversations avec les gardiens étant minimales.

À certains moments, il s'impatiente (même s'il est seul avec lui-même) et a l'impression qu'il pourrait éclater facilement si une frustration survenait.

Il combat le sentiment de désespoir et de solitude en parlant 3 ou 4 heures par jour au téléphone mais il se rend bien compte que ceci est un fardeau pour son entourage et finalement les choses qui sont dites au téléphone, dans les circonstances actuelles, sont banales et répétitives.

Il note que puisque la concentration est difficile, la lecture n'est pas agréable et non réconfortante. Il se sent à la fois impuissant et inutile. Il n'a pas de travail, n'a pas d'occupation, ne peut discuter de quoi que ce soit avec des personnes réelles, présentes. Il se sent aussi très dépendant de l'extérieur, vulnérable à ce niveau puisque si l'extérieur ne veut plus recevoir ses appels, il sera seul.

Il tolère mal d'être traité différemment des autres en détention préventive, en attente du procès puisqu'il n'a, selon lui, rien fait pour mériter un tel sort, du moins depuis son arrestation. Il n'a pas été agressif, il n'a pas menacé d'être agressif, ni de se faire du mal[67].

Les conclusions du témoignage et de l'expertise psychiatrique du Dr Morissette sont typiques de ce que produisent les psychiatres appelés comme témoins experts pour la défense: remplies de conditionnels, de nuances et de restrictions mentales au point d'en être négligeables:

> *Pour résumer, il nous semble que les conditions actuelles de M. Boucher augmente la possibilité d'apparition chez lui des symptômes psychologiques qui pourraient interférer éventuellement avec la présentation d'une défense et qui pourraient favoriser chez lui l'apparition de certains gestes agressifs et/ou hostiles (envers lui ou envers les autres), gestes qui n'auraient pas été portés dans des conditions usuelles ou normales de détention où le niveau de stress est plus bas. Ainsi, d'un point de vue psychiatrique, il n'est pas souhaitable qu'un individu soit détenu dans de telles conditions pour des périodes plus grandes que 4 à 8 semaines*[68].

Contre-interrogé par l'avocat du ministère public, Morissette admet qu'il n'a aucune façon de vérifier si ce que Boucher lui dit est vrai. Quand Me Spivock demande au psychiatre si Boucher peut être un manipulateur, Morissette le corrige en lui soulignant qu'en psychiatrie on parle de simulateur. Il affirme qu'il aurait pu avoir recours à un test pour vérifier si Boucher a vraiment les symptômes qu'il prétend avoir, mais qu'il ne l'a pas fait, entre autres raisons, parce que l'avocat de Boucher s'y oppose:

> *Il y a une autre raison aussi pour laquelle je ne l'ai pas utilisé, c'est que ce test-là peut donner de l'information sur d'autres aspects tout à fait différents que l'anxiété ou la dépression, et, après en avoir discuté avec Me Normandeau, il n'était pas approprié que ça puisse sortir dans le dossier, les possibles autres choses que le test aurait pu mettre en place. Donc, c'est pour ça que je n'ai pas utilisé le test*[69].

Boucher et son avocat craignent sans doute que le Dr Morissette découvre toutes sortes de choses pas très belles sur sa psychologie, qu'il serait ensuite obligé de raconter devant une cour de justice. On les comprend!

Me Spivock veut déposer en preuve devant le tribunal une conversation téléphonique de 18 minutes, interceptée le 3 janvier 2001 à 12 h 17 au local du chapitre Sherbrooke, entre Boucher et des Hells de cette ville. C'est moi qui informe Me Spivock de l'existence de cette conversation et lui en procure une copie.

Boucher y rassure, entre autres, ses comparses sur son excellent moral. La ligne téléphonique de Boucher n'est pas écoutée, mais celle du local des Hells Sherbrooke l'est. L'avocat de Boucher soulève avec succès des points de droit qui amènent le juge à exclure cette écoute électronique de la preuve. Mais cela ne change pas la conclusion de la cause. Malgré les efforts du Dr Louis Morissette et de l'avocat de Boucher, Me Jacques Normandeau, le tribunal n'accède pas à la demande de transfert de Boucher dans une autre institution. Et le 12 juin 2001, la Cour d'appel confirme la décision de la Cour supérieure.

Parlons maintenant de cette conversation refusée en cour et qui s'est déroulée entre Louis *Bidou* Brochu, membre Hells Sherbrooke, et Maurice *Mom* Boucher[70]. Le chef motard y parle de ses craintes face à certaines situations médicales :

Tabarnaque, j'ai eu peur ben des fois pi chu pas mort.

La réponse de Brochu :

Mais y a peur pi peur.

Et Boucher de répliquer :

Ah ah ah, ou c'est moé qui faisait peur, un des deux je l'sais pas.

Brochu confirme ma présence à Boucher et lui demande s'il m'a parlé.

Brochu : Les journaux icitte, là, Ouellette t'as là là. Ah ben crisse, tu y as parlé hein.

Boucher : *Oui oui j'y ai parlé.*

LOUIS *BIDOU* BROCHU

Mom explique à Brochu la teneur de notre conversation:

Ah non, moé j'y ai dit j'suis pas trop gêné j'yé dit «Comment ça va Ouellette? Ça va ben.» J'y ai dit j'en profite pour te souhaiter une bonne année pi la santé pour ta famille pi ces affaires là. Pis j'y ai dit en même temps «Gêne toé pas là quand té icitte c'est plate un peu, j'aimerais ça moé jaser avec toé un peu. ah ah ah»

Boucher informe Brochu que je suis à la veille de prendre ma retraite et que je suis en train de travailler à un livre. *Mom* dit à *Bidou* en riant qu'il en ferait un livre avec moi. Ensuite, les deux spéculent sur le fait de savoir si je suis capable de faire un livre. Et finalement, voyant l'hésitation de Brochu qui ne sait pas trop si *Mom* est sérieux quant à son offre de m'aider pour mon livre, Boucher le rassure en lui disant:

Ben non tabarnaque, pas fou non plus là.

Par la suite, Boucher dit à Brochu:

Non. Lui y fa juste sa job lui et Pis cé pas le plus salaud qui y a là.

Ensuite, la discussion dévie sur une émission de télévision qui vient de passer à l'antenne de Radio-Canada, en décembre 2004:

L'autre jour quand j'ai vu y avait les émissions trois fois de trois jours collés là. Une journée y parlait des Hells Angels du Québec et une journée y ont parlé juste de moé pis après ça Sonny Barger pis Chuck Zito au Point.

Boucher informe Brochu que je dis que c'est la police qui a créé le mythe Boucher:

Il l'a dit hostie y dit ça c'est nous autres qui a fait les manchettes tu sais en voulant dire que c'était eux autres qui avaient forcés ça ces affaires là tabarnaque ya pas ben trop trop l'habitude de parler moé là là hein.

Mais que malgré tout, la situation ne change pas :

Pis ça va être pareil encore hostie.

Boucher conclut de sa façon coutumière :

Ben ouais, c'est la vie et Qui aillent toute chier.

Quand Brochu lui demande si son fils Francis doit venir le rejoindre à la Maison Tanguay, Boucher réagit :

> *Mais moé j'y conseille pas de v'nir icitte avec moé, là ma m'en sortir de ça moé là là, chu pas fait en papier mâché hostie et Non non non, moé j'ai d'la volonté pis j'ai un sale caractère en plus.*

Boucher réfléchit ensuite tout haut sur sa condition :

> *C'est toute nouveau, j'pense que j'me serais passé de ça c't'année et Crisse, quand t'es rendu que j'me chicane, me chicane tout seul là ; ensuite : (rires) j'me dis tout le temps, t'aurais dû en faire un peu plus, t'aurais dû en faire un peu plus. Y'a des fois que j'me traite de paresseux un peu, et Boucher conclut : (rires) non mais cé d'même la vie hein.*

Lorsque Brochu lui indique que la vie a des hauts et des bas, la réponse de Boucher est instantanée, démontrant que sa déprime n'est qu'une feinte :

> *On en fait jamais assez. Non des bas j'en ai pas… et La vie est belle, on continue. On a toutes des belles raisons de vivre. On a des vraies belles familles, faque, la vie est belle.*

Boucher partage avec Brochu sa passion pour l'hiver et quasiment ses regrets quand il doit aller en vacances dans le Sud, car il adore skier et, en terminant l'appel, il se permet de dire à Brochu :

Faites attention à vous autres les frères, Pis lâchez surtout pas, Faut que ça avance, faut pas que ça recule jamais et Let's go *la police, ok, tention à vous autres là.*

Chapitre 12

LE SECOND PROCÈS : BOUCHER COUPABLE

Le 19 avril 2001, la Cour suprême refuse d'entendre Maurice Boucher qui conteste la décision de la Cour d'appel du Québec d'ordonner un nouveau procès.

La longue préparation du deuxième procès, commencée dès octobre 2000, peut donc se poursuivre de façon intensive. En avril 2001, Me France Charbonneau se retrouve seule avocate au dossier. Elle demande au sous-ministre de la Justice, Me Mario Bilodeau, de lui assigner un procureur afin de l'assister à la préparation du nouveau procès de Boucher. La réponse de Québec se fait attendre. Me Charbonneau travaille sans relâche au dossier Boucher qui comprend quelque 150 boîtes de documents. Après avoir maîtrisé les détails du dossier, elle prépare sa stratégie de cour et rédige des projets d'admissions[71] qui se révéleront déterminants lors de la présentation de la preuve devant les jurés. L'été 2001 est éprouvant pour cette avocate déterminée. Sans nouvelles des autorités du ministère de la Justice, elle doit préparer seule le dossier. Analyser une centaine d'arrêts jurisprudentiels portant sur une dizaine de sujets différents, qui peuvent avoir un impact sur la cause contre Boucher. Levée à 5 h, elle travaille sans relâche souvent jusqu'à minuit passé.

Elle doit attendre jusqu'en octobre 2001, un mois avant le début du procès, pour que Me Yves Paradis, un collègue et ami du bureau de la Couronne de Montréal, puisse faire équipe avec elle. Il a déjà assisté Me Dagenais, le procureur qui a dirigé la poursuite lors du premier procès. Me Paradis s'est fait une spécialité, au cours de ses années de pratique comme avocat de la Couronne, des questions touchant l'écoute électronique.

Un événement vient cependant perturber la préparation du procès. Le 20 décembre 2001, Me Robert Lemieux, l'ancien avocat des felquistes, devenu pompiste avant de revenir à la pratique du droit, dépose une poursuite de 30 millions de dollars au nom de Maurice Boucher, dont la profession indiquée sur le document est « cuisinier », contre Lucien Bouchard, Bernard Landry, Serge Ménard et le procureur général du Québec. Il les accuse de « violations massives et sans précédent de ses droits fondamentaux, pour accusation négligente non fondée, emprisonnement illégal et discriminatoire depuis deux ans, atteinte à sa réputation et autres dommages moraux[72] ». Boucher n'a pourtant jamais rencontré Lemieux. Dans sa poursuite, deux allégués me concernent professionnellement :

> 10. L'enquête démontrera que parallèlement était mis en place une vaste opération fichant des milliers de citoyens dans toutes les régions créant des organigrammes largement diffusés d'organisations présumées. Ces citoyens se retrouvant soudainement « membre en règle » de groupe dont ils ignoraient même le nom.
>
> 11. Il sera démontré à l'enquête que dans ces organigrammes, le demandeur est tantôt chef d'un groupe, puis d'un autre et même d'un troisième. Un certain « policier à la retraite » Ouellette donnant même des conférences à travers le Québec sur sa vie personnelle alléguant entre autres qu'il aurait une maîtresse en plus de son épouse, etc. Épithètes, qualifications, appartenances que le demandeur n'a jamais revendiquées, qui lui sont toujours attribuées par le Ministère afin de lui mettre sur le dos toutes sortes d'événements, lui nuire, le dénigrer et le ternir au maximum dans l'opinion, afin d'avoir sa tête à tout prix, lui causant ainsi des préjudices et dommages incommensurables.

Robert Lemieux se porte un peu vite à la défense de *Mom* Boucher. Dès le lendemain de son dépôt, il retire discrètement sa poursuite. Il a oublié une *technicalité* judiciaire importante. Boucher doit verser plus de un million deux cent mille dollars en frais de cour afin de mettre la poursuite en branle. Un pour cent du montant de la poursuite multiplié par le nombre de personnes poursuivies, soit 4 x 300 000 $. De plus, Lemieux a procédé sans consulter l'avocat de Boucher, Me Jacques Larochelle, qui ne désire surtout pas que son client soit interrogé durant de longues journées par le procureur général du Québec avant son second procès. La préparation du procès peut donc se poursuivre.

Les motions préliminaires pour le procès de Boucher commencent en décembre 2001. Le choix des jurés a lieu en mars. Il se termine par un verdict de culpabilité le 5 mai 2002. Que s'est-il donc passé pour que la reprise d'un procès qui a duré deux semaines prenne maintenant cinq mois ?

La réponse se trouve dans les éléments de preuves supplémentaires découverts lors de l'opération policière Printemps 2001 et dans le témoignage d'un deuxième délateur, Serge Boutin.

La procureure de la Couronne, Me France Charbonneau, qui a assisté, impuissante, à l'intimidation des jurés par des Hells et leurs affiliés assis dans la salle d'audience lors du premier procès, fait en sorte, cette fois, que cela ne se reproduise pas. Elle demande au tribunal que le procès soit télédiffusé en direct dans une autre salle, de façon que les personnes qui assistent au procès ne puissent pas voir les membres du jury. Le juge Béliveau décide plutôt de réaménager la salle. Il rend une ordonnance en 11 points pour mieux protéger l'anonymat du jury, ainsi que le prévoit la nouvelle loi antigang C-24, en vigueur depuis janvier 2002.

1. Ordonne que soient prises les mesures nécessaires afin que les jurés ne puissent être suivis ou localisés.

2. Ordonne que l'audition du procès dans une salle où les membres du public, sauf les représentants des médias, ne pourront voir les jurés.

3. Interdit aux représentants des médias ou à toute personne de procéder à toute caricature ou autre représentation visuelle d'un ou plusieurs membres du jury.

4. Ordonne que, sauf les représentants des médias, les membres du public ne puissent entrer ou sortir de la salle d'audience durant les auditions.

5. Ordonne que les membres du public prennent place dans la salle d'audience avant l'entrée du jury et ne quittent qu'après sa sortie.

6. Ordonne la fouille si nécessaire, l'identification de toute personne autre que les officiers de la Cour, qui désirent entrer dans la salle d'audience.

7. Interdit à qui que ce soit d'échanger sa place dans la ligne d'attente s'il en est une, ordonne que tout participant à une telle opération soit tenu de s'identifier à tout représentant des forces de l'ordre et soit subséquemment interdit d'assister au procès, à moins que la Cour ne l'en relève à une requête écrite présentée par elle.

8. Ordonne que toute personne qui désire assister à l'audition soit correctement vêtue et plus particulièrement, qu'elle ne porte pas de vêtements comportant quelque message que ce soit, ni de chandail, chemise ou pantalon court.

9. Interdit l'accès à toute personne arborant un tatouage.

10. Autorise les constables à prendre les mesures nécessaires pour que des personnes connues comme membres sympathisants d'une organisation criminelle, ne puissent s'asseoir à un endroit où elles pourraient tenter d'importuner ou d'intimider un témoin au moment de son entrée ou de sa sortie de la salle d'audience.

11. Déclare que toute personne qui aura un comportement le moindrement inapproprié se verra expulsée de la salle d'audience et ce, jusqu'à la fin du procès.

La Couronne bonifie considérablement sa preuve contre Boucher. On corrobore davantage le témoin Gagné. On établit qu'il a obtenu une promotion dans les Rockers en démontrant qu'il a été vu avec ses couleurs de *striker* le 17 octobre 1997 à Winnipeg, aux célébrations du 30e anniversaire du club Los Brovos Manitoba[73]. Paul Fontaine y a aussi été vu avec ses couleurs de *prospect* Nomads. Ces deux observations confirment la version de Gagné voulant que Fontaine et lui auraient eu leurs promotions pour avoir participé aux assassinats des gardiens de prison[74].

Comme c'est son habitude, Me Jacques Larochelle, l'avocat de Boucher, est flamboyant, alors que Me Charbonneau, qui affiche une tranquille détermination, surveille la moindre brèche que pourrait lui laisser son adversaire pour attaquer son système de défense.

C'est ainsi qu'on peut la voir bondir de sa chaise lors du contre-interrogatoire du témoin principal Stéphane Gagné. Me Larochelle l'interroge sur sa première déclaration à l'enquêteur Pigeon, le 6 décembre 1997, le jour où il a admis sa participation aux deux meurtres et est devenu délateur contre Boucher. Larochelle tente de le mettre en contradiction avec son témoignage à ce sujet lors du premier procès. Gagné explique par sa grande fatigue pourquoi il a omis de dire certaines choses lors de son premier interrogatoire. Le fait pour Me Larochelle d'évoquer le contenu de l'interrogatoire et d'insinuer qu'il s'est contredit est une grave erreur. Me Charbonneau fait visionner la vidéo de l'interrogatoire au jury, ce que normalement elle n'aurait pu faire. La vidéo montre clairement au jury que les insinuations de Larochelle sont sans fondement.

Me Larochelle commet d'autres maladresses durant le procès. Il lance à Me Charbonneau à la suite de son objection énergique : « Est-ce là une objection de ma collègue ou une crise de nerfs ? Si elle a besoin d'un psychothérapeute, je n'en suis pas un. » France Charbonneau lui répond du tac au tac : « Ne vous inquiétez pas, si j'avais besoin d'un psychothérapeute, je ne vous choisirais pas. » Les propos méprisants de Larochelle pour sa consœur ne le rehaussent sans doute pas dans l'estime que peut lui porter le jury qui comprend cinq femmes[75].

Stéphane *Godasse* Gagné se défend beaucoup mieux devant les attaques répétées de Me Larochelle que lors du premier procès. Plus tard, il révèle comment il s'est préparé pour son témoignage en lisant un livre écrit à l'intention des policiers et intitulé *Comment déposer devant les tribunaux*. Gagné explique qu'il y a notamment appris qu'il faut regarder le jury le plus souvent possible en répondant aux questions des avocats. Il s'est exercé à témoigner en prison en fixant un objet sur le mur pendant de longues minutes, comme si c'était le jury. Mais surtout, il a appris à faire face à Me Larochelle en écoutant et en réécoutant les cassettes de ses contre-interrogatoires avec l'avocat de Maurice Boucher.

Après neuf jours de délibération, les jurés annoncent qu'ils ne réussissent pas à s'entendre. Le juge leur donne des directives supplémentaires et les prie de faire un dernier effort. Ils reviennent après deux jours de plus de délibération pour annoncer qu'ils sont finalement tombés d'accord. Avant de leur demander leur verdict, le juge Béliveau se lance dans d'interminables remerciements qui durent huit minutes, pendant lesquels les jurés gardent la tête baissée. La tension est palpable quand la greffière demande au juré numéro 12 quel est le verdict. Il répond haut et fort: «Coupable». Boucher encaisse le coup. Il reste impassible. Les parents et la sœur de la gardienne Diane Lavigne pleurent. Les policiers dans la salle ont le sentiment du devoir accompli, après tant d'années de dur labeur. Justice a été rendue. Des citoyens ordinaires appelés à être membres d'un jury dans des procès de Hells n'ont plus peur. Me Larochelle quitte l'enceinte du Palais de justice sans dire un mot et ne revient pas pour assister au prononcé de la sentence le jour suivant. Son fils, lui-même avocat, s'y présente à sa place.

Le verdict tombe un dimanche matin, le 5 mai 2002. Je suis dans un hôtel de Laval, en train de déjeuner avec ma femme qui célèbre son anniversaire lorsque je reçois un appel du capitaine René Fortin m'informant que le jury est prêt à rendre son verdict. J'en perds l'appétit. Je ne tiens plus en place. Je reçois ensuite à 11 h 52 – je me rappelle avoir regardé mon cellulaire – un deuxième appel de Donald Beaudoin, un enquêteur au dossier qui ne dit qu'un mot: COUPABLE. J'en ressens un immense soulagement. Ma réponse est tout aussi lapidaire: «Je m'en viens!» Laissant ma

MAURICE BOUCHER EN 2002

conjointe en plan, je me rends à toute vitesse au palais de justice de Montréal.

En me stationnant, rue Saint-Antoine, je vois Claude Poirier sur les marches du Palais de justice, il se prépare à entrer en ondes à LCN. Il a l'air sombre. Il me paraît terriblement déçu du verdict. Il m'aborde. Il me confie qu'il était convaincu que Boucher allait être acquitté, surtout après 11 jours de délibération. À quelques reprises, il m'est arrivé d'écouter des conversations téléphoniques entre Boucher et Poirier. Pendant des années, on a eu des écoutes judiciairement autorisées des locaux des Hells. Quand Claude Poirier appelait *Mom,* bien sûr, on était à l'écoute. C'est sûr que Claude Poirier, pour obtenir des informations, doit cultiver des sources dans le milieu criminel.

Cependant, ce qui nous irrite à la SQ, c'est qu'on a l'impression – juste ou pas – que Claude Poirier se transforme parfois en «porteur de valises» de *Mom* Boucher, selon l'expression imagée que lui-même utilise tellement souvent. Quand même, on peut dire que c'est un type qui joue un rôle globalement positif. Sa popularité auprès des criminels a, à plusieurs reprises, désamorcé des situations critiques en lui permettant d'agir comme intermédiaire – comme *Négociateur* – entre la police et des bandits pris en flagrant délit. En tout cas, aucun criminel n'a jamais soupçonné Poirier de travailler pour la police, contrairement à certains de ses confrères.

À l'étage des procureurs de la Couronne, je rencontre une France Charbonneau radieuse. Après l'avoir presque étouffée en la serrant dans mes bras et en lui disant «Mission accomplie», je dirige ensuite mes effusions vers Me Paradis. Puis, je rejoins rapidement ma compagne qui m'attend patiemment à Laval. Elle a l'habitude de ces départs soudains. Elle me pardonne mon impétuosité. Elle sait que j'ai consacré plusieurs années de ma vie au dossier Boucher qui vient de connaître son dénouement. Elle comprend que je me dois d'être avec mes collègues au moment de notre victoire qui est un succès considérable pour l'ensemble du système judiciaire.

Appelée à commenter le verdict, Me Charbonneau déclare que c'est la preuve qu'on peut faire confiance au système judiciaire. La condamnation de Boucher est aussi un message clair aux organisations criminelles, elles ne peuvent pas s'attaquer impunément au système judiciaire. Au sujet de l'épineuse question des délateurs, l'avocate souligne que l'issue du procès prouve que le recours aux témoins repentis se révèle pertinent et efficace dans la mesure où la Couronne les sélectionne judicieusement. Elle explique que, pour être accepté par le ministère public, un criminel devenu délateur doit voir ses affirmations confirmées par un test polygraphique. Dans le cas de Gagné, il en a passé deux avec succès.

Me Charbonneau devient la femme de l'heure, celle qui a terrassé *Mom* Boucher, le chef de guerre des Nomads. Les gens l'arrêtent dans la rue pour la remercier et la féliciter pour le travail qu'elle a accompli. La lieutenant-gouverneur du Québec, Lise Thibault, lui fait parvenir une lettre dans laquelle elle lui témoigne son admiration pour le courage dont elle a fait preuve.

Par la suite, Me Charbonneau devient récipiendaire de plusieurs prix d'excellence, dont la médaille du mérite de l'Association des procureurs de la Couronne du Québec. Je suis convaincu que ce verdict a rétabli la confiance du public en la justice. Le 26 février 2004, moins de deux ans après le verdict, France Charbonneau est nommée juge à la Cour supérieure du Québec.

L'héritage de Maurice Boucher

Dès le lendemain de la condamnation à perpétuité de Boucher, les Hells Angels des autres provinces canadiennes commencent à prendre leurs distances vis-à-vis de celui qui a été jusque-là leur figure emblématique, leur porte-étendard contre le « système ». Un porte-parole des Hells de l'Ontario dit que Boucher est un phénomène particulier au Québec avec sa culture différente, ajoutant qu'il ne peut ni défendre cette façon d'être ni la condamner. Le porte-parole des Hells Angels de Colombie-Britannique se montre un peu plus cinglant, affirmant qu'il n'y a rien à apprendre de ces motards-là, ni en les regardant agir ni en discutant avec eux ou en étudiant leurs comportements.

Cette fissure dans la grande famille des Hells entre ceux du Québec et ceux du « reste du Canada » se confirme deux ans plus tard au palais de justice de Brampton en Ontario, alors que j'assiste au témoignage de Richard *Rick* Ciarnello, secrétaire de la région West Coast. La cause porte sur une question de restitution de matériel saisi lors d'une perquisition au local des Hells Vancouver. Pendant une suspension d'audience, je l'aborde à la cafétéria où il mange en compagnie de Donald *Donnie* Petersen, secrétaire de la région Central des Hells Angels canadiens.

Après avoir pris des nouvelles de son ami Jacques *Israël* Émond, secrétaire de la région East Coast, qui vient d'être condamné pour gangstérisme, Ciarnello me confie qu'il n'aime pas les Hells du Québec. Il est choqué de voir que les Nomads et Boucher ont empoché des millions de dollars, alors que beaucoup de Hells canadiens comme lui n'arrivent pas à joindre les deux bouts. Il ajoute que la richesse attribuée à Boucher le surprend, d'autant plus que, lors de leur dernière rencontre, c'est lui qui a dû payer le déjeuner de *Mom*, qui n'avait pas d'argent dans ses poches. Ciarnello déplore que la police présente les Hells Angels comme une organisation criminelle sans faire aucune distinction.

Le Printemps 2001 : la fin des Nomads et de la guerre des motards

Le grand projet lancé en 1998 par l'ERM Montréal est réalisé en mars 2001, dans le cadre de l'opération Printemps 2001. Les six ERM participent à la conclusion de cette opération qui entraîne la destruction des Nomads et la fin de la guerre des motards. L'idée originale est venue d'un visionnaire, d'un grand « flic » qui s'appelle Robert Pigeon, aujourd'hui capitaine et responsable de l'ERM Québec. Il l'a après la lecture de la première loi antigang de mai 1997. Il comprend alors que la nouvelle infraction de gangstérisme, introduite dans le code criminel par la nouvelle loi antigang C-95, permet de mettre en accusation tous les membres des Nomads et des Rockers.

Quand Pigeon propose l'idée à la direction de Carcajou pour la première fois, elle est accueillie par les moues sceptiques de ceux présents à la réunion. « Pigeon doit être malade. » Pourtant, il ne se laisse pas décourager. Il est convaincu d'avoir la solution pour régler définitivement la question des bandes de motards. Il met près d'un an pour écrire son « affidavit » détaillé, auquel je suis appelé à collaborer régulièrement. Le document lui permet d'obtenir les autorisations judiciaires d'écoute électronique.

C'est aussi tout un travail que de convaincre tous les corps policiers d'agir simultanément. Une opération policière d'une telle envergure n'a jamais été montée au Canada. Deux mille policiers dans 77 municipalités. Le secret est parfaitement respecté. Beaucoup de monde connaît une partie du dossier, mais seuls quelques officiers supérieurs et des hauts fonctionnaires du ministère de la Sécurité publique sont au courant de l'ampleur véritable de ce qui se prépare. Même à l'intérieur de l'ERM Montréal, il n'y a que deux officiers qui connaissent tous les détails de l'opération Printemps 2001.

La rafle est même reportée à quelques reprises, sans qu'il n'y ait de fuite. Cette opération marque la fin d'une époque dans la lutte contre les motards criminalisés au Canada. Elle entraîne la fermeture du chapitre Nomads au Québec en août 2004. Le mot Nomads disparaît même des médias où il a été si abondamment utilisé depuis quelques années. Le chapitre de *Mom* Boucher disparaît de l'univers des motards comme, avant lui, le chapitre North après la tuerie de Lennoxville en mars 1985. Les deux noms sont à jamais rayés du vocabulaire des Hells Angels du Québec.

La conclusion judiciaire est tout aussi impressionnante que le déroulement de l'opération elle-même. Sur les 122 individus accusés lors de l'opération Printemps 2001, seuls trois n'ont pas encore été jugés. Tous les autres sont condamnés à des peines d'emprisonnement. L'« affidavit » de mon ami Robert Pigeon a permis en fin de compte un résultat dont il n'a peut-être pas lui-même mesuré la portée. La population du Québec doit beaucoup à ce policier d'exception. Et je ne suis pas peu fier d'avoir modestement contribué à lancer avec lui l'initiative qui a permis de rétablir la paix sociale au Québec… pour un certain temps du moins.

L'opération Printemps 2001[76] est la conclusion commune de trois projets différents : le projet (Rush qui vise les généraux et les soldats de la guerre des motards ; les Hells Nomads et les Rockers Montréal), le projet Océan (qui cible les fournisseurs et acheteurs de stupéfiants de l'organisation des Hells Nomads avec un chiffre d'affaires de plus de 111 millions de dollars), et un dernier projet Bobcat (qui vise les activités criminelles des Evil Ones Outaouais affiliés aux Hells Angels South). En 2001, les règles des Hells Angels sont uniquement en anglais.

Guidelines for Canada

1. All members must own a Harley-Davidson motorcycle.

2. All Charters are required to have a road date.

3. After road date, a member is allowed a 30 day break down period during the riding season.

4. A member may only have one patch. Riding suit for drag racers accepted.

5. Charters are required to have a minimum of six members. (On the street.)

6. Going from official hangaround to Prospect or Prospect to member requires 100 % of Charter membership.

7. There is one year probation on all new Charters or members.

8. New Charters or Prospect Charters in a Province require a Province vote only. New Charters or Prospect Charters in a new Province require a Canada vote.

9. Charter splits require approval of all Charters in the province or a 66 % majority if deadlocked. (Per – one man one vote.)

10. 86 rule[77].

11. All contact or use of heroin is strictly forbidden.

12. Use of needles for pleasure is strictly forbidden.

13. No dealings of any kind that will reflect badly on the club.

14. No rapes.

15. At club functions there is no shooting off of firearms or setting off of fireworks.

16. A member may get a Hells Angels tattoo after one year.

17. A member may get a Hells Angels full back patch tattoo after five years.

18. A member retired in bad standing or kicked out must get his Hells Angels tattoos covered or removed.

19. A member retired in good standing must get his Hells Angels tattoos dated out.

20. Any member, prospect or hangaround who leaves the club and later wants to return to the club must go back to his original Charter.

21. New members cannot transfer from his original Charter until after his first year.

22. Membership transfers from one Charter to another must have the blessing of both Charters.

23. Members who come into existing Hells Angels charters must wait until they are a member for one year before attending Officer Meetings. New Charters must have Officers at the meetings.

Bien qu'elle soit d'un degré de violence beaucoup plus bas, la guerre des motards se poursuit jusqu'en 2002. La tentative de meurtre sur le vieux complice de Boucher, Steven *Bull* Bertrand, par deux Bandidos, André Désormeaux et Patrick Héneault, survenue le 19 mars 2002, est le dernier incident violent de la guerre.

Le projet Amigos piloté en juin 2002 par le SPVM contre les Bandidos du Québec et de l'Ontario met définitivement un terme à la guerre des motards faute de combattants. Le bilan de cette guerre de huit ans est très lourd pour les clubs de motards et les autres organisations criminelles comme l'Alliance qui ont participé aux hostilités : 165 morts et 181 tentatives de meurtre, auxquels il faut ajouter 16 individus dont on ne retrouve pas les corps[78].

À ce bilan, il faut ajouter les victimes collatérales des règlements de comptes entre bandes criminelles. Des personnes qui, souvent, n'ont été visées que parce qu'elles ont eu le malheur de se trouver au mauvais endroit, au mauvais moment. Neuf honnêtes citoyens, dont un jeune garçon, ont ainsi été tués et 20 autres ont été victimes de tentatives de meurtre, dont les journalistes Robert Monastesse et Michel Auger.

COULEURS BANDIDOS CANADA

La guerre des motards a contribué largement pendant près d'une décennie à maintenir à un taux élevé les statistiques sur les assassinats au Québec. Depuis 2002, c'est avec une grande satisfaction pour le travail accompli par la police dans notre lutte contre les motards criminalisés que je constate que le nombre de meurtres est en baisse chaque année au Québec de 1, 2 ou 3 %. Il ne faut en aucun cas baisser notre garde et laisser éclore les œufs des lézards comme à la fin des années 80.

À Sainte-Anne-des-Plaines, Boucher renoue avec la violence carcérale

Quelques semaines après sa condamnation, Maurice Boucher est transféré de la Maison Tanguay au CRR (Centre régional de réception) de Sainte-Anne-des-Plaines, première étape de son intégration au système pénitencier fédéral.

Cet établissement est un pénitencier à sécurité maximale qui accueille les criminels condamnés à des sentences de plus de deux ans. On y procède à l'évaluation de Boucher pendant une soixantaine de jours. On lui attribue une cote de sécurité (super maximum, maximum, médium, minimum) et on détermine ses besoins en programmes spécialisés en fonction des crimes commis.

Boucher est ensuite transféré à l'USD (Unité spéciale de détention) du complexe carcéral de Sainte-Anne-des-Plaines où il est gardé en cellule 20 heures par jour[79]. L'établissement est un pénitencier à sécurité super maximum où l'on garde les détenus les plus violents du Canada. Il s'agit du seul pénitencier du genre au Canada. On y rassemble les prisonniers difficiles

SAINTE-ANNE-DES-PLAINES, PHOTO CRR-USD

des autres prisons canadiennes, notamment ceux qui tentent de s'évader ou qui, même derrière les barreaux, se rendent coupables de graves actes de violence, comme des meurtres ou des tentatives de meurtre, contre d'autres détenus ou des membres du personnel. Boucher est donc placé à l'USD parce qu'il représente un risque élevé pour la sécurité du personnel et des autres détenus, et qu'on considère également qu'il y a, dans son cas, un risque d'évasion.

Comme ceux de ses codétenus, les mouvements de Boucher sont très contrôlés. Il n'est jamais permis qu'il se joigne à un groupe de plus de 10 et il n'est jamais en contact direct avec un seul membre du personnel. Le maintien à l'USD est réévalué tous les quatre mois.

Les membres et associés d'organisations criminelles, comme les clubs de motards criminalisés, dont les Hells Angels, sont assujettis à une directive spéciale du Service correctionnel du Canada. Il leur est notamment interdit d'afficher leur appartenance à leur « gang » par des vêtements ou tout autre article distinctif. L'appartenance à une organisation criminelle est un facteur pris en compte dans toutes les décisions rendues au sujet du détenu, par exemple celles au sujet de ses demandes de libération.

C'est ce qui explique pourquoi plusieurs membres et associés de clubs de motards criminalisés affirment vouloir se désaffilier de leur « gang » quand ils deviennent éligibles à une libération.

Le Service correctionnel du Canada utilise des procédures précises pour établir l'appartenance des détenus à une organisation criminelle. Au Québec, la détermination se fait en collaboration avec les différents agents de renseignements de sécurité des divers pénitenciers et des corps policiers qui apportent leur soutien à cette procédure importante afin de bien situer le statut et le rôle des individus au sein des organisations.

Boucher a été un détenu solitaire à la Maison de détention Tanguay, maintenant, à l'unité spéciale de détention de Sainte-Anne-des-Plaines, il se retrouve avec d'autres détenus. Mais il regrette peut-être la quiétude de la prison des femmes. Ici, sa vie et sa sécurité sont en danger. Il est, bien sûr, entouré de quelques fidèles. Mais il n'est pas le maître incontesté des lieux, comme c'était le cas lors de ses incarcérations précédentes. Ici, sa réputation joue contre lui. Certains détenus dangereux du reste du pays espèrent se faire un nom dans les milieux criminels en se « faisant » *Mom* Boucher, le roi déchu des Hells, fondateur et ex-chef de guerre des redoutables Nomads.

Le 13 août 2002, quelques mois seulement après son arrivée à Sainte-Anne-des-Plaines, un certain Brent Huska, lié au groupe criminel autochtone de l'Ouest, l'Indian Posse[80], s'attaque à Boucher avec un pic dans la salle commune. Heureusement pour Boucher, plusieurs détenus francophones se portent à sa défense. Huska est sévèrement battu par d'autres détenus de la wing, dont un certain Jean-Roch Lefrançois, qui le blessent grièvement. L'Indien, qui doit probablement la vie à l'intervention rapide des gardiens, doit être hospitalisé à la Cité de la Santé de Laval. Ni Huska ni Boucher, qui n'a souffert que d'une légère lacération, ne porte plainte à la Sûreté du Québec.

Quelques semaines plus tard, Boucher est conduit au centre judiciaire Gouin lors des enquêtes préliminaires des accusés dans le mégaprocès de l'opération Printemps 2001. C'est la première fois qu'il revoit ses anciens disciples qui étaient réunis autour de lui pour les agapes du restaurant Bleu Marin. Boucher, assis aux côtés de son fils Francis coaccusé, en profite pour faire ses pitreries habituelles. Il s'amuse notamment à ridiculiser le juge Béliveau et la procureure de la Couronne en mimant leurs gestes et leur physique à l'intention des personnes dans la salle d'audience.

Début septembre 2002, Boucher est attaqué une seconde fois par un membre du Indian Posse. Ryan Starr utilise cette fois une arme plutôt étrange contre *Mom*: un canon artisanal.

Starr est chargé de livrer les repas aux détenus à partir de la salle commune. Quand, à distance, le gardien ouvre la trappe dans la porte de la rangée de Boucher pour lui donner son repas, Starr ouvre le feu avec son canon improvisé rempli de petits cailloux. Boucher, projeté vers l'arrière sur le plancher, ne subit aucune blessure.

Allô Police, qui qualifie l'engin de bazooka[81], rapporte que ce dernier est fabriqué avec un rouleau de papier essuie-tout rigidifié avec du plastique. Une amorce électrique servant de détonateur a été placée au fond du réceptacle rempli de gravier. Il semble qu'il suffise ensuite de brancher l'amorce sur une prise de courant pour ouvrir le feu et projeter les gravillons vers la victime. On peut se demander si l'arme n'est pas surtout destinée à faire plus de peur que de mal.

Encore une fois aucune plainte n'est portée à la suite de cette agression au canon essuie-tout. Boucher juge peut-être que cela le fera paraître ridicule d'avoir été la victime d'une arme aussi burlesque.

Des analystes de renseignements policiers de l'Ouest du pays pensent que les deux agressions contre Boucher par des membres du Indian Posse ne sont pas étrangères à l'arrivée des Hells Angels dans la région de Winnipeg. Des criminels autochtones y voient les honneurs et le prestige qu'ils en peuvent tirer en s'attaquant au Hells Angels le plus connu du pays.

Boucher fait de nouveau parler de lui en juin 2004, lorsque les autorités carcérales éventent un complot pour aider le chef Nomads à s'évader. Les auteurs du complot sont trois détenus considérés comme la garde personnelle de Maurice Boucher à l'USD. Deux d'entre eux se sont portés à sa défense lors de l'attentant au pic de Brent Huska en 2002. Après la découverte de ce complot, à la suggestion de la Sûreté du Québec, le ministère de la Justice, invoquant des raisons de sécurité, préfère faire comparaître Boucher par vidéoconférence plutôt que le transporter au palais de justice de Montréal.

C'est la première fois au Canada qu'un système de vidéo-comparution est installé dans un pénitencier fédéral. Il en existe depuis quelques années dans les prisons provinciales comme Bordeaux et Rivière-des-Prairies.

Debout derrière un grillage, menottes aux poignets, Boucher paraît amaigri quand il se présente à l'écran devant le juge Hébert de la Cour supérieure afin de répondre à des accusations de meurtres, complot pour meurtres, trafic de stupéfiants et gangstérisme, toutes portées à la suite l'opération Printemps 2001.

Début 2005, Boucher est de nouveau impliqué dans des actes de violence à Sainte-Anne-des-Plaines[82]. Cette fois, il est à l'origine de l'incident, semble-t-il. Il agresse sauvagement un autre détenu à coups de poing et de pied. Des membres de sa garde rapprochée s'en prennent également à la victime. Un gardien tire un coup de semonce pour faire cesser l'agression. Encore une fois, personne ne porte plainte.

L'avenir de *Mom* Boucher et des Nomads

En juin 2005, l'avocat de Boucher, Me Larochelle, demande à la Cour d'appel du Québec de revoir la condamnation de Boucher. Me Larochelle demande qu'on acquitte son client ou qu'on reprenne son procès pour une troisième fois. Si les juges lui accordent un nouveau procès, on va avoir droit, encore une fois, à un immense cirque médiatique. Et à un déprimant retour à la case départ pour les équipes d'avocats et de policiers qui ont travaillé sur ces deux premiers procès.

Dans le cas où sa sentence serait maintenue, je crois qu'on continuera à entendre parler de lui, mais de moins en moins. Il acceptera en effet difficilement la décision du tribunal et, de temps à autre, des incidents créés par ses compagnons de cellules viendront « agrémenter » sa vie carcérale et feront la joie des médias.

L'étoile de Boucher au firmament des motards a pâli considérablement le jour de sa condamnation. Son pouvoir aussi. Le chapitre Nomads a été rayé de la carte des clubs de motards du Québec.

Ses membres font dorénavant partie d'un chapitre virtuel des Hells Angels. À leur sortie de prison, ils pourront réintégrer un chapitre existant au Québec. Salvatore Brunetti nous fournira un bon indicatif à l'expiration de sa sentence, fin 2005. Pour les autres, ce n'est pas pour demain, comme en fait foi la liste des *full patch* emprisonnés.

MAURICE *MOM* BOUCHER	sentence de 25 ans
RENÉ *BALOUNE* CHARLEBOIS	sentence de 25 ans
MICHEL ROSE	sentence de 22 ans
ANDRÉ CHOUINARD	sentence de 22 ans
GILLES *TROOPER* MATHIEU	sentence de 20 ans
DENIS *PAS FIABLE* HOULE	sentence de 20 ans
RICHARD *DICK* MAYRAND	sentence de 20 ans
NORMAND *NORM* ROBITAILLE	sentence de 20 ans
WOLODUMYR *NURGET* STADNICK ...	sentence de 20 ans
DONALD *PUP* STOCKFORD	sentence de 20 ans
LOUIS *MELOU* ROY	disparu depuis juin 2000
PAUL *FONFON* FONTAINE	procès à venir en 2006
DAVID *WOLF* CARROLL	toujours recherché
SALVATORE *SAL* BRUNETTI[59]	sentence de 6 ans

On peut penser que, comme beaucoup de membres Hells Angels condamnés à perpétuité avant lui, *Mom* Boucher deviendra, avec le temps, un prisonnier comme les autres. Sa notoriété s'estompera. Qui se rappellera encore de lui à sa libération vers l'âge de 70 ans en 2023 ?

On doit à *Mom* Boucher la loi antigang de 2002, qui se révèle extrêmement efficace pour lutter contre la criminalité organisée. Boucher, par son indifférence, son arrogance et son mépris du système judiciaire, a finalement provoqué une prise

CHAPITRE NOMADS EN 2000: ROSE, STACKFORD, MATHIEU, MAYRAND, HOULE, CARROLL. À L'AVANT STADNICK, CHARLEBOIS, ROBITAILLE ET MAURICE BOUCHER

de conscience de l'opinion publique, ce qui a permis aux politiciens de faire adopter la loi. Au sommet de sa carrière de chef motard, Boucher est presque devenu une idole pour beaucoup de jeunes de son quartier. À la suite de son deuxième procès et du mégaprocès qui a suivi, le héros d'Hochelaga-Maisonneuve est redevenu un criminel dangereux. Le système « désorganisé » s'est finalement ressaisi depuis le début des années 2000 pour contrer la menace posée par les groupes de motards criminalisés et les Hells Angels en particulier. Tout indique, du moins pour le moment, que l'impulsion donnée par la loi antigang et la grande rafle du printemps 2001 est toujours là.

En juin 2005, un jugement de la Cour supérieure de l'Ontario reconnaît pour la première fois que les Hells Angels constituent une organisation criminelle au Canada. Pendant ce temps, en Colombie-Britannique, la police mène des opérations majeures contre des membres des Hells, pour la première fois en 20 ans d'existence du club de motards dans cette province.

CONCLUSION

Avec quelques années de retard, je peux finalement prendre ma retraite deux mois après l'opération Printemps 2001. Je continue bien sûr depuis à suivre le dossier comme témoin expert et analyste à la télévision sur les questions touchant les motards criminalisés. Au sein de la police, je me désole qu'on n'ait pas pris soin de préparer la relève. Je vois malheureusement peu de jeunes policiers prêts à faire de la lutte contre la criminalité la passion de leur vie.

En juin 2004, en intervenant comme témoin expert dans un procès devant le juge Guy Lambert à Trois-Rivières, j'ai prédit la prochaine guerre des motards pour les années 2008-2009, en me fondant sur divers indices qui montrent que les bandes de motards criminalisés sont en train de se réorganiser.

Bien sûr, la lutte contre les motards se poursuit. On arrête régulièrement des individus. On saisit des quantités importantes de drogues. On saisit leurs biens. Mais, trop souvent, on travaille au jour le jour, alors qu'il faudrait développer une stratégie globale à long terme, québécoise et canadienne, pour empêcher les réseaux de motards criminalisés de se reconstituer.

Une telle approche globale doit d'abord compter sur des analystes de renseignements bien préparés et compétents. Ils apportent une dimension différente aux enquêtes : une vision globale du milieu des clubs de motards criminalisés. On doit amener les analystes sur le terrain. La criminalité ne s'apprend pas seulement en lisant les transcriptions d'écoute électronique et les rapports de filature et de surveillance. Cela s'apprend sur les scènes de crime, dans les véhicules banalisés de surveillance et dans les postes d'observation. Ou mieux, en rencontrant régulièrement les personnes ciblées, comme je l'ai fait tout au long de ma carrière avec Boucher et les autres chefs motards. Cette expérience de terrain est primordiale pour donner de la crédibilité aux analystes. Sinon, leur savoir risque d'être pris avec un grain de sel par leurs collègues policiers, par les cours de justice et par les autres tribunes où ils sont appelés à intervenir.

Il faut aussi rendre encore plus sévères les lois sur les produits de la criminalité. L'appât de la richesse facilement acquise est la motivation première de toutes les entreprises criminelles. Il faut frapper les bandits au portefeuille, et véritablement faire en sorte que le crime ne paie pas. L'opération Printemps 2001 a été une victoire extraordinaire pour les forces de l'ordre, mais, jusqu'à maintenant, elle ne s'est pas traduite par des résultats significatifs en ce qui a trait à la récupération des gains mal acquis.

Dans le cas de *Mom* Boucher, l'enquête policière n'a pas réussi à retracer ses avoirs. Nous ne savons pas où sont passés les millions qu'il a engrangés comme chef Nomads. Les services de renseignements policiers n'ont qu'une idée approximative de sa fortune. On sait qu'il a de l'argent *offshore*, probablement dans l'hôtellerie au Mexique où il se rendait fréquemment, mais on n'en sait pas plus.

Et même, si jamais on identifie où se trouve son argent, dans l'état actuel de nos lois, il sera difficile de mettre la main dessus. C'est tout un aspect du recouvrement des produits de la criminalité pour lequel il faut trouver une solution.

Il est important de former rapidement des enquêteurs spécialisés dans les questions financières et les produits dérivés de la criminalité. Je crains que la police ne soit pas prête pour passer à l'action lorsque le projet de loi C-53 entrera en vigueur. Cette nouvelle loi aura un effet dévastateur sur le crime organisé au Canada en renversant le fardeau de la preuve. La police n'aura plus à démontrer que les biens saisis à des criminels riches et sans source légitime de revenus sont le fruit de leurs activités illicites. Dorénavant, ce seront les criminels qui devront expliquer d'où vient l'argent.

Avec Carcajou et les ERM, nous avons développé au Québec une méthode et une technique pour combattre les motards criminalisés qui méritent d'être exportées, particulièrement au

Canada, vers les autres juridictions qui font face aux mêmes types de problèmes.

La mission des Escouades régionales mixtes et leur emplacement géographique sont à repenser. Il faut que la police s'ajuste à la criminalité émergente de 2005-2006 et se prépare à celle qui sera la nôtre vers 2008-2009 !

NOTES

1. Pellerin, Guy. Rapport présentenciel pour monsieur le juge Marcel Beauchemin concernant Maurice Boucher. Service de probation, ministère de la Justice. Montréal, 12 janvier 1976.

2. Pellerin, Guy. Rapport présentenciel pour monsieur le juge Bernard Bilodeau concernant Maurice Boucher. Service de probation, ministère de la Justice. Montréal, 21 février 1975.

3. On surnommait Boucher, *La vieille*, lorsqu'il était dans les SS. Comment *La vieille* est devenue *Mom* reste nébuleux, mais certains pensent qu'il a mérité les deux surnoms à cause de la façon dont il voulait tout décider pour les autres membres du club. Plus tard chez les Nomads et les Rockers, les exécutants de ses basses œuvres affirmaient, entre eux, que l'ordre avait été donné par *Les lunettes.* Ce surnom, *Les lunettes*, était également utilisé par des avocats travaillant pour l'organisation des Hells Angels.

4. Le chapitre Montréal des Hells Angels occupe en fait un local au 153, rue Prince à Sorel. Et plusieurs membres du chapitre vivent dans des maisons des environs.

5. Équipe Régionale Alcool Moralité Drogues Jeux. L'ERAMDJ a raccourci son nom en 1985 pour l'ERAM (Équipe Régionale Alcool Moralité), devenant ensuite en 1987 l'ERM (Escouade Régionale des Mœurs) et finalement en 1991, l'ECO (Escouade du Crime Organisé).

6. Les perquisitions policières se divisent en trois catégories:
- La perquisition dynamique requiert l'emploi de la force nécessaire pour avoir un effet de surprise et ainsi préserver les pièces à conviction présentes sur les lieux et assurer la sécurité des policiers.
- La perquisition statique où la sécurité des lieux prime sur la recherche de pièces à conviction. Il n'y a donc pas d'effet de surprise.
- La perquisition passive demande la collaboration des personnes sur place qui acceptent de bon gré de quitter les lieux perquisitionnés.

7. Le sigle SPVM a été retenu pour l'ensemble du texte, même si le Service de Police de la ville de Montréal portait le nom de Service de Police de la Communauté Urbaine de Montréal (SPCUM) avant 2001.

8. Les autres membres présents des SS sont: Paul *Pops* Alexandre, Yves *Le Piff* Alexandre, Ronald *Ti-poil* Aubin, Germain *Ti-Ours* Bédard, Ronald *Coyotte* Cayer, Michel *Mike* Desbiens, Gaétan *Gros bébé* Dubuc (assassiné le 16 septembre 1984), Michel *Ti-Rouge* Gariépy, Daniel *Bab* Gaucher, Mario *Pic* Dubuc et Michel *Le Jeune* Gobeil.

9. Nom fictif puisqu'il s'agit d'une mineure.

10. Comment des détenus en prison peuvent-ils se mettre en état d'ébriété? Ils consomment de l'alcool frelaté, communément appelé de la « broue ». Certains détenus ont développé une spécialité de « brasseur » et ont chacun leurs recettes. On brasse à partir de patates, de tomates ou de fruits, comme des oranges et des pommes, mélangés à du pain, qui remplace la levure, et de l'eau. Tout ce qui est acide peut remplacer les fruits et les légumes, s'ils ne peuvent en subtiliser à la cuisine de la prison. La première étape consiste à faire fermenter le tout dans un récipient à la chaleur, dans un sac poubelle ou dans un autre récipient qu'on cache pour la durée de la fermentation. Les brasseurs fabriquent aussi un alambic ou ce qu'ils appellent une « distilleuse » avec un raccord électrique modifié. On trouve les accessoires nécessaires à la fabrication d'un alambic un peu partout dans la prison (couteaux de cuisine, contenants en plastique, bouts de tuyau, antennes de TV ou radio, etc). Lorsque les fruits en fermentation bouillonnent, les brasseurs versent le liquide dans un gallon en plastique, mettent les couteaux à l'intérieur, ferment le bouchon hermétiquement et branchent le raccord électrique. Le bout excédentaire de tuyau est ensuite mis dans les toilettes afin de refroidir et de liquéfier la vapeur créée par les fruits en fermentation. Puis, on transvide le tout dans un autre récipient pour consommation. Habituellement, le produit fini est versé dans une bouteille de un litre. La boisson alcoolisée ainsi faite se vend le double et même le triple des alcools illégaux disponibles à l'extérieur.

11. Je connais bien la question des drogues dans les centres de détention. De 1986 à 1990, j'ai souvent eu à intervenir dans les différentes prisons et pénitenciers de la région. Le recours aux visites contacts est la méthode la plus utilisée pour se procurer des stupéfiants. La plupart du temps, ce sont des femmes, les conjointes, les sœurs, les mères et les amies qui prennent ce risque énorme par « amour » ou par « naïveté ». La femme dissimule dans ses cavités corporelles, pour déjouer les fouilles, ce qu'on appelle dans le jargon carcéral une « plogue » (la drogue est enveloppée dans du papier cellophane recouvert de ruban électrique et placée dans un condom ou un ballon gonflable). Lors de la visite, elle se rend aux toilettes, retire la drogue pour l'amener au détenu. Selon la grosseur de la « plogue », le détenu l'avale ou se l'introduit lui-même dans le rectum. Les détenus eux-mêmes introduisent de la drogue dans les prisons en revenant de sorties autorisées avec une « plogue » dans l'anus ou en avalant plusieurs petits ballons remplis de drogue. Les autorités saisissent aussi des balles de tennis remplies de drogue, des flèches ou simplement des paquets qui sont lancés dans la cour d'exercice par des complices de l'extérieur. On en dissimule aussi dans des effets personnels de détenus provenant

de l'extérieur, tels que télévision et radio. On place de petites quantités de stupéfiants sous les timbres d'une enveloppe ou dans les cartes de vœux. Des avocats et des gardiens de prison ont également déjà été arrêtés pour avoir introduit des drogues dans des centres de détention.

12. Un ex-*frère* de Boucher aux SS, Gerry *Le chat* Coulombe, *prospect* Montréal passé du côté de la police, témoignera contre ses ex-*frères*, et évitera ainsi une condamnation plus sévère pour avoir participé directement à la disposition des cinq cadavres.

13. Je connaissais personnellement Claude *Coco* Roy. Il travaillait chez un éleveur de dindes et de poulets de la région de Saint-Jean-Baptiste-de-Rouville. À l'automne 1984, je demeurais dans une des maisons de ferme bâties sur le domaine de l'éleveur. Claude Roy était locataire d'une autre de ces maisons érigées sur le flanc du mont Rougemont. De chez moi, je voyais souvent passer le samedi soir des « choppers bruyants » qui venaient faire la fête chez *Coco*. Après avoir été mis au courant de ma présence, le niveau de bruit baissa drastiquement. Les Hells prenaient toutes les précautions nécessaires pour ne pas déranger les voisins en venant visiter leur *frère* Claude Roy.

14. Comme je l'ai indiqué plus haut, le point culminant d'ENDURA est l'opération des 4 et 5 décembre 1982, alors que 139 policiers effectuent un raid contre le local de Sorel et les maisons environnantes habitées par des Hells. Outre la SQ et la GRC, des policiers municipaux de Laval, Saint-Eustache, Montréal, Longueuil, Greenfield Park, Sorel et Tracy participent à l'opération.

15. Au cours des dernières années, ç'a été le cas de Claude *Matcho* Giguère, du chapitre Trois-Rivières, et aussi de Gaétan David, de Michel *Mammouth* Grenier et de Sylvain Boulanger, du chapitre Sherbrooke. Daniel *Capoté* Beaulieu, membre du chapitre Quebec City, a été le dernier à revenir sur ses projets de retraite au cours de l'été 2005.

16. Depuis le 1er mai 1999, un amendement à la Loi C-55 exclut de cette procédure d'examen expéditif au 1/6e de leur sentence tous les délinquants reconnus coupables d'infraction de criminalité organisée ou de gangstérisme.

17. Les infractions liées aux stupéfiants sont réputées faire partie des crimes sans violence, un non-sens grave à mon avis, compte tenu des crimes directement imputables au commerce et à la consommation de drogues.

18. Je couvre donc les activités criminelles des groupes de motards suivants : les Mirages du Nord, basés dans la région de Sainte-Sophie, et les Death Riders Laval qui ont établi leurs pénates à Bois-des-Filion et à Terrebonne.

19. Voir le chapitre 9 pour plus d'information sur le rôle de Lepage chez les Hells.

20. Pour simplifier, l'expression « guerre des motards » sera utilisée partout dans le texte.

21. Les Hells Angels s'approvisionnaient en armes automatiques, essentiellement des pistolets-mitrailleurs de marque Cobray M-11, auprès de deux sources

essentiellement: leur armurier attitré Michel Vézina et les Mohawks. C'est Vézina qui a fabriqué l'arme utilisée contre le journaliste Michel Auger en septembre 2000. Il les fabriquait à partir de pièces achetées à Burlington, au Vermont. Vézina n'avait aucune difficulté à passer les pièces détachées à la frontière. Les feuilles de métal que Vézina utilisait venaient également des États-Unis par la réserve mohawk d'Akwesasne. Il vendait au chapitre South des Hells Angels. On estime qu'il a vendu plus de 600 armes de tous calibres aux membres du crime organisé. La provenance des pistolets-mitrailleurs Cobray-11 qu'on saisissait était relativement facile à établir. S'ils avaient été modifiés avec un large pontet, on savait que ça venait de Vézina. La seconde source d'approvisionnement des Hells en armes prohibées était les Mohawks. Les Indiens ne faisaient pas directement affaire avec les Hells. Daniel Roy, qui demeurait à Saint-Agnès-de-Dundee, à un kilomètre de la réserve, servait d'intermédiaire avec les frères Allan et Louis Peters. Les pistolets-mitrailleurs Cobray M-11 étaient achetés chez Carney Gun Shop dans l'État de New York, puis modifiés pour pouvoir tirer en rafale par le Mohawk Gordon Lazore, et revendus par les frères Peters à Roy qui approvisionnait le chapitre Trois-Rivières des HA.

22. Les groupes de motards criminalisés font des études de marché avant d'installer leurs repaires, normalement, aux confins des grands axes routiers. Ils privilégient aussi, de préférence, les municipalités qui disposent d'un service de police municipale inférieur à 20 membres. Dans le cas de la municipalité de Saint-Basile-le-Grand, elle est desservie par 18 policiers. On n'a qu'à penser au local des Hells à Saint-Nicolas, desservi par la Sûreté municipale (SM) Chaudières-Etchemin, celui de Trois-Rivières, couvert par la SM Trois-Rivières-Ouest, au local des Hells à Sorel, desservi par la SM Sorel et celui de Sherbrooke par la SM Métropolis. Les Hells tirent avantage de toutes les situations. Les fusions municipales auront permis d'augmenter significativement la présence policière et d'équilibrer les forces en présence.

23. Richard est décédé le 23 février 1996 des suites d'une complication post-opératoire à la suite d'une chirurgie à l'estomac afin de réduire son obésité.

24. Dans le contexte d'une telle équipe, le rôle du renseignement criminel est de recueillir et de colliger des informations, de les valider, de les analyser, de les documenter et de les alimenter dans les divers fichiers informatiques; ses enquêteurs ne font pas d'enquêtes opérationnelles. Ceux-ci préparent les dossiers pour les unités d'enquêtes et les assistent par la suite, au besoin.

25. L'une de mes premières réalisations en arrivant aux renseignements criminels de la SQ en 1991 a été d'établir avec Richard Beaudry la liste des motards criminalisés et de la comparer avec la base de données du ministère de la Sécurité du revenu. On a aussi procédé à une mise en parallèle de la liste des bénéficiaires de l'assurance-chômage avec celle des personnes incarcérées. On s'est vite aperçu que des motards avec des trains de vie importants retiraient du Bien-être social. D'autres qui purgeaient des peines de prison recevaient de l'assurance-chômage. Certains mangeaient même aux deux râteliers. Des millions de dollars ont ainsi été épargnés et se sont retrouvés dans le fonds consolidé de la province de Québec.

26. Lors des événements importants, des anniversaires dans les locaux ou de longues randonnées à motos, les Hells Angels se font souvent accompagner par un avocat

de service. Selon les chapitres, ce sera le cas au cours des années de Me Guy Quirion, Me Martial Filion, Me Gilbert Frigon, Me Roger Bellemarre ou Me Pierre Panaccio. Les motards veulent s'assurer ainsi que la SQ respecte scrupuleusement leurs droits dans le cas de vérifications policières. Ça coûte sans doute très cher d'honoraires. Mais pour les HA, *money is no problem.*

27. Voir l'incident de Sorel, au chapitre 3.

28. Quand la bombe a explosé sous le véhicule de Marc Dubé, j'étais à Magog en préparation de l'enquête sur remise en liberté du Hells Sylvain Vachon, du chapitre Sherbrooke, accusé de voies de fait et de menaces envers des policiers de la ville de Magog.

29. Des articles *support* sont en vente sur les sites Internet des chapitres Hells Angels un peu partout dans le monde. On peut aussi les acheter par catalogue et dans les différentes boutiques *Red and White* de plusieurs grandes villes canadiennes. La vente de ces articles promotionnels sert à payer les frais d'avocats des motards emprisonnés et aussi à subvenir aux besoins de leurs familles durant leur incarcération. Chaque local de Hells au Québec a une pièce réservée à l'entreposage des articles promotionnels du chapitre. Ces objets peuvent être vendus aux membres, *prospects, hangarounds, friends* ou donnés à des relations d'affaires engagées dans les activités criminelles avec des membres du chapitre. Seuls les membres d'un chapitre peuvent porter le nom Hells Angels sur un blouson, un coton ouaté, une casquette etc. Tous les autres individus dans la structure ne peuvent porter que des écussons *support.* Les cartes de crédit sont acceptées ainsi que les commandes postales.

30. Boucher et Daudelin porteront plainte devant le comité de déontologie policière qui entendra la cause le 2 septembre 1998. Boucher se désistera pour des raisons inconnues le matin de l'audition, et Me Daudelin verra sa plainte rejetée par le commissaire Gilles Migneault après mon témoignage. Je rendrai des témoignages d'expert dans sept autres causes devant les commissaires de la déontologie policière entre 1996 et 2000, dont une autre fois dans une cause impliquant Boucher, en décembre 2000. À cette occasion, Maurice Boucher et Robert Savard se plaignaient du travail de l'enquêteur de la répression du banditisme, François Charpentier de la SQ, qui avait agi à titre de responsable d'une perquisition chez Savard en décembre 1994. Toutes ces plaintes des motards contre les policiers ont été rejetées par les commissaires après auditions de tous les témoins. Cette stratégie de porter plainte pour tout et pour rien faisait partie des plans de Boucher et des autres *frères* Hells Angels afin de perturber le système. Ils savaient fort bien qu'une plainte à la déontologie policière, aussi futile soit-elle, apportait aux policiers plus que leur part de problèmes.

31. Jalbert adhérera par la suite au club Rock Machine avant de joindre l'organisation des Bandidos.

32. L'explosion au bar Harley et celles qui ont suivi les funérailles du Hells Richard Émond à Trois-Rivières.

33. Au Québec, on semble devoir faire les frais d'une nouvelle guerre territoriale entre organisations criminelles de motards tous les 10 ans. On verra bien si le phénomène se reproduira au tournant des années 2010.

34. Cour supérieure du Québec, Dossier nº 700-36-000183-979, 10 septembre 1997.

35. On obtenait alors régulièrement des autorisations judiciaires d'écoute électronique contre Boucher qui n'avaient qu'une durée maximale de 90 jours. L'entrée en vigueur de la loi antigang en 1997 va nous permettre d'intercepter légalement des communications privées jusqu'à 12 mois dans les cas de gangstérisme.

36. Pour l'organisation des Hells Angels, des dates charnières reviennent annuellement, comme les dates anniversaires de fondation des chapitres, les dates d'ancienneté des motards quand ils ont été reçus ou la date de la première sortie de l'année en moto. Le 1er mars, c'est l'anniversaire du chapitre South, le 26 mai, celui de Quebec City, le 24 juin, celui de Trois-Rivières et des Nomads et, finalement, le 5 décembre, celui de Sherbrooke et de Montréal. C'est à chaque fois l'occasion de faire la fête.

37. Après la mort violente de Robert Savard, assassiné en juillet 2000, on n'a plus jamais revu Rivest dans l'entourage immédiat du chef des Nomads.

38. Dans les clubs affiliés, appelés aussi clubs-écoles, on note quatre statuts officiels. D'abord, le *friend* ou ami du club, qui ne porte pas de couleurs et qui doit exécuter toutes les tâches demandées par son parrain et les autres membres du club. Personne ne peut être recruté dans un club ou chapitre de motards criminalisés sans être parrainé par un membre en règle qui doit répondre au club ou au chapitre des agissements du candidat. Si l'individu accomplit ce qu'on lui demande, et que tous les membres du club le reconnaissent, il pourra passer au statut supérieur de *hangaround*. Il ne porte toujours pas de couleurs dans les clubs affiliés. Il accomplira encore les commandes des autres membres du club durant une période de 6 à 12 mois. Ensuite, par vote unanime, il accèdera au statut de *striker* et aura droit à porter des couleurs. Au dos de la veste de cuir ou de jeans figurera le nom de la localité ou de la région représentée par le club avec, à droite, les lettres MC pour Motorcycle Club. Sur le devant de la veste, côté gauche à la hauteur du sein, le mot *Striker* sera cousu. Le *striker* devra attendre normalement un an avant d'espérer devenir membre à part entière de son club. Encore une fois, un vote unanime de tous les membres du club pris à l'occasion d'un *church meeting*, est requis pour devenir *full patch*, et donner droit à porter l'emblème du club.

39. C'est le même St-Amand que Boucher a envoyé faire le transbordement de 25 tonnes de hasch au large des côtes de Terre-Neuve en octobre 1993. Lors du meurtre de Lemay et de la tentative de Savaria, St-Amand est en liberté sous conditions. Boucher a envoyé le frère d'un Rockers pour payer son avocat et celui de l'autre Rockers arrêté avec lui sur le bateau par les policiers de la GRC.

40. Ne prenant aucun risque, il se constituera quand même un dossier sur leur famille afin de pouvoir exercer des représailles.

41. Le fils de *Mom* est chargé de verser une allocation à la compagne de Gagné pendant son incarcération. C'est une pratique courante chez les Hells, notamment pour s'assurer de la fidélité des motards emprisonnés.

42. Personne n'a jamais été accusé de cette tentative de meurtre, ni les suspects René Charlebois et Normand Robitaille, ni Maurice Boucher.

43. Un anniversaire de fondation de chapitre des Hells implique la mobilisation de policiers des sûretés municipales responsables du territoire où se déroule le *party*, d'agents de la SQ et d'autres corps policiers, d'ailleurs au Canada, viennent prêter main-forte. On vérifie notamment si des Hells étrangers, interdits de séjour au Canada, sont présents. On s'assure aussi qu'il n'y a pas parmi les fêtards des individus recherchés ou soumis à des conditions de remise en liberté ou de libération conditionnelle qui les empêchent d'être en contact avec des motards ou des individus possédant des casiers judiciaires. Cela nous permet aussi d'identifier les nouveaux visages qui gravitent dans l'entourage des Hells. Pour nous, c'est une mine d'or.

44. Deux autres assassinats semblent être aussi le résultat de règlements de comptes internes chez les Hells Angels, au Québec. Comme le meurtre de Tousignant, ils en ont les caractéristiques. Il s'agit des assassinats de Scott Steinert et de Donald *Bam-Bam* Magnussen, respectivement membre et *hangaround* du chapitre Montréal. On les a éliminés en les assommant à coups de marteau, on les a ficelés pour ensuite les jeter dans le fleuve Saint-Laurent, à la manière des cadavres des Hells du chapitre North assassinés à Lennoxville en 1985. Steinert a été tué trois semaines après son mariage princier d'octobre 1997 auquel tous ses *frères* s'étaient fait un devoir d'assister.

45. On allait même jusqu'à prétendre que la guerre des motards était une invention policière!

46. C'est à Ixtapa au Mexique, un an jour pour jour après son arrestation, que Maurice Boucher apprendra que le ministère public a décidé d'aller en appel.

47. *Journal de Montréal*, 31 octobre 1999, page 7.

48. Agent civil d'infiltration ou agent source sont les noms qu'on donne à des individus qui infiltrent des organisations criminelles, moyennant rémunération et contrat, et qui s'engagent à témoigner devant les tribunaux de crimes commis par les membres de ces groupes. L'informateur est rémunéré pour ses renseignements, sans témoignage ni contrat.

49. Blais servait de prête-nom pour les opérations du bar Red light de Laval.

50. Bélanger décédera en mai 2004 d'une infection virale contractée lors de ses nombreux voyages au Costa Rica.

51. Voir le chapitre 5. La bombe devant le restaurant Cri-cri.

52. Policiers, pompiers, gardiens de prison, avocats, électriciens, vendeurs d'autos, vendeurs de téléphones cellulaires, de téléavertisseurs, notaires, médecins, fonctionnaires, etc.

53. *Allô Police*, 5 mai 2000, pages 4 et 5.

54. *Journal de Montréal*, 11 août 2000, page 5.

55. *Allô Police*, 1er septembre 2000, page 3.

56. Membres initiés de la mafia.

57. Je me suis rendu compte des efforts que j'ai déployés à distance pour continuer à suivre les événements avec mes collègues quand j'ai reçu mon relevé d'appels. Plus de 3 000$ d'interurbains. J'ai dû fournir quelques rapports explicatifs détaillés...

58. Filteau, qui était jusque-là resté dans l'ombre, jouera ensuite un rôle très important dans le mouvement de masse des Hells vers l'Ontario en décembre 2000.

59. Lorsque les Rock Machine décideront, en novembre 2000, de joindre les rangs des Bandidos, un groupe ennemi des Hells, Porter et Fernandez se joindront aux Hells Angels. Ce soir-là d'octobre, ils avaient donné leur «parole» et c'était «sacré» pour ces deux motards. Porter fondera en décembre le chapitre Nomads Ontario et Fernandez sera reçu membre Nomads Québec, avant son décès des suites d'un cancer, début 2001. Salvatore Brunetti, un ancien Dark Circle deviendra membre Nomads Québec avant d'être arrêté 3 mois plus tard dans le cadre de l'opération Printemps 2001.

60. Bien sûr, je comprends que les médias désignent souvent des criminels comme homme de l'année. Hitler et Al Capone ont déjà été choisis hommes de l'année par des magazines américains. Mais ça choque toujours un policier comme moi, pour qui cela représente le monde à l'envers.

61. Pendant que Boucher est en prison, c'est Richard Mayrand qui prend en main l'organisation des Nomads.

62. Cour supérieure du Québec. Dossier 500-36-002398-017. Compte rendu sténographique des témoignages des 19 et 20 février 2001 devant le juge Kevin Downs. Bernard J. Raveau, sténographe officiel.

63. *Ibid.*

64. *Ibid.*

65. *Ibid.*

66. *Ibid.*

67. Dr Morissette, Louis. Expertise psychiatrique. Détention en solitaire d'un prévenu. Maurice Boucher, 47 ans. Montréal, 15 novembre 2000.

68. *Ibid.*

69. *Ibid.*

70. Transcription déposée le 28 septembre 2004 en preuve devant la Cour supérieure de l'Ontario dans les dossiers 022474/01 et 022474/02 devant la juge Michelle Fuerst, sous le numéro d'objet déposé 41.

71. Il s'agit d'une reconnaissance de faits de ce qu'un témoin dirait sous serment s'il était appelé à la barre durant le procès.

72. Cour supérieure. Dossier 500-05-069588-018, district de Montréal, Boucher vs Bouchard, Landry, Ménard et procureur général.

73. Devenu un chapitre Hells Angels depuis la fin 2000.

74. À la demande de Me Charbonneau, j'étais allé à Winnipeg pour récupérer les vidéos, photographies et rapports disponibles de cet événement. Je savais que presque tous les Nomads, à l'exception de Boucher, s'étaient rendus à Winnipeg en octobre 1997. J'avais aidé les sergents détectives Ray Parry et Ken Lugg de la police locale pour l'identification de la cinquantaine de motards du Québec venus assister au *party* d'anniversaire.

75. J'ai assisté à cet échange entre les deux avocats en compagnie d'une stagiaire de la magistrature française en visite au Québec qui fut étonnée que de tels propos puissent être tenus par un avocat devant un tribunal. Quand Boucher m'a vu dans la salle d'audience, il m'a salué de la tête et a esquissé un petit sourire. Il semblait se demander ce que je faisais là et surtout en telle compagnie…

76. Lors des perquisitions policières de 2001, la liste des 23 règles régissant les membres des Hells Angels du Canada est saisie.

77. Le « 86 *rule* » oblige les membres affligés d'une dépendance aux drogues ou à l'alcool à se faire traiter. Le chiffre fait référence semble-t-il à un règlement similaire qui a cours dans les forces armées.

78. Parmi ceux-ci, Louis *Melou* Roy, membre Nomads, qui fut aperçu pour la dernière fois en juin 2000 par l'agent source Dany Kane, et qui, selon la rumeur, aurait été éliminé par ses *frères* Nomads pour une question d'argent liée aux profits de la vente de stupéfiants.

79. On l'aurait transféré dans cette unité à cause des risques potentiels d'évasion selon *Allô Police*, édition du 30 août 2002, pages 2 et 3.

80. L'Indian posse est un gang de rues autochtone des quartiers nord de Winnipeg de quelque 500 membres qui a adopté pour emblème le drapeau des Warriors et qui se livre aux activités criminelles usuelles des bandes de rues : drogues, prostitution, extorsion.

81. *Allô police*, 20 septembre 2002, pages 2 et 3.

82. André Cédilot, *La Presse*, 23 février 2005.

TABLE DES MATIÈRES

transcontinental
IMPRESSION
IMPRIMERIE GAGNÉ